KB076660

저자 소개

인성 좋은 實戰 기획·전략 전문가!

정도전 / Marcus J. Jeong

10개가 넘는 대기업과 외국계 금융사에서 기획과 전략업무를 수행했던 워커홀릭(Workaholic)!
많은 선·후배님들이 같이 일해보고 싶어 하셨던 실전 기획·전략 전문가!
그리고 조금이라도 사회에 도움이 되고 싶은 바보 市民!

실전(實戰), 보고서 기획서 작성 및 보고 기법

발행 | 2023년 1월 23일
저자 | 정도전(Marcus J. Jeong)
펴낸이 | 한건희
펴낸곳 | 주식회사 부크크
출판사등록 | 2014.07.15(제2014-16호)
주소 | 서울특별시 금천구 가산디지털1로 119 SK트윈타워 A동 305호
전화 | 1670-8316
이메일 | info@bookk.co.kr

ISBN | 979-11-410-1166-6

www.bookk.co.kr

'보고(기획)업무' 실전 워크북

CEO들도 몰래 사 보는 책!!!
많은 직장인들의 '인생강의'를 책으로!!!

실전 보고서 기획서 작성 및 보고 기법

국내 대기업 & 외국계 기업에서 통하는 확실한 비법들

보고업무가 부담되는 신입 사원부터 임원들까지
실무에 바로 도움되는 실전 노하우

workbook

저자의
네이버 블로그

‘보고(기획)업무’ 실전 워크북

CEO들도 몰래 사 보는 책!!!
많은 직장인들의 ‘인생강의’를 책으로!!!

實戰 보고서 기획서 작성 및 보고 기법

국내 대기업 & 외국계 기업에서 통하는 확실한 비법들

보고업무가 부담되는 신입 사원부터 임원들까지
실무에 바로 도움되는 實戰 Know-how

목차(目次, TABLE OF CONTENTS)

목차(目次, TABLE OF CONTENTS)

Chapter 3. 보고서 및 기획서 작성하기

목차(目次, TABLE OF CONTENTS)

목차(目次, TABLE OF CONTENTS)

This page intentionally left blank.

Chapter 1
INTRODUCTION

This page intentionally left blank.

1. Introduction

가. 이 책의 특징

□ **이 책은 '보고(기획)업무'*에 관한 이론서가 아닌, 실무에서 바로 활용이 가능한 노하우**(Know-how, 비법)**들을 담고 있는, '실전 지침서**(實戰指針書)**'입니다.**

- 즉, 이 책에는 제가 '여러 회사'에서 '상당히 많은 분들'과 함께 '치열하게' 근무하며 깨달았던(주로 시행착오를 통해) '실전 비법'들이 반영돼 있습니다.
- 그리고 이 내용들이 사무직 직장인분들에게 적지 않게 도움이 된다는 것도 여러 회사에서 근무하시는 많은 선·후배님들을 통해 확인했습니다.

□ **그리고, 이 책은 실무자분들이 쉽게 이해하실 수 있는 방식으로 만들어졌습니다.**

- 우선, 이 책은 '보고(기획)업무'의 실무 흐름(Process, flow)에 맞게 스토리라인(Storyline, 줄거리)을 구성했습니다.
- 그리고 이 책의 각 페이지는, 실무자분들의 눈에 익숙한, '파워포인트 슬라이드' 형식으로 심플하게 작성됐습니다.
  - 그래서 글로 가득 찬 다른 책들보다는, 좀 더 쉽게 그 의도를 파악하고 기억할 수 있을 것입니다.
- 더불어 이 책은 전체적으로 워크북(Workbook)의 콘셉트(Concept)를 적용해 다양한 '실전연습(문제)'들이 포함돼 있습니다.
- 마지막으로, 제 블로그를 통해 관련 자료(e.g.,**, PPT 양식 등)들도 별도로 제공해드립니다.

□ **물론, '만족도가 매우 높은' 저자의 직강**(直講)**을 통해 이 책의 핵심 내용을 보다 쉽게 이해하실 수도 있습니다.**

- 오프라인 강의 후기는 탈잉(taling.me)을 통해 바로 확인해 보실 수 있습니다.

Note) * 보고(기획)업무 = 보고서나 기획서 작성(Documentation) + 보고 및 프레젠테이션(Reporting and Presentation) + 소통 및 협조(Communication and Cooperation). 이후 이를 '보고업무'로도 표현.
** 예를 들어(라틴어 exempli gratia를 줄인 것. '이지'나 'for example'로 발음).

나. 이 책의 스토리라인(Storyline)

□ **이 책은, 아래의 다이어그램**(Diagram)**과 같이, 보고(기획)업무의 실무 흐름에 맞춰 스토리라인**(Storyline, 줄거리)**이 구성되어 있습니다.**

- 즉, '①번' 상사로부터 '업무 지시'를 접수할 때부터 '⑥번' '실행 후 보고'나 'Follow up'까지 순차적으로 설명해드립니다.

〈 보고(기획)업무 Flow와 Communication & Cooperation 대상 〉

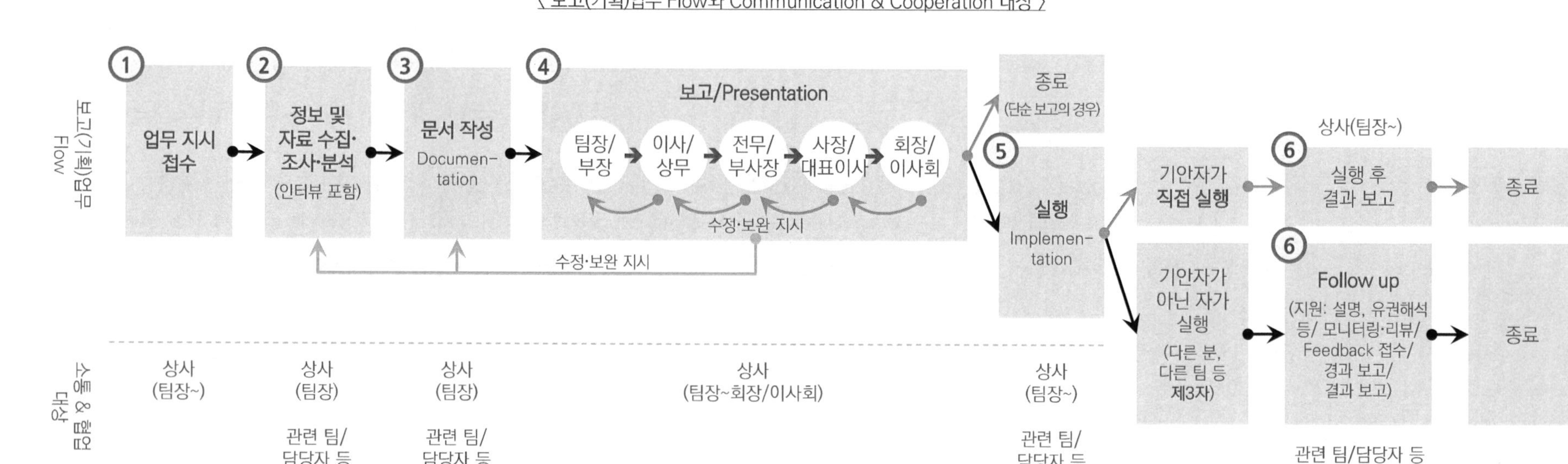

Note) 위 다이어그램 하단의 붉은 색 글씨는 주요 커뮤니케이션 대상.

1. Introduction

다. 이 책을 만든 목적

□ **우선, 저는 이 책을 통해 여러분에게 '보고(기획)업무'의 의미(내용)를 정확하게 이해시켜드리고 싶습니다.**

- 보고(기획)업무를 잘하기 위해서는 이 업무의 내용(= 구성 요소)을 명확하게 이해하셔야 합니다.
- 보고(기획)업무는 '문서(보고서, 기획서, 전략 등)작성'과 '보고/프레젠테이션(Presentation)'이 전부가 아닙니다.

  - 보고서/기획서 작성(Documentation)
  - 보고/발표(Reporting/Presentation)
  - ?????

□ **그리고, 어떻게 하면 '보고(기획)업무'를 잘할 수 있는지에 대해서도, 저만의 노하우(Know-how)를 공유해드리고 싶습니다.**

- 물론, 이 책을 한 번 보셨다고 여러분이 갑자기 보고(기획)업무의 '달인'이 되지는 않을 것입니다.
- 그러나 이 책을 꼼꼼하게 보신다면, 여러분은 분명 보고(기획)업무에 대해 '예전과는 좀 다른 뷰(View)와 자신감'을 갖게 될 것입니다.

□ **그래서, 모든 분들이 선배 세대들보다 더 멀리 나아갔으면 좋겠습니다.**

- 제가 긴 시간 동안 시행착오를 통해 깨달은 것들을 토대삼아 모든 분들이 저보다 훨씬 더 멀리 나아갔으면 합니다.
- 그래서, 많은 분들이 지금보다는 더 나은 분위기에서 조직 생활을 하셨으면 합니다.
- 그리고 부디 이를 통해 우리나라 조직(기업을 포함한 다양한 조직)들의 경쟁력도 좀 더 강화됐으면 합니다.

1. Introduction

라. 이 책의 타깃(이 책이 도움이 되는 분들)

☐ **보고(기획)업무나 조직문화에 익숙하지 않은 분들**(직위나 직책 불문)

- 회사에 적응이 잘 안 되는 신입(新入, Entry Level)이나 주니어 직장인분들
- 외국에서 학교를 졸업하시고 대한민국에서 근무하시는 분들
- 보고(기획)업무를 선배들에게 제대로 배워보지 못한 분들
- 향후 보고(기획)업무를 자주 해야 하는 팀이나 회사로 이동하실 분들

☐ **보고(기획)업무 때마다 윗분들이나 동료들과 갈등이 발생하는 분들**(직위나 직책 불문)

- 보고(기획)업무 관련, 상사 및 동료들과의 Communication이 어려운 분들

☐ **본인의 보고(기획)업무 품질**(品質, Quality)**을 남들보다 더 빨리 높여, 회사에서 인정받고 싶으신 분들**(직위나 직책 불문)

- 즉, 동료(= 선후배)들 보다 좀 더 앞서 나가고 싶은 분들

This page intentionally left blank.

This page intentionally left blank.

Chapter 2
보고(기획)업무 기본기(基本技)

This page intentionally left blank.

2. 보고(기획)업무 기본기

가. 보고(기획)업무란? - 보고(기획)업무의 내용

□ **일반적으로, '보고(기획)업무'의 핵심**(核心, Key)**은 '①문서 작성'이나 '②보고/발표'보다는 '③소통과 협력**(疏通과 協力 또는 協業, Communication and Cooperation, 이후 이를 'C&C'로도 표현)**'입니다.**

- 물론, '문서 작성(Documentation)'과 '보고/발표(Reporting/Presentation)'업무도 중요합니다. 그러나 이것들이 보고(기획)업무의 전부이자 핵심이라고 이해하시면 위험합니다.
- 왜냐하면, 보고(기획)업무의 주목적(主目的, Main purpose)은 Audience(보고를 받는 분) 및 제3자들과의 소통(疏通, Communication)과 협력(協力, Cooperation)이기 때문입니다.
- 만약, 회사에서 하는 보고(기획)업무 중 C&C 없이 '혼자' 할 수 있는 것이 있다면 그것은 분명 지극히 단순하거나, 무게감 없이 주기적으로 반복되는 업무일 가능성이 높을 것입니다.

〈 보고(기획)업무의 주요 내용 〉

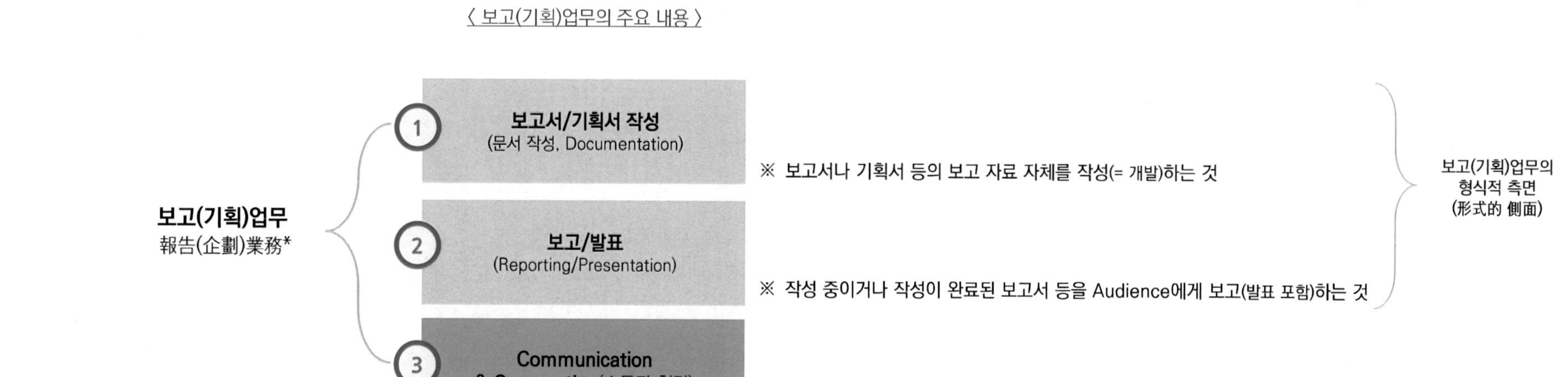

보고(기획)업무
報告(企劃)業務*
1
보고서/기획서 작성
(문서 작성, Documentation)
2
보고/발표
(Reporting/Presentation)
3
Communication
& Cooperation(소통과 협력)
※ 보고서나 기획서 등의 보고 자료 자체를 작성(= 개발)하는 것
※ 작성 중이거나 작성이 완료된 보고서 등을 Audience에게 보고(발표 포함)하는 것
※ 문서의 작성 및 실행을 위한 제3자들(e.g., 상사, 동료 선·후배, 다른 팀, 그리고 외부 분들 등)과의 소통과 협조
보고(기획)업무의
형식적 측면
(形式的 側面)

Note) * 알릴 보(報, 갚을 보), 알릴 고(告, 고할 고)

[참고 01] 직장인분들이 '보고(기획)업무'에 대해 궁금해하는 것들…

□ **그러나, 제가 실무자분들을 대상으로 '보고(기획)업무' 관련 강의를 진행해보니, 상당히 많은 실무자분들이 보고(기획)업무의 '형식적 측면(形式的 側面)'을 훨씬 더 중요하게 생각했습니다.**

- 즉, 많은 분들이 보고서의 '틀이나 템플릿(특히 PowerPoint)', '보고서式(식) 표현이나 용어', 그리고 매끄러운 보고나 Presentation 기법 등에 대해 과도하게 고민하고 있었습니다.
- 그래서 이 책에서는 주로 형식적인 측면에 초점을 맞춰 보고(기획)업무를 하는 실무자에게 필요한 내용들을 상세하게 설명해드리겠습니다.
- 그리고 제가 앞에서 말씀드린 바와 같이, '형식적인 측면' 만큼이나 중요한 것들을 중간중간에 추가해드리겠습니다.

〈 보고(기획)업무 관련 직장인분들의 관심사 〉

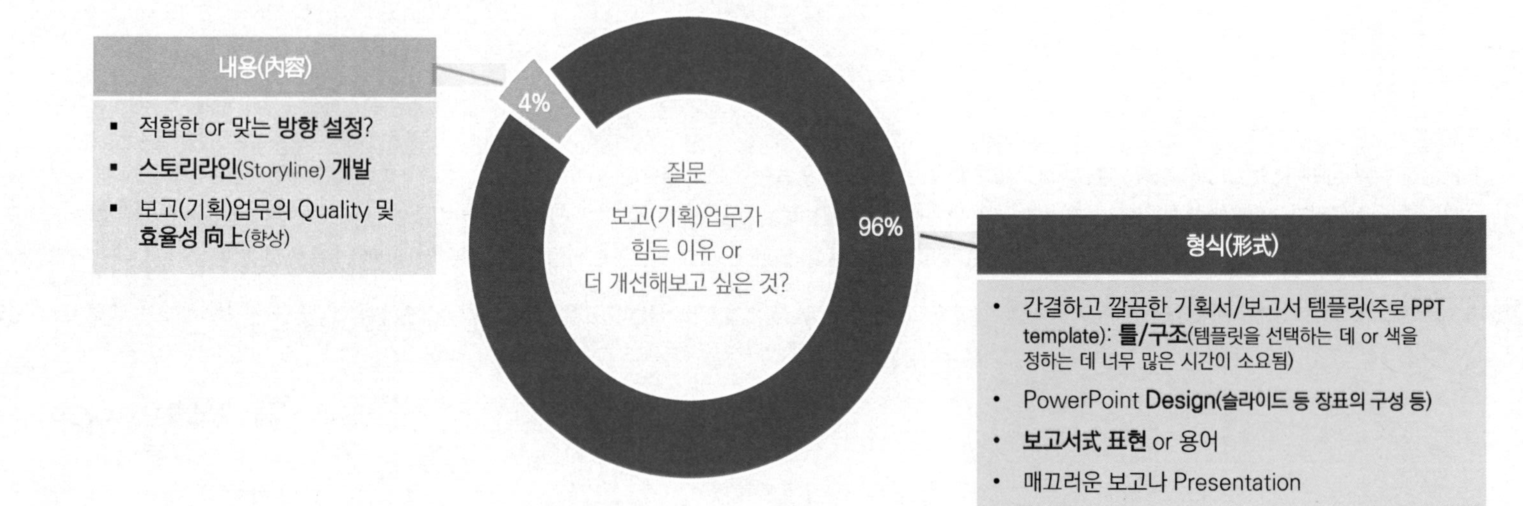

Note) 위 Diagram은 필자의 강의를 수강하신 분들 중 약 200분(名)의 의견을 토대로 작성됐습니다.

나. 보고(기획)업무*가 중요한 이유(1/2)

☐ **우선, 일반적으로 조직**(≒ 회사, 팀)**은 '보고(기획)업무를 잘하는 사람'을 "일을 잘한다", "유능하다", "인재다"라고 평가하고 그들에게 많은 혜택·기회·배려**(Benefits, 이하 혜택) **등을 집중하기 때문입니다.**

- 왜냐하면, '보고(기획)업무를 잘하는 분'은 '상사(上司, Boss)의 능력을 더 돋보이게' 만들어주고 '아이디어가 고갈된 상사를 연명(延命)'시켜 주는 든든한 '총알(Bullet)'이 되기 때문입니다.
- 그래서 상사들은 사실 팀원들의 '화려한 스펙(Spec, Qualification)' 따위에는 관심이 없습니다. 그분들은 오직 자기에게 총알이 될 수 있는 사람을 원할 뿐입니다.
- 그리고 그 총알에게 자신의 권한 범위 내에서 제공할 수 있는 모든 혜택(Benefit, 승진·급여·성과급, 교육 기회 등)들을 집중시킵니다.**

〈 회사에서 '보고(기획)업무'가 정말 중요한 이유 〉

Note) * 보고(기획)업무 = 보고서나 기획서 작성(Documentation) + 보고·프레젠테이션(Reporting or Presentation) + 소통과 협력(Communication and Cooperation)
** 그것이 비록 대단한 것은 아닐지라도 언제나 효과적이었습니다.

2. 보고(기획)업무 기본기

나. 보고(기획)업무*가 중요한 이유(2/2)

□ **그리고 두 번째 이유는, 정도의 차이가 있겠지만, 대부분 보고(기획)업무는 보고 자체로 마무리되는 것이 아니라 여러 이해관계자(利害關係者)들에게 직·간접적으로 영향을 미치기 때문입니다.**

- 보고(기획)업무는 '윗분'들에게 보고를 드리는 것입니다. 특히 그 보고가 높게 올라가면 올라갈수록(아래 왼쪽 그림에서 ②팀장 → ④CEO), 더 많은 분들에게 영향을 미칠 수 밖에 없습니다.*
- 그래서 보고(기획)업무는, 윗분들에게 보고 드리기 전에, 반드시 관련자들과 적절하게 소통하고 협력해야 합니다. 그렇지 않으면, 이의 추진 과정에서 반드시 문제가 발생할 것이기 때문입니다.**
- 왜냐하면, 대부분의 업무들은 '이해가 다른 사람들의 팀워크(Teamwork)'***를 기반으로 이루어지기 때문입니다. 즉, 조직은 여러 사람들의 역량을 모아 성과(시너지)를 극대화시키는 곳이기 때문입니다.

〈 보고(기획)업무의 분수효과(Fountain Effect) 〉

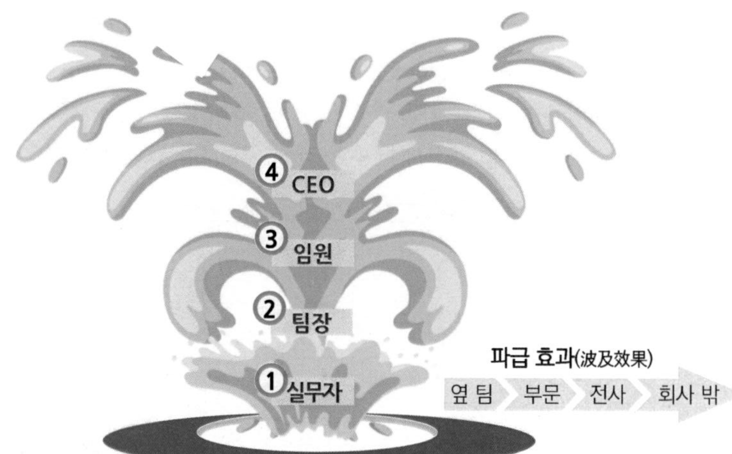

〈 소통과 협력의 정도에 따른 '업무의 가치'**** 〉

구분	소통과 협력의 정도	
	적음(少) **주로 혼자 하는 일**	많음(多) 주로 여러 사람들과 함께 하는 일
업무 난이도	낮음(下)*****	높음(上)
업무가치	낮음(下)*****	높음(上)
성과평가	낮음(下)*****	높음(上)

Note) * 저는 이를 '보고(기획)업무의 분수효과'라고 명명. ** 그리고 더불어 일을 못하는 사람으로 낙인이 찍힐 수도 있기 때문입니다.
*** 작게는 하나의 팀, 많게는 회사 전체의 Teamwork. **** 일반적인 보고(기획)업무의 가치. ***** 비록 업무의 양이 많더라도 높은 평가를 받기 어려운 경우가 대부분.

2. 보고(기획)업무 기본기

다. 보고서 vs. 기획서

□ **실무에서는 '보고서'와 '기획서'를 명확하게 구분하지 않고 그냥 '보고서'라고 통칭하기도 합니다. 그러나 보고업무의 체계를 제대로 이해하기 위해서는 이들의 개념을 구분할 수 있어야 합니다.**

- 물론, 회사나 조직에 따라 이를 아래와 다르게 정의할 수도 있습니다. 그래서 제가 여러분에게 원하는 것은 '그 다름'이라는 것을 융통성 있게 이해하시며 시야를 확대해 달라는 것입니다.
- 우선, 아래는 제가 생각하는 두 문서의 차이를 크게 5가지 항목으로 구분한 것입니다. 다음 페이지부터, 원문자의 알파벳순으로, 자세하게 설명해드리겠습니다.

〈 일반적인 보고서와 기획서의 차이 〉

	보고서* (Report/Review/Memorandum)		기획서** (Plan/Proposal/Recommendation….)
ⓒ Hierarchy (체계)	회사에서 작성하는 모든 문서의 통칭 (실무상 가장 포괄적인 용어)	VS	보고서 중 하나(일부)
ⓐ 정의 (사전적+실무적)	특정 업무나 이슈에 관한 내용 및 상황 등을 적은 문서 (지시·감독자에게 일의 내용·상황 등을 알려드리는 문서)		특정 목적을 달성하기 위해 일(≒ 업무)이나 사업을 계획한 문서
ⓑ 목적 (존재의 의미)	적시(適時, 제때, Right time) 보고/알림의 의미가 큼		분석/설득/제안의 의미가 더 큼 (따라서 '보고서'보다 논리적이고 구체적이어야 함)
ⓔ 구성요소 (틀/목차)****	보고 배경·목적/주요내용/시사점(Implication) (틀은 일반적으로 3단으로 구성)		기획 배경·목적/주요내용(분석 포함)/ (해결, 대응, 추진 or 개선)방안***/기대효과/예산(예산계획 포함)
ⓓ 난이도	일반적으로 기획서보다 낮음		일반적인 보고서보다 높음 (그러나, 전략보다는 낮음)

Note) * 기획서와 전략을 제외한 일반적인 보고서. ** 일반적인 기획서를 말하며 실무에서는 이를 '~방안', '~(기)안', '~계획', '전략' 등으로 부르기도 함.
*** 추진과제(Action Plan): 누가(Who), 무엇을(Action Item), 언제(When), 얼마로(Money, Budget), 경우에 따라 어떻게(How)를 추가하기도 함. **** 위 구성요소에서 공히 붙임(Appendix, 첨부 등)은 제외.

2. 보고(기획)업무 기본기

다. 보고서 vs. 기획서 - ⓐ (사전적) 정의와 ⓑ 목적

□ **우선, '보고서'는 '상사**(지시 또는 감독자)**'에게 '특정한 업무나 이슈'에 관한 '내용이나 상황'을 알려드리기 위한 문서'이고, '기획서'는 '특정 목적을 달성하기 위한 계획을 제안드리는 문서'입니다.**

- 그래서 보고서는 적시성(適時性, 제때, Timeliness, Right time)이 매우 중요하며, '기획서'는 이해당사자(윗분들과 합의자 등 관련자)들을 '설득'하기 위한 '분석'과 '제안****'이 중요합니다.

〈 보고서와 기획서의 정의* 및 목적** 〉

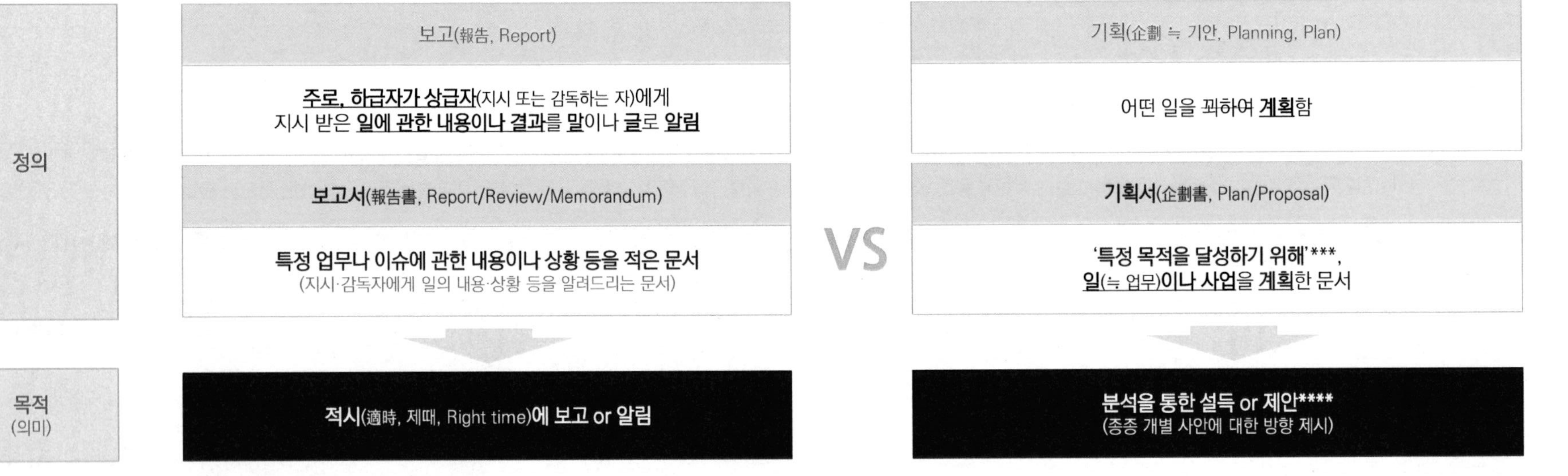

	보고서		기획서
ⓐ 정의	보고(報告, Report)	VS	기획(企劃 ≒ 기안, Planning, Plan)
	주로, 하급자가 상급자(지시 또는 감독하는 자)에게 지시 받은 **일에 관한 내용이나 결과**를 **말**이나 **글**로 **알림**		어떤 일을 꾀하여 **계획**함
	보고서(報告書, Report/Review/Memorandum)		**기획서**(企劃書, Plan/Proposal)
	특정 업무나 이슈에 관한 내용이나 상황 등을 적은 문서 (지시·감독자에게 일의 내용·상황 등을 알려드리는 문서)		**'특정 목적을 달성하기 위해'***, 일(≒ 업무)이나 사업을 계획**한 문서
ⓑ 목적 (의미)	**적시**(適時, 제때, Right time)**에 보고 or 알림**		**분석을 통한 설득 or 제안****** (종종 개별 사안에 대한 방향 제시)

Note) * 정의는 국립국어원 표준국어대사전과 우리말샘을 참고. ** 일반적인 작성 목적을 기준으로 함. *** 이는 제가 추가한 문구.
**** 이를 기획서에서는 (해결, 대응, 추진 또는 개선)방안으로, 전략에서는 추진과제 등으로도 표현.

다. 보고서 vs. 기획서 - ⓒ Hierarchy, ⓓ 난이도

□ **일반적으로, '보고서'는 회사에서 작성하는 대부분의 문서들을 포괄하는 용어**(편의상 '광의의 보고서')**로 사용되며, 그래서 당연히, 기획서나 전략도 보고서의 한 종류로 분류될 수 있습니다.**

- 그러나 실무에서 말하는 '통상의 보고서(편의상 '협의의 보고서')'는, 주로 '비정기 보고서' 중 난이도 중(中, ④)에 해당하는 보고서들입니다.
- 보고서 중에 가장 난이도가 높은 것은 '전략(②)'이고, 그 다음이 '기획서(⑤, 전략을 포함하는 용어로 사용되기도 함)'입니다.
  왜냐하면, 전략과 기획서는 모두, 비록 범위와 깊이의 차(差)는 있을 수 있으나, 특정 업무(또는 사업)를 추진하기 위한 설득력 있는 분석과 논리로 상세하게 작성돼야 하기 때문입니다.

〈 보고서, 기획서, 전략의 Hierarchy 〉

〈 보고서(광의)의 종류 〉

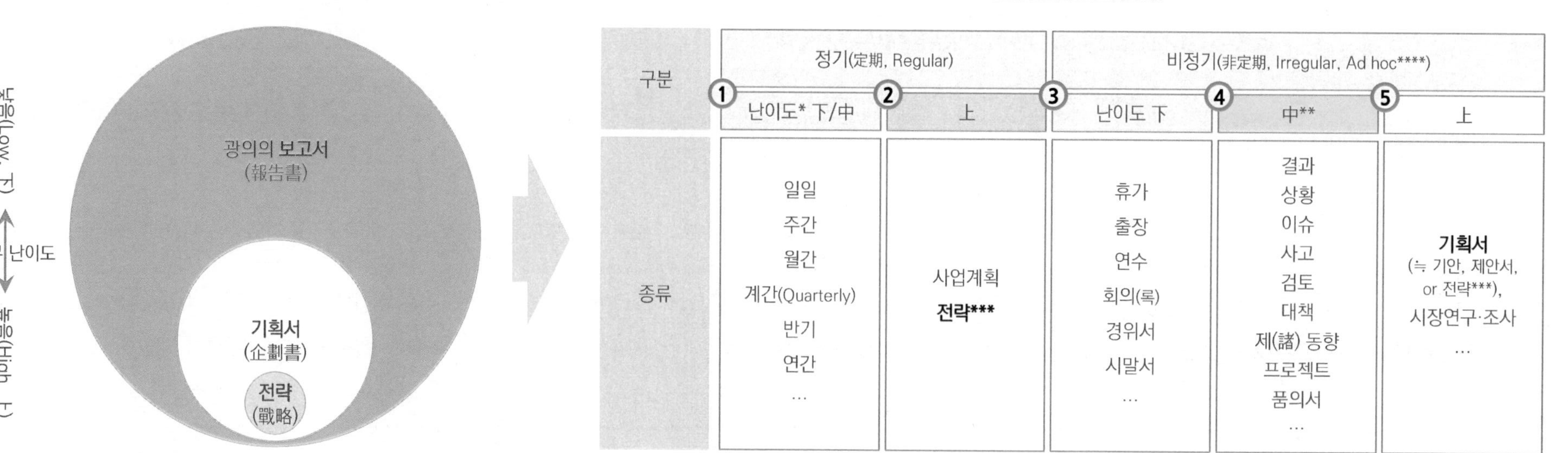

구분	정기(定期, Regular)		비정기(非定期, Irregular, Ad hoc****)		
	① 난이도* 下/中	② 上	③ 난이도 下	④ 中**	⑤ 上
종류	일일 주간 월간 계간(Quarterly) 반기 연간 …	사업계획 **전략*** **	휴가 출장 연수 회의(록) 경위서 시말서 …	결과 상황 이슈 사고 검토 대책 제(諸) 동향 프로젝트 품의서 …	**기획서** (≒ 기안, 제안서, or 전략***), 시장연구·조사 …

Note) * 위 난이도는 업무 소요시간, 기획력, 협업 및 소통 정도 등을 종합적으로 고려한 것입니다. ** 통상의 보고서. *** 크게 보면 전략도 기획서의 일종.
**** Made or happening only for a particular purpose or need, not planned before it happens, Cambridge Dictionary.

[참고 02] 기획서와 품의서

□ **조직에 따라 다를 수도 있겠지만, 실무적인 측면에서, '기획서(企劃書, Plan)'와 '품의서(稟議書, Request for Approval, RFA****)'는 모두 '기안(起案)'에 해당하며 그 활용 목적은 아래와 같이 조금 상이(相異)합니다.**

- 즉, 일반적으로 '기획서'는 '특정 목적을 달성하기 위해' 권한 있는 자(≒ 실무자 포함)들을 '설득'하기 위한, 그리고 '품의서'는 '권한이 있는 자들의 승인(특히, 지출이 수반되는 사안에 대한)을 받기 위한' 문서입니다.
- 예를 들면(= e.g.,), 중요한 사안을 '우선' 기획서를 통해 권한이 있는 자(상사, 협의자 등)들의 합의나 승인(주로 구두 승인)을 득(得)한 후, 실행 전 사규상 요구되는 결재 프로세스를 품의서로 진행하는 것입니다.
- 그러나 물론, 이 두 문서를 (표지 양식부터)명확하게 구분하지 않는 조직도 적지 않습니다. 그러니, 아래의 내용을 참고용으로만 활용하시기 바랍니다.

〈 일반적인 기획서와 품의서 비교 〉

구분	기획서(企劃書, Plan)	품의서***(稟議書, Request for Approval, RFA****)	비고
정의	• 특정 목적을 달성하기 위해, 일(≒ 업무)이나 사업을 계획한 문서 • 실무상, 형식적인 '결재 프로세스'보다는 권한이 있는 자들을 '설득'하기 위한 목적으로 작성된 문서, 이를 '기안'이나 '기획안'이라고도 함 • 사전상 정의: "어떤 일이나 사업을 꾀하여 계획한 내용을 적은 서류"*	• 권한이 있는 자들의 '승인(합의 포함) 받기 위한 문서'로서 실무에서 가장 광범위하게 활용(특히, 지출이 수반되는 사안의 경우) • 사전상 정의: "웃어른이나 상사에게 여쭈어 의논하는 글"*, "A draft prepared and circulated by a person in charge to obtain the sanction to a plan."**	기획서와 품의서를 묶어 '기안'이라고도 함
활용 및 특징	• 실무상, 기획서는 해당 계획에 대해, 결재 프로세스를 개시하기 전에, 큰 틀에서 승인을 받는 절차 • 일반적으로, 중요한 사안들은 '우선' 기획서를 통해 권한이 있는 자(상사, 협의자, 그룹사 등)들의 합의나 승인(주로 구두 승인)을 득(得)한 후, 실행하기 전 사규상 요구되는 결재 프로세스를 품의서로 진행 • 실무상, 결재 프로세스는 동의나 승인을 득한 기획서를 기안서(or 품의서) 양식에 붙여 개시(즉, 기안서 양식은 결재 프로세스를 진행하는 표지이며 기획서는 이의 붙임 문서가 됨) • 일반적으로, 조직(=회사)마다 정해진 양식이 있으나, 반드시 이 양식만을 사용해 기획서를 작성해야 하는 것은 아님	• 일반적으로, **권한이 있는 자들**(주로 상사이나 사안에 따라 합의자도 포함)**에게 특정 사안**(or 업무)**의 실행을 승인 받기 위한 문서** • 주로 **지출** 등 회사의 자원 활용이 **수반되는 사안**에 활용 • **실무상, 권한이 있는** 자들의 **구두 합의나 승인을 받은 기획서 등을 추진**(= 실행)**하기 전에**, 사규상의 결재 프로세스에 따라 **그 합의와 승인의 근거를 명확하게 남기기 위해 활용** • 일반적으로, **반복적이고 단순한 사안**(e.g., 구매 등 지출 건)은, 별도의 기획서 작성 없이, 바로 품의서를 이용해 결재 프로세스를 진행 • 일반적으로, **정형적인 양식이 존재**	기획서와 품의서는 상호 보완적인 역할을 하기도 하나 (예를 들면, 우선 기획서로 구두 합의와 승인을 받고 품의서로 이의 객관적인 근거를 남기기 위해 결재 프로세스를 진행), 상황에 따라 독립적으로 사용하기도 함 참고로, 국내 기업들의 경우, 기안을 추진 시 일반적으로 시행(공)문*****이 필요

Note) * 우리말샘. ** Dong-a's Prime Korean-English Dictionary. *** 행정 용어 순화 편람('93. 2.)에선 이를 '건의서'로 순화함.
**** '제안자'가 제안서를 작성하는데 도움을 주기 위해 발주가가 작성하는 제안요청서(RFP, Request for Proposal, 알에프피)와는 다른 의미. ***** 통상 최종 의사결정권자에게 기안과 함께 결재 받음.

다. 보고서 vs. 기획서 - ⓒ Hierarchy, ⓓ 난이도

☐ **실무적으로 기획서를 좀 더 살펴보면, 기획서**(물론, 명칭은 회사마다 조금씩 다르겠지만)**는 구체적인 목적을 달성하기 위한 '계획**(計劃, Plan)**'의 일종이며 그 종류는 일반적으로 아래와 같습니다.**

- 저는 기획서를 속성(Character)에 따라 크게 '①신규(新規, New ≒ 새롭게 시작하는 것, 아래에서 Ⓐ~Ⓒ)'와 '②기존(旣存, Existing ≒ 현재 하고 있는 것에 대한 기획, Ⓓ, Ⓔ)'으로 구분합니다.
- 그리고 상황에 따라 다를 수 있지만, 일반적으로 Ⓓ와 Ⓐ을 만들어 내는 과정이, 다른 것들(Ⓑ, Ⓒ, Ⓔ)보다, 훨씬 더 고통스럽습니다.

〈 기획서의 구분 및 종류 〉

기획서* (企劃書, Plan)	구분(by Character)		일반적인 스토리라인(틀/목차)	종류(Example)	비고
	① 신규 (新規, New)	Ⓐ 신사업** (New Business: NB)	배경/목적 → (시장)조사/분석 → 필요성 확인 → 추진전략/예산 → 기대효과/사업성 평가/목표	新사업(사업계획서), 新상품/서비스 론칭, Web/App, 게임, 제휴, M&A 등	실무상 '전략'으로 간주
		Ⓑ 신사업外 (Biz other than NB)	배경/목적 → 조사/분석 → 추진방안/예산 → 기대효과/목표	프로모션/캠페인, 조사/수사, 프로그램, 프로젝트, 투자유치/IR(사업설명) 등	-
		Ⓒ 이벤트 등 (Event etc.)	배경/목적 → (시장)조사 → 방향/세부실행계획/예산 → 기대효과	마라톤, 체육대회, 전략회의/타운홀, 전시회, FGI, VIP초청, 시음회, 파티/시상식, 콘서트 등	-
	② 기존 (旣存, Existing)	Ⓓ 전략/사업계획 (Strategy/BP***)	내·외부 환경분석(Review/Analysis) → Key Findings → 전략방향·(주요 또는 세부)추진과제 → 예산/기대효과/KPIs	매년/반기/분기/매월 수립하는 제 전략 및 사업계획(부문별 및 전사) 등	통상의 전략
		Ⓔ 문제해결/개선 (Improvement)	배경/목적 → 현상진단 → 문제 확인 → 대안(or 개선안)제시/예산 → 기대효과	업무/Business Process 개선, 조직 개편안, 제(諸) 제도(교육/인사 등) 개선, 사규 개정 등	'방안'이라는 표현을 주로 사용

Note) * 제안, 기안, 전략 등 명칭 여하를 불문하고 기획의 성격을 보유한 것들(실무에서는 기획서와 전략·사업계획을 구분하기도 함).
** 일반적으로 New Business(신사업) 관련 기획서는 전략이라고도 함. *** Business Plan.

다. 보고서 vs. 기획서 - ⓔ 구성요소 (틀/목차): 보고서

□ **일반적으로 많은 조직**(회사 등)**들의 보고서는 아래의 '**①(서론, 주로 배경 및 목적) **+** ②(본문, 주로 해당 사안에 관한 주요내용) **+** ③(결론, 주로 시사점)**'으로 스토리라인**(Storyline, 보고서의 줄거리 ≒ 논리)**를 전개합니다.**

- 그러나 반드시 목차의 개수가 3개일 필요는 없습니다. 구체적으로, 아래의 'B사(社)'는 3개의 목차(배경, 주요내용, 시사점)를 사용하고 있지만, A社와 C社는 서론, 본론, 결론 부분을 두 개의 목차로 쪼개(분리해)서 사용하기도 합니다. 왜냐하면, 목차의 개수보다는 스토리라인의 매끄러운 흐름이 훨씬 더 중요하기 때문입니다.
- 참고로, 실무상 보고서에서는 두괄식, 미괄식, 양괄식 등은 크게 중요한 요소가 아닐 수 있습니다. 왜냐하면, 보고서는 기획서 만큼 분량(= 페이지 수)이 많지 않기 때문입니다.

〈 예시: 일반적인 보고서 구성요소(틀, 목차 개수) 비교** 〉

A社	외국사(Memorandum)	B社 (목차 개수 3개)	하버드***	C社
• 요약 • 검토배경 ① • 현황/현상 • 주요내용(요약) ② • 세부내용 • 향후 추진계획 ③	• Objective(목적) • Background(배경): Why~ • Main Content(세부내용): Details~ • Anticipated Impact(예상되는 향후 상황 or 전망) • Implications or Conclusion or Recommendation(시사점, 결론, 제안)	• 배경(or 현황/현상), 목적 ① • 주요내용: 해당 이슈나 문제에 대한 객관적인 확인 및 검토 (통계와 팩트 등을 활용해 최대한 객관적으로 요약 및 검토), 내·외부 동향(경쟁자, 시장, 소비자, 공급자, 법제도, 당국, 해외 사례 등) 관련 검토, 필요시 향후 전망 등 ② • 시사점(향후 추진과제) ③	• Opinion: 핵심 의견 주장 • Reason: 이유·근거로 주장을 증명 • Example: 사례·예시로 거듭 증명 • Opinion/Offer: 핵심의견을 강조하고 방법을 제안	• Executive Summary(핵심요약) • 검토배경(Background) ① • 목적(Objective) • 상황에 적합한 구체적인 목차 1 (e.g., 규제 강화가 중요한 이유) ② • 상황에 적합한 구체적인 목차 2 (e.g., 시장의 동향) • 우리에게 미치는 영향 ③ • 향후 계획(제언/제안, 대안)
두괄식 or 미괄식	미괄식	미괄식	양괄식	두괄식 or 미괄식

Note) * 위의 '서론', '본론', '결론'은 여러분의 이해를 돕기 위해 사용한 것이며 실무에서 이를 사용하는 곳은 거의 없습니다. ** '제목'과 '붙임'은 공히 생략.
Source) *** 150년 하버드 글쓰기 비법(SNS 부터 보고서까지 이 공식 하나면 끝), 송숙희, 2018, 유노북스

다. 보고서 vs. 기획서 - ⓔ 구성요소 (틀/목차): 보고서

□ **제가 여러 조직들의 보고서를 참고해 만든, 보고서의 일반적인 틀은 아래와 같이 '제목' + 'Executive Summary' + 'Background'+ 'Main Contents' + 'Implication'+ 'Appendix'로 구성됩니다.***

- ES(Executive Summary, 핵심요약)는 보고서 페이지 수가 많은 경우(보고서는 일반적으로 페이지 수가 적기 때문)에, Appendix(붙임)는 있는 경우에 추가합니다. 즉, 선택사항(Option)입니다.
- 그리고, 'Main Contents(주요내용)'는 상황에 따라 여러 개의 목차로 나눠 스토리라인을 전개하기도 하며, 보통 기획서보다는 가벼운 진단을 통해 문제를 확인(파악)합니다.
- 끝으로, 'Implication(시사점)'은 보고서의 핵심이 되는 부분이며, 이 부분에는 반드시 '㉠우리에게 미치는 영향'과 '㉡향후 우리의 계획'이 포함돼야 합니다.

〈 일반적인 보고서의 구성요소(틀/목차) 〉

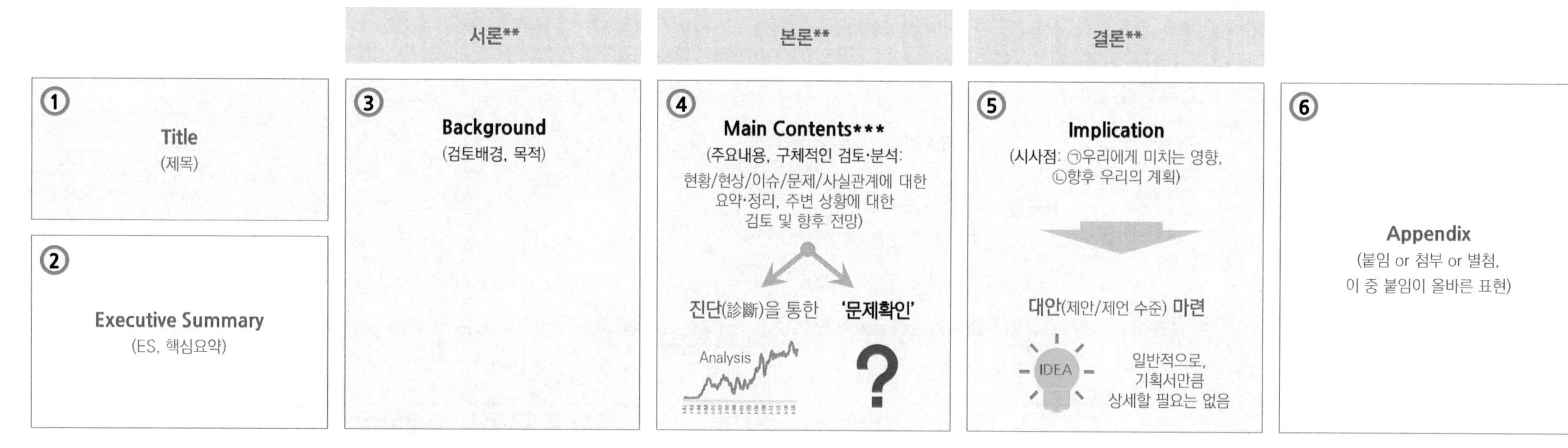

Note) * 우리나라 기업들은 대부분 서로 다른 용어를 사용하기 때문에 영어를 '대표 용어'로 표시함. ** 다이어그램의 맨 위에 있는 '서론', '본론', '결론'은 여러분의 이해를 돕기 위해 추가한 것임.
*** Main Contents(주요내용, 구체적인 검토·분석)는 일반적으로 스토리라인의 흐름에 적합한 목차를 설정하면 됨. **** 위 다이어그램에서 연한 회색이 채워진 박스는 반드시 필요한 목차들임.

[참고 03] 보고서의 틀/목차별 정의와 대체 가능한 용어들

□ **그리고, 앞 페이지에서 말씀드린 보고서의 틀**(또는 목차)**를 좀 더 쉽게 이해하실 수 있도록, 각 목차별 '정의'와 '대체 가능한 실무 용어'들을 아래와 같이 정리해드립니다.**

- 보고서의 틀(또는 목차)과 이에 관한 용어들은 조직이나 상황마다 동일하지 않습니다. 그러니 늘 '경직'보다는 '응용'과 '융통'을 염두(念頭)*에 두시기 바랍니다.

〈 보고서의 틀/목차별 정의와 대체 가능한 실무 용어들** 〉

구분	제목(Title)	Executive Summary	Background	Main Contents	Implication	Appendix
정의	• 보고서의 주제, 방향, 또는 목적 등을 간략하게 표현한 단어들의 조합(일반적으로 조사는 생략)	• 보고서 전체를 요약한 부분(짧은 보고서의 경우 생략하기도 함)	• 보고서를 왜 작성하는지, • 보고서의 이슈가 무엇인지, • 목적이 무엇인지	• 객관적·구체적인 검토 단계 → 즉, 현상/이슈/사실 관계/경과 등 요약·정리 • 동향(경쟁사, 시장, 법·제도, 소비자, 해외 등), 당사 상황 및 Impact 등	• 검토를 통해 확인한 '㉠**우리에게 미치는 영향**' 그리고 이에 대한 '㉡**우리의 향후 계획**'(이 두 가지가 반드시 포함돼야 함)	• 보고서의 본문 뒤에 붙여진 근거 등 관련 자료
대체 가능한 실무 용어들 (例, Example)***	• ~보고 • ~건(件)	• (핵심)요약 • Summary • Key Summary 등	• 검토배경(or 배경) • 배경 및 목적 • 개요(or 경과) • 현황(or 현안, 현상, 실태) • 문제 제기 • 주요 이슈 • ~의 필요성 등	• 주요내용(or 이슈, 문제점, 현황, 경과 등) • 주요검토(or 실무 검토) • (구체적인) 검토 및 분석 • **스토리라인**(≒ 줄거리 or 논리적 흐름)에 **적합한 목차를 사용해도 무방******(e.g., 당국의 제도 개정에 대한 보고서를 작성할 때 → 'II. 당국의 제도개선의 주요내용과 문제점', 'III. 시장의 움직임(or 업계 동향)' 등)	• 시사점 • 향후대책(or 향후계획) • 대응방안 • 향후 추진계획(or 향후 추진방향) • 우리에게 미치는 영향 • Conclusion • Recommendation • 제안 or 제언 등	• 붙임(국립국어원 권장) • 첨부 • 별첨 • 유첨(이상한 표현) • Appendices • Appendixes • Attachment(주로 이메일에 사용)···

Note) * 마음(의) 속(우리말샘). ** 위 목차들은 실무 관행에 따라 맞춤법에 적합한 띄어 쓰기를 하지 않음. *** 실무에서는 이와 다른 용어를 사용할 수도 있으니 이를 참고용으로만 활용하시기 바랍니다.
**** 개인적으로 보고서를 보고하기 가장 좋은 틀이라고 판단.

[참고 04] 용어구분 - 붙임, 첨부, 별첨, 유첨, Appendix

□ **일반적으로 보고서나 기획서 등을 작성할 해당 문서 뒤에 덧붙이는 관련 문서들을 기업에서는 '첨부(또는 첨부 문서)'라고 하나, 공공기관에서는 국립국어원의 권고대로 이를 '붙임'이라고 합니다.**

- 공공기관에서 붙임이라는 표현을 사용한다고 해서 사기업도 이를 따를 필요는 없습니다. 그래서 이를 내규로 변경하지 않는 한 조직의 관례나 문서작성기준에 따르는 것이 좋을 듯합니다.
- 그리고 조직에 따라 첨부나 붙임 이외의 용어를 사용하더라도** 이를 굳이 변경할 필요도 없을 것입니다. 왜냐하면, 서로 의미만 통한다면 크게 문제가 되지 않기 때문입니다.

〈 붙임 vs. 첨부 vs. 별첨 vs. 유첨 vs. Appendix 〉

구분	붙임	첨부(添附)	별첨(別添)	유첨(有添)	Appendix
의미 (意味, Definition)	• 문서에서 빠진 것이나 참고할 내용을 문서의 뒤에 덧붙인 것	• 안건이나 문서 등을 **덧붙임** • 예를 들면, OO대학교의 '대학원 신입생 모집 공고문' 뒤에 별도로 붙인 '전공별 상세 모집요강'을 '첨부 문서'라고 하며, 이를 해당 공고문 끝에 '첨부 1. 전공별 상세 모집요강 1부'라고 표시	• 서류 따위를 **따로 덧붙임** • 첨부 문서 뒤에 첨부된 문서 • 예를 들면, 옆에서 언급했던 첨부 문서인 '전공별 상세 모집요강'에 만약 '지원서 양식'이 붙어 있다면, 이를 '별첨 문서'라고 표현	• 사전에 존재하지 않는 단어이며, '첨부가 있다'는 의미 정도로 해석 가능	• 한영사전상 의미 '부록', '추가', '부속물' • 영영사전상 의미 'Supplementary material usually attached at the end of a piece of writing'
비고 (備考, Remark)	• **'첨부'의 순화된 표현** • 대부분의 정부 및 공공기관에서 사용하는 용어	• 사기업에서 사용 빈도가 높음 • 일본 문서에서도 이 용어를 사용 • 행정 용어 순화 편람(1993. 2. 12.)에서는 '첨부'와 '덧**붙임**'을 함께 쓸 수 있다고 되어 있음	• 실무에서는 첨부와 별첨을 혼용하는 경우가 많음. 예를 들면, 위의 '신입생 모집 공고'의 본문에 '별첨 참조(첨부만 있고 별첨이 없음에도)'라는 표현을 사용하기도 함 • 행정 용어 순화 편람(1993. 2. 12.)에서는 별첨과 '**따로 붙임**'을 함께 쓸 수 있다고 명시돼 있음	• 굴지의 대기업도 사용하는 용어 • 그러나 이를 사용하는 회사는 많지 않음	• 외국계 기업에서 사용빈도 높음 • 이의 복수형은 appendixes 또는 appendices

Note) * 비록 사전에 없는 용어나 의미가 다른 용어를 사용하더라도.
Source) 우리말샘, Merriam Webster 참고.

다. 보고서 vs. 기획서 - ⓔ 구성요소 (틀/목차) : 기획서

☐ **보고서보다 더 작성하기 어려운 기획서의 '논리 전개**(스토리라인, Storyline, 줄거리)**'는 그렇게 복잡하지 않습니다. 왜냐하면, 근본적으로 원하는 목적을 달성하기 위한 '계획'이기 때문입니다.**

- 즉, 모든 기획서의 핵심은 특정 목적을 달성하기 위한 ①'계획(or 방안, 추진과제, 추진방향, Action Plan 등)'입니다. 그리고 이는 일반적으로 ②'예산(豫算, Budget, Money)'을 필요로 합니다.
- 회사에서는 '예산'을 사용하려면, '왜 사용할 수밖에 없는지(③분석을 통한 객관적 설득)'와 그 '용처(用處)'*, 그리고 그 지출로 인한 ④'기대효과'를 명확하게 밝혀야 합니다.
- 이것이 바로 기획서의 구성 요소(틀 or 목차)들입니다. 그리고 참고로 말씀드리면, 아래 '규정 개정방안'과 같이 예산이 필요하지 않은 기획서도 존재합니다.

〈 예시: 일반적인 기획서 구성요소(틀/목차) 비교** 〉

일반 기획	규정 개정방안	산지자원화계획보고***	OO 개선방안****	사업제안	이벤트 기획
• 기획배경 및 목적 • 환경 및 현황분석 ③ • 목표수립(콘셉트 및 목표 수립, 분석 결과를 토대로 ① 추진과제 도출) • 추진계획(추진 세부내용, 로드맵) • 소요예산 ② • 기대효과 ④	• 추진배경, 목적 • 개정(or 추진)방안 • 추진일정 ① • 당부사항	• 우리 임업의 현실여건과 전망(임업의 가능성, 임업여건과 전망) ③ • 시책추진방향(정책의 목표와 ① 기조, 중점시책, 지원체제의 정비, 사업물량 및 투융자계획) ② • 2000년대 우리 산림의 모습(무르게 울창하게) ④	• 현황 ③ • 원인 및 문제점 • 제도개선 기본원칙 및 방향 • 세부 추진방안 ① • 향후 추진계획	• 회사소개 • 제안배경 • 사업환경분석(이슈) ③ • 경쟁사와의 비교 • 제안 비즈니스 콘셉트 ① • 세부내용 • 도입효과(Cost & Benefit) ② ④	• 대회개요(배경, 목적, 일시, 장소 등) • 대회준비계획 ① • 세부운영계획(시설물 설치 포함) • 이벤트계획 • 홍보계획 • 소요예산 ② • 기대효과 ④

Note) * 돈이나 물품(물건) 따위의 쓸 곳, 표준국어대사전. ** 공히 '제목', '핵심요약(Executive summary)' 그리고 '붙임'은 생략.
Source) *** 산지자원화계획보고, 산림청, 1987. **** 경제부처의 일반적인 기획서의 틀.

다. 보고서 vs. 기획서 - ⓔ 구성요소 (틀/목차) : 기획서

□ **여러 조직들의 기획서를 참고해 만든, 기획서의 틀은 아래와 같이 '제목' + 'Executive Summary' + 'Background' + '검토·분석' + '방안' + '기대효과' + '소요예산' + 'Appendix'로 구성됩니다.**

- 일반적으로, 기획서는 아래와 같은 틀대로 이 '계획'을 '③왜 추진해야 하는지'부터, '⑥기대효과'와 '⑦소요예산'까지 전체 스토리라인(Storyline, 줄거리)을 논리적으로 풀어(연결시켜) 나아가야 합니다.
- 이 중, '④검토·분석(진단 → 문제확인)' 단계에서는 보고서보다는 더 깊은 수준의 진단이 필요합니다. 왜냐하면, 이를 통해 설득 논리를 '⑤해결방안'과 연결시켜야 하기 때문입니다.
- 'Executive Summary(핵심요약, ES)'는 보고서와 달리, 일반적으로 포함되며(보고서보다 페이지 수가 많기 때문), '⑧Appendix(붙임)'는 있는 경우에 추가합니다(그래서 흰색 박스로 표시).

〈 일반적인 기획서의 구성요소(틀/목차) 〉

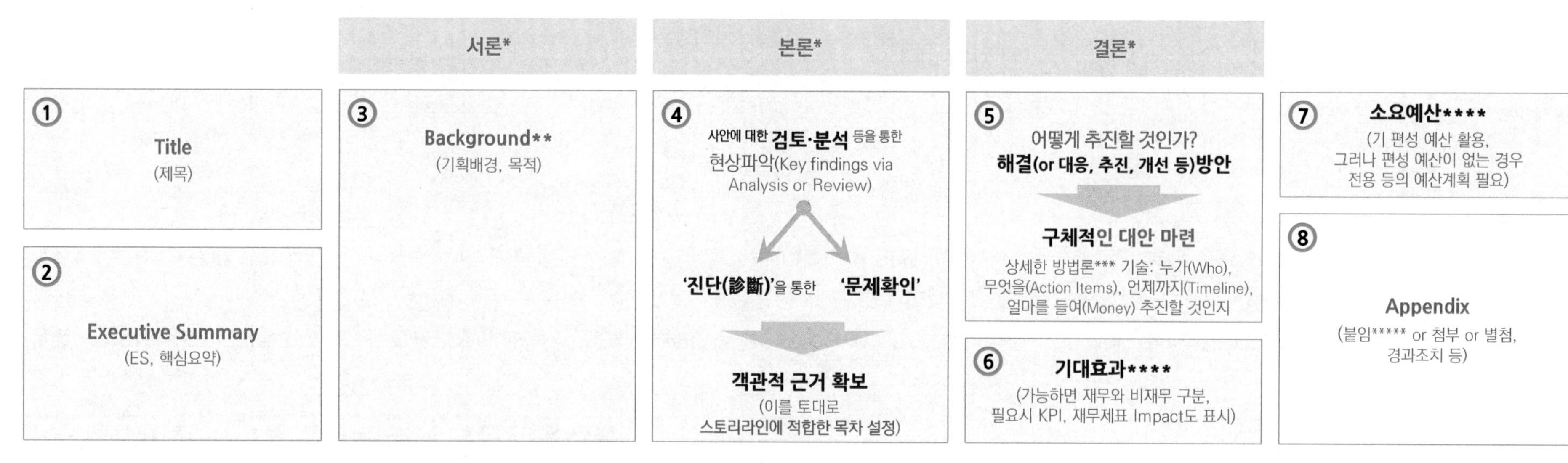

Note) * 다이어그램 맨 위에 표시한 '서론', '본론', '결론'은 여러분의 이해를 돕기 위해 추가한 것. ** 목차를 일부 영어로 표시한 것은 보고서와 같은 이유 때문.
*** 실제 기획서에서는 '무엇을'이 가장 앞에 위치하며 어떻게(How)를 넣기도 함. **** 소요예산(⑦)과 기대효과(⑥)는 순서를 변경하기도 함. ***** 공공기관은 모두 붙임을 사용, 이는 국립국어원이 권장하는 표현.

[참고 05] 기획서의 틀/목차별 정의와 대체 가능한 용어들

□ **그리고, 앞 페이지에서 말씀드린 기획서의 틀(or 목차)을 좀 더 쉽게 이해하실 수 있도록, 각 목차별 '정의'와 '대체 가능한 실무 용어(例, Example)'들을 아래와 같이 정리해드립니다.**

- 일반적으로 기획서는 보고서보다 작성하기 어려운 문서입니다. 왜냐하면, 윗분들은 물론 여러 이해당사자 및 관련자분들을 설득할 수 있는 스토리라인(줄거리 ≒ 논리)이 필요하기 때문입니다.
- 그러니 아래의 틀/목차를 현명하게 활용 또는 응용(기획 목적에 따라 틀이나 목차가 상이할 수 있으므로)해 여러 이해당사자와 관련자분들이 납득할 수 있을 만한 스토리라인을 개발해보시기 바랍니다.

〈 기획서의 틀/목차별 정의와 대체 가능한 실무 용어들* 〉

구분	제목(Title)	Executive Summary	Background	검토·분석***	해결(or 대응, 추진, 개선)방안	기대효과	소요예산	Appendix
정의	• 기획서의 주제, 방향, 또는 목적 등을 간략하게 표현한 단어들의 조합(일반적으로 조사는 생략)	• 기획서의 핵심 내용을 요약한 부분	• 기획서를 왜 작성하는지, • 기획서의 목적이 무엇인지를 명시	• 해당 사안에 대한 구체적인 검토·분석 (e.g., 현황, 현상, 경과, 전망 등 외부시장분석 및 내부 환경)	• 목표를 달성하기 위한 구체적인 방법들을 구체적으로 기술 (Action Items, Who, Timeline, Money)	• 동 기획안을 추진함으로써 얻게 되는 이익/이득 (재무 & 비재무), 사안에 따라 KPI, 재무제표 Impact도 명시	• 동 기획안을 추진하기 위해 필요한 비용 명시 (기편성예산이 없는 경우 예산계획 포함) • 가정이 포함된 경우 객관적이어야 함	• 기획서의 본문 뒤에 붙여진 근거 등 관련 자료
대체 가능한 실무 용어들 (例, Example)**	• ~(기획)안 • ~방안 • ~(추진, 실행, 활성화 등) 계획 • (때때로) ~전략…	• (핵심)요약 • Summary • Key Summary…	• 배경 • 기획(또는 추진) 배경 및 목적 • 개요 • 현상(or 현황) • 문제점(or 이슈) • 진행경과/사실관계 • 이슈 제기 • 주요 이슈…	• 사안(or 스토리라인)에 적합한 구체적인 목차***(e.g., 신상품이 필요한 이유, 규정 변경이 당사에 미치는 영향, 경쟁사 동향, 생산성 하락 원인 분석 등) • 현황 및 문제점 • ~Review • 우리의 상황…	• 대응(or 추진)전략 • 추진계획(or 과제) • 대안 • Recommendation • Strategic Proposal • Our Action Plan • Initiatives…	• 기대이익 • 'XX년 우리의 모습 • Expected Benefit • Financial Benefit, Nonfinancial Benefit…	• 예산계획 • Expected Cost • 소요비용 • 필요예산…	• 붙임(국립국어원 권장) • 첨부 • 별첨 • 유첨(이상한 표현) • Appendices • Appendixes • Attachment(주로 이메일에 사용)…

Note)) * 위 목차들은 실무 관행에 따라 맞춤법에 적합한 띄어 쓰기를 하지 않음. ** 실무에서는 이와 다른 용어를 사용할 수도 있으니 이를 참고용으로만 활용하시기 바랍니다.
*** 보고서의 '주요내용'과 동일하게, 스토리라인(≒ 줄거리 or 논리적 흐름)에 적합한 목차를 사용해도 무방(e.g., 'II. 최근 민원현황 및 급증 원인', 'III. 경쟁사들의 민원관리 전략' 등).

[예시 01] 기획서 작성 연습: '최근 급증하는 민원'

☐ **상황**(또는 이슈, 문제, 사실관계 등): **'최근 갑자기 증가하는 민원**(Customer Complaint)**', 어떻게 해결해야 할 것인가?**

- 아래는, 앞에서 소개해드린 틀을 이용해, 약식으로 기획서의 스토리라인을 만들어 본 것입니다. 물론, 이것이 유일한 정답은 절대 아닐 것입니다.
- 왜냐하면, 상황에 따라 관점은 언제든지 달라질 수 있기 때문입니다. 그러니 부디 참고용으로만 활용해주시면 감사하겠습니다.

서론

①

Title(제목): **민원 관리 강화 방안**

[참고용 제목들]

1) 보고서用 제목: 최근 민원 현황 보고

2) 기획서用 제목
- 민원 관리 강화 방안
- 선제적 민원 관리 방안
- 민원 관리 강화를 통한 업무 효율 개선 방안

②

Executive Summary

뒤의 내용들을,
불릿포인트(Bullet point)를 사용해,
1장 정도로 요약

③

I. 기획배경 및 목적

1. 기획배경
   - 최근, 민원 급증 → 이로 인해 제(諸) 문제들이 발생
   - 2차, 3차 민원 야기 → 업무 병목 발생 → 업무 효율 하락 → 내·외부 고객 불만 급상승

2. 목적
   - 이의 원인을 정확하게 파악 후 문제를 해결함으로써, 제 업무 효율을 정상화시키고
   - 對(대) 고객 서비스 품질 향상 도모 → 對 고객 만족도 제고

본론

II. 최근 민원 현황 및 관련 변수 검토

1. 최근 민원 현황 분석
   - 최근 민원 추세 시각화, 급증 시점(e.g., 지역 등) 파악
   - 원인 파악을 위해 민원 통계 속성 분석 실시(e.g., 상품이나 서비스, 업무 담당자, 지역, 민원인 연령, 성, 시간대별로 추세 분석)

2. 관련 변수 검토
   - 제도·규정, 조직상 문제 검토 (e.g., 평가·교육제도 미비, 징계 관련 규정, 업무분장 부재/애매, 관련 법령 또는 가이드라인 등)

III. 경쟁사 민원관리 현황과 시사점

- 경쟁사들의 **민원 현황(통계 비교)**
- 경쟁사 민원 관련 **제도 비교**
- 경쟁사 **모범 사례 검토**(당사와 비교) **후 시사점 도출**

④

결론

⑤

IV. 해결방안**

- 민원 통계 산출기준 변경(예를 들면, 특정인이 민원을 수십 건씩 제기할 때 → 민원 통계를 최고값***과 최저값***을 제외한 후 산출 → 데이터 관리위원회 의결 및 시스템 개발 작업 필요)
- 민원 관리 업무 담당 명확화 (업무분장규정 개정)
- 민원 실적 관리 강화(경영진 KPI로 신설 후 매월 점검 실시, 평가기준 개정)
- 민원 관리 교육 강화(고객 접촉 인력 대상 정례화)
- 우수 경쟁자 모범사례 벤치마킹 (당사의 문화·시스템에 맞는 조정안 제안)

⑥

V. 기대효과**

- 업무 효율 정상화 → 내·외부 고객 만족도 개선 → 비용 절감 → 인당 생산성 향상(매출 생산활동에 보다 집중) → 기업 가치 상승

⑦

VI. 소요예산**

- 총 56백만 집행: 기 편성된 전략팀의 '업무개선비(총 32.8억)' 전용

⑧

붙임

1. 민원 통계 속성분석(상세)
2. 경쟁사 민원 통계(과거 10년간)
3. 경쟁사 민원 관리 제도 비교(상세)
4. 데이터관리위원회 의결 절차
5. 시스템 개발 비용(견적)

〈 이상 〉

Note) * 이를(Action Items) 단기, 중기로 나눠 단계별로 진행할 수도 있고, 비슷한 카테고리별로 묶어서 소제목을 붙일 수도 있음. 그리고 매 Action Item에는 누가(Who), 언제(Timeline), 얼마를 들여(Money) 추진할지 구체화해야 하며, 필요시 어떻게(How)를 추가하기도 함. ** 위의 소요예산(⑦)과 기대효과(⑥)는 순서를 변경하기도 함. *** 한글 맞춤법 제30조에 따라, 이를 최곳값과 최젓값으로 써야하나 필자는 그렇게 쓰지 않겠습니다.

다. 보고서 vs. 기획서 - ⓔ 구성요소 (틀/목차) : 전략

☐ **일반적으로, 전략**(실무상 기획서의 범위에 포함되나, 많은 조직에서 기획서와 명확하게 구분하지 않기도 한)***은 가장 만들기**(= 수립 또는 개발, Development) **어려운 문서로 분류됩니다.**

- 아래의 예시를 보시면, 전략도 기획서와 유사한 틀을 사용하지만, 기획서보다 '①환경분석(주로 조직 내·외부의 분석)'과 '②재무분석(Financial Analysis)'을 좀 더 심도 있게(In-depth) 다룹니다.
- 더불어 전략은 일반적으로 사업계획(Business Plan)과 완전히 분리하기 어렵기 때문에, 기획서보다 더 '③광범위(廣範圍, Wide ≒ 全社的)'하고, 더 장기적(長期的, Long-term perspective)이며, 더 전략적(戰略的, Strategic)이라는 특징도 가지고 있습니다.

〈 예시: 일반적인 전략 구성요소(틀/목차) 비교** 〉

A社 마케팅전략	B社 영업전략	C社 보상전략	D社 신사업전략
• 환경분석: 내·외부환경 • Marketing 상황분석: ① 시장/소비자(고객)/유통/가격/촉진/ 디자인 분석 • 문제점 및 기회발견: SWOT ① • Marketing 전략: 목표/고객세분화, ③ 제품/가격/판촉/유통, 포지션, Concept • 커뮤니케이션 전략: 광고/홍보 • 예산계획 ② • 예상손익계산서 ④ • 연간매출 & 연간손익계획	• 배경(현황/현상/이슈) • 목적 • 성과분석(Review) ① • 목표(Goal, KPIs) • 추진방향 ③ • 세부 실행방안 • 소요예산 ② • 기대효과(시나리오별 Financial Impact 등) ④ • 의사결정사항(Option) 戰略(전략)의 核心(핵심)	• Executive summary • Background & Key objective • Market Analysis ① • Strategic Proposal ③ • Competitiveness Analysis • Financial Analysis, Budget ② • Risk & Risk Mitigation Plan • Implementation Plan • KPI ④ • Transitional Provision	• 배경: 현황/현안/이슈 제기 • 시장분석과 시장기회 발견: 내·외부 환경분석(경제/사회환경 포함) • 추진전략: 방향, 타깃(KPI), Marketing/Communication, 생산, 관리, 조직, 예산 • 기대효과: 매출/브랜드 가치/Market Share/Business Plan 달성률 • Financial Analysis • 스케줄(Timeline/Milestone) • 예산계획 ②

Note) * 여기에서는 '사업계획과 연계'돼 정기적으로 작성되는 전략과, 신사업 등과 같이 회사의 재무상태에 비교적 유의미한 영향을 미치는 기획서를 전략으로 정의.
** 공히 '제목', '핵심요약(Executive summary)' 그리고 '붙임(Appendix)'은 생략

[참고 06] 기획서 vs. 전략의 틀/목차

□ **여러분의 이해를 돕기 위해, 일반적인 기획서와 전략의 틀을 비교해봤습니다. 물론, 이 틀은 제가 직·간접적으로 경험했던 여러 회사의 전략을 참고해 작성한 것입니다.**

- 보통 전략은, 기획서에 비해 재무적으로, 회사에 더 크고 장기적인 영향을 미치므로 Financial Section(Analysis 포함)가 훨씬 더 강조됩니다.
- 전략 수립에 관한 좀 더 상세한 설명은 제가 집필한 실전비전법(실전, 비즈니스 전략 수립 기법)을 참고하시기 바랍니다.

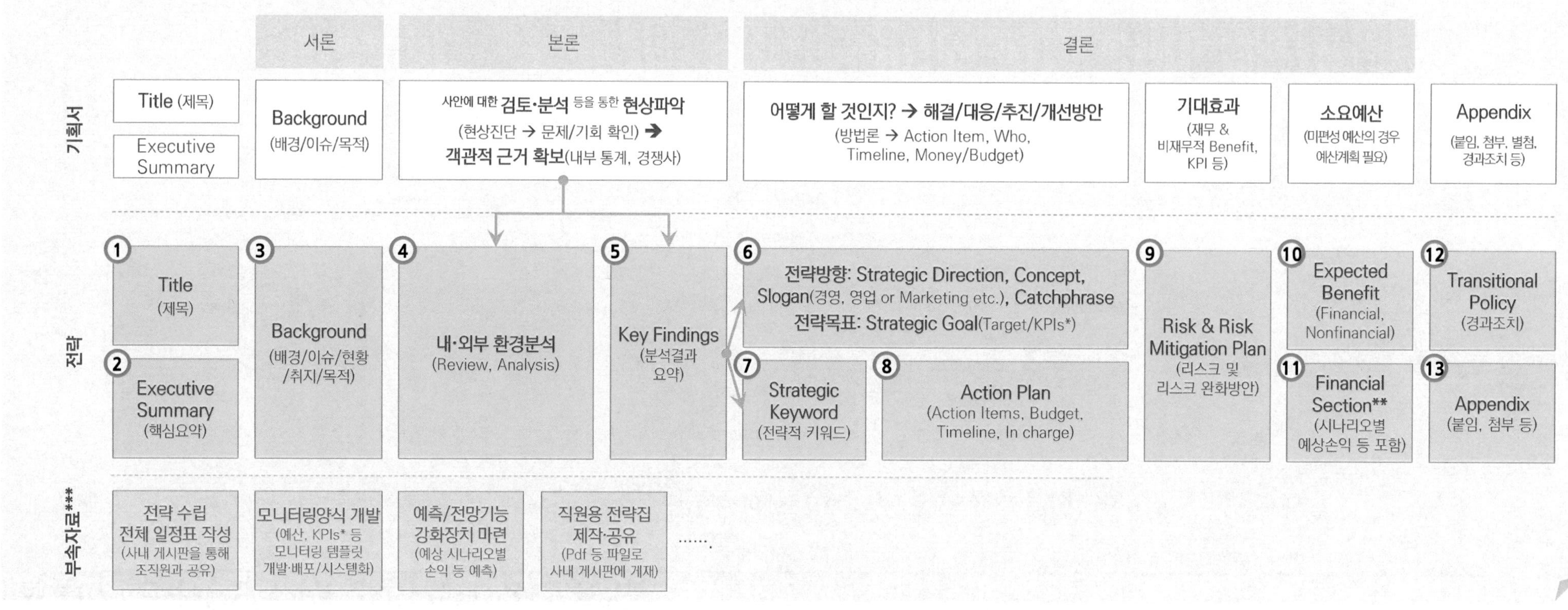

Note) * Key Performance Indicators, 일반적으로 전략적 키워드와 Action Plan에도 KPI가 존재. ** 이를 Expected Benefit에 포함시키기도 함, *** 전략 수립과정에서 만들어(개발해)야 하는 자료들

[참고 07] 전략의 틀/목차별 정의와 대체 가능한 용어들

□ **아래는 전략의 주요 틀**(or 목차)**이 되는 항목들의 정의와 대체 가능한 실무 용어들입니다. 물론, 회사마다 문화나 상황이 다를 수 있으니 참고해서 응용하시면 더 좋을 듯합니다.**

〈 전략의 틀/목차별 정의와 대체 가능한 실무 용어들* 〉

구분	제목	Executive Summary	Background	환경분석	Key Findings	Strategic Direction	Strategic Goal	Strategic Keyword
정의	• 전략의 목적이나 방향을 간략하게 표현한 단어들의 조합(일반적으로 조사는 사용하지 않음)	• 전략 전체를 요약한 부분	• 전략을 왜 수립하는지, • 전략의 목적이 무엇인지를 명시	• 회사의 내부 및 외부환경/현황/현상 등에 대한 검토·분석(SWOT 등의 마케팅 분석 기법들도 활용)	• 환경분석을 통해 얻은 유의미한 '꼭지'들을 요약 (이를 이용해 전략적 키워드·방향·목표 등을 도출)	• 분석을 통해 얻은 정보 등에 기초해 설정한, 해당 전략이 지향하는 큰 방향	• 전략이나 기획의 최상위 목표 or 목적	• 유사한 Key Findings을 묶어 전략 키워드로 전환한 것 • 보통 4~5개 정도로 설정
대체 가능한 실무 용어들 (例, Example)	• ~전략 • ~방안 • ~계획 • ~안···	• (핵심)요약 • Summary • Key Summary···	• 배경 • 목적 • 현상/현황 • 이슈제기 • 전략적 의미 • 주요취지···	• 내·외부 환경분석 (External & Internal Environmental Analysis) • Review(회사 내부의 성과분석時) • 현상분석, 우리의 상황 • Strategic Analysis···	• 분석을 통해 발견(or 알게 된)한 것들 • 시사점 • 분석결과 요약(잘한 점/부족한 점) • Summary of Analysis Results···	• 전략방향(戰略方向) • 중장기(中長期) 추진방향(推進方向) • 우리의 방향 • Strategic Slogan or Catchphrase···	• 전략목표 • 중장기 전략목표 • 경영목표 • Strategic Target • Strategic Slogan or Catchphrase···	• 주요전략과제 • 전략적 키워드 • Strategic Pillar, Section, or Field···

구분	Action Plan				Risk & Risk Mitigation Plan	Expected Benefit	Financial Section**	Transitional Policy
	Action Items	Timeline	Budget	In charge				
정의	• 전략과제(Strategic Keyword)를 달성하기 위한 구체적인 방법들	• 해당 Action Item의 추진 개시일/완성일 등(e.g., 4Q 2X01, 1Q~4Q 2X02)	• 해당 Action Item을 추진하기 위해 필요한 비용	• 해당 Action Item의 추진 팀 or 담당자 등	• Action Plan 추진 관련 리스크와 이에 대한 리스크 완화/제거방안 마련	• 동 전략을 추진함으로써 얻게 되는 이익 (재무·비재무, 정량·정성)	• 동 전략을 추진함으로써 회사 재무제표에 미치는 영향 등을 분석	• 구(舊)제도/전략/계약 등과 신(新)제도 등 간의 관계(적용 기간 등) 정리 규정
대체 가능한 실무 용어들 (例, Example)	• (주요·세부)추진과제(or 항목, 계획, 방안 등) • (주요·세부)실행과제(or. 항목, 계획, 방안 등) • Initiative • Driver···	• (주요)일정 • 추진일정 • Schedule (스케줄) • Milestone···	• (소요)비용 • 예산 • 예산계획 • Budget Plan···	• 책임(자) • 담당(자) • 담당조직 • (Team/Person) In Charge···	• 리스크 및 리스크 완화 방안 • 리스크 관리(계획) • 과제 추진상 장애요인···	• 기대효과 • 기대이익 • Financial & Nonfinancial Benefit···	• 재무분석 • 재무부문/파트 • Financial Impact • Financial Analysis···	• 경과조치 • Interim Measures···

Note) * 위 표에서 '붙임(Appendix)'은 생략. 그리고 위의 목차 등은 의도적으로 맞춤법에 맞게 띄어 쓰기를 하지 않음(즉, 실무 관행에 따름). ** 전략의 종류에 따라 이를 Expected Benefit에 포함시키기도 함.

[참고 08] 문서 유형별 구성요소(틀/목차) 예시(1/3)

〈 Example 1: 보고서(報告書, General Report) 〉

검토 보고 01	검토 보고 02	검토 보고 03 (건의안에 대한)	검토 보고 04 (도로 건설사업에 대한)	상황 보고	이슈 보고	회의 결과 보고 01	회의 결과 보고 02	정기이사회 결과 보고
① 검토배경 ② 문제의 개요 ③ 사안별 검토(현황, 쟁점, 문제점, 분석, 대안, 개선 방안, 향후 전망) ④ 건의 ⑤ 향후 조치 계획	① 검토배경 ② 목적 ③ 현황 ④ 문제점 ⑤ 종합검토 ⑥ 시사점	① 검토개요 ② 건의(or 제안) 내용 ③ 검토(or 건의안의 필요성) ④ 결론 및 전략적 제언	① 검토배경 ② 사업개요 ③ 추진경과 ④ 노선의 필요성 ⑤ 종합검토 ⑥ 향후계획	① 개요 ② 현상(or 실태) ③ 사건 발단 및 경과 ④ 관련 동향 ⑤ 시사점 ⑥ 향후계획	① 문제제기(or 현안) (OOO란 무엇인가?) ② OOO의 특징(분석, 비교, 문제점, 전망 등) ③ 시사점	① 개요(회의 목적, 일시, 장소, 참석자 등) ② 주요안건 ③ 회의결과: 합의된 사안, 추가 논의가 필요한 사안(≒ 미합의 사안) ④ 향후계획	① 개요 ② 진행경과 ③ 주요안건 ④ 발언내용(필요시 녹취록 첨부) ⑤ 향후계획	① 개요(일시, 장소, 안건, 참석자 현황) ② 회의결과(부의 안건, 가결 건, 부결 건)

〈 Example 1: 보고서(報告書, General Report) 〉

일반 조사 보고	시장 조사 보고 01	시장 조사 보고 02	시장 조사 보고 03	현황 보고	업무 보고 (신임 CEO에게)	결과 보고 01 (동호회 운영)	결과 보고 02 (감사 = Audit)	안전사고 현황 보고
① 조사개요(조사 배경, 목적, 대상, 기간, 방법,기관, 비용 등) ② 결과분석(or 조사 결과) ③ 문제점 도출(or 시사점) ④ 향후계획(or Next Step)	① 조사개요(목적, 설계, 타깃시장 현황) ② 조사 결과 및 분석(FGI, 심층면접, 온라인 조사, 정량조사) ③ 결론 및 제언(or 시사점)	① 조사개요(배경 및 목적) ② 조사 대상 ③ 시장 규모 ④ 업계 동향 ⑤ 조사 결과(시장규모, 시장가능성, 판매가 등) ⑥ 제안(개발 방향)	① 국가 정보 ② 현황(특정 시장 개요, 규모, 기술수준 등 특징) ③ 소비자조사 ④ 경쟁자(Player) 현황 ⑤ 시장전망 ⑥ 결론 및 제언 ⑦ 현지 협력업체(바이어 포함) 평가표	① 배경 및 목적 ② 실태 및 문제점 ③ 경쟁사 동향 ④ 향후 전망 ⑤ 시사점(전략적 제언 포함)	① 조직개요 (Hierarchy, 편제, 조직도, R&R, 구성원 등) ② 내·외부 환경분석 (경쟁시장, 성과 등) ③ 전략 과제(비전, 전략 방향(≒ 중점 방향), 주요추진과제, KPIs) ④ 현안 ⑤ 건의사항	① 행사개요(기간, 대상, 내용) ② 추진실적(동호회 종류, 신청 및 참석 인원, 운영 횟수, 참석 사진) ③ 향후계획	① 감사개요(배경, 목적, 대상, 범위, 근거, 인원, 기간, 감사 중점) ② 일반현황(개요, 관련 규정, 주요 운영규정 등) ③ 감사결과(총평, 문제점, 처분요구)	① 사고개요(일시, 장소, 피해 내용) ② 사고경위 ③ 피해정도 ④ 조치 및 대응 현황(시간대별로) ⑤ 언론보도 동향 ⑥ 향후대책

Note) 공히 '제목', '핵심요약(Executive summary)'과 '붙임'은 생략. 그리고 위 목차는 의도적으로 맞춤법에 맞게 띄어 쓰기를 하지 않음(즉, 실무 관행에 따름).
※ 상황이 다를 수 있으므로 위 내용은 참고용으로만 활용하시기 바랍니다.

[참고 08] 문서 유형별 구성요소(틀/목차) 예시(2/3)

〈 Example 2: 기획서(企劃書 ≒ 기안, Plan) 〉

일반 기획 01	일반 기획 02	개선 방안 01	개선 방안 02	개선 방안 03	개선 방안 04	개선 방안 05	개선 방안 06(제도 개선)	대책 마련
① 배경 및 목적 ② 기본방향 ③ 주요내용 ④ 세부내용 ⑤ 시행시기 ⑥ 당부사항 ⑦ 예산	① 기획배경 및 목적 ② 환경 및 현황분석 ③ 목표수립(분석, 콘셉트 및 목표 수립, 분석 결과를 토대로 추진과제 도출) ④ 추진계획(추진 세부내용, 로드맵) ⑤ 소요예산 ⑥ 기대효과	① 사태현황 ② 원인 및 문제점 ③ 제도개선 기본원칙 및 방향 ④ 세부추진방안 ⑤ 향후추진계획	① 추진배경 ② 개선방안 ③ 기대효과	① 개요 ② 정책 및 기술 동향 ③ 국내외 사례 ④ (사안)현황 분석 ⑤ 정책개선방안	① 조사개요 ② 일반현황 ③ 피해 현황 및 실태 ④ 우리나라의 규제 현황 ⑤ 주요국의 규제 현황 ⑥ 문제점 및 개선방안	① 현황 및 이슈 ② 원인 분석 ③ 우수 극복사례 ④ 적합성 분석 ⑤ 개선방안(or 대책) ⑥ 소요예산 ⑦ 기대효과	① 배경 및 목적 ② 실태 ③ 문제점 및 개선의 필요성 ④ 개선 방향 ⑤ 개선 방안(세부 개선 내용: AS IS vs. TO BE) ⑥ 소요예산 ⑦ 기대효과	① 배경 및 목적 ② 사건 경과(사건 or 사태의 원인, 경과) ③ 현상 분석 ④ 대책 ⑤ 건의(예산 등 위에서 제안한 대책을 추진하기 위해 필요한 사항들) ⑥ 향후계획 ⑦ 기대효과

〈 Example 2: 기획서(企劃書 ≒ 기안, Plan) 〉

현 시국 관련 대비계획 (기무사)	신상품 개발	프로모션기획	조직 개편	제안서 01	제안서 02	이벤트 기획안 01	이벤트 기획안 02	마라톤 기획안
① 현상진단 ② 단계별 조치 ③ 향후추진	① 개발 배경 및 목적 ② 시장분석 ③ 상품 Concept ④ 마케팅 Plan ⑤ 생산 및 판매 계획 ⑥ 예상수지	① 기획배경 및 목표 ② 기대효과 ③ 진행일정 ④ 프로모션 유형 ⑤ 타깃 ⑥ Trigger ⑦ 세부 진행방식 ⑧ 제공혜택 ⑨ 운영계획 ⑩ 소요예산	① 배경 ② 개편방향 ③ 세부 개편내용 ④ 기대효과	① 회사소개 ② 제안배경 ③ 사업환경분석(이슈) ④ 경쟁사와의 비교 ⑤ 제안 비즈니스 콘셉트(방향) ⑥ 세부내용 ⑦ 도입효과(Cost & Benefit)	① 사업개요 ② 상황 및 이슈 ③ 본사의 제품 및 서비스 ④ 시장 동향 ⑤ 경쟁사 분석 ⑥ 투자유치 이유와 목적 ⑦ 팀(조직) 구성	① 기획배경 ② 시장분석 ③ 기본방침 ④ 행사개요 ⑤ 세부계획 ⑥ 실시계획 ⑦ 예상수지	① 이벤트 소개 ② 목적 및 목표 ③ 타깃 ④ 시행방안 ⑤ 프로모션 방안 ⑥ 홍보계획 ⑦ 준비 및 시설물 설치계획 ⑧ 예산 ⑨ 기대효과	① 대회개요 ② 대회준비계획 ③ 세부운영계획 ④ 이벤트계획 ⑤ 홍보계획 ⑥ 예산 ⑦ 기대효과

Note) 공히 '제목', '핵심요약(Executive summary)'과 '붙임'은 생략. 그리고 위 목차는 의도적으로 맞춤법에 맞게 띄어 쓰기를 하지 않음(즉, 실무 관행에 따름).
※ 상황이 다를 수 있으므로 위 내용은 참고용으로만 활용하시기 바랍니다.

[참고 08] 문서 유형별 구성요소(틀/목차) 예시(3/3)

〈 Example 3: 전략(戰略, Strategy or Business Plan) 〉

일반 전략 01	일반 전략 02	마케팅 전략 01	마케팅 전략 02	시장침투전략 (특정 국가)	사업계획서 01	사업계획서 02	사업계획서 03	사업계획서 04
① 추진 배경 ② 현황 및 문제점 ③ 추진목표/추진방향 /추진전략 ④ 세부추진계획 ⑤ 추진 일정 및 역할 분담 ⑥ 예산 ⑦ 기대효과	① 추진 배경 ② 현황 및 여건 진단 ③ 비전, 목표 및 3대 전략 ④ 향후 추진계획 및 일정 ⑤ 참고자료	① 배경 ② 상황분석(시장 추세, 소비자, 경쟁자, 내·외부 사례 등) ③ 마케팅 콘셉트, 목표 및 전략(도출) ④ 전략과제 및 세부 실행계획 ⑤ 예상비용 ⑥ 기대효과 ⑦ 성과측정 및 통제 ⑧ 비상계획	① 우리는 어디에 있는가? ② 우리는 어디로 가야 하는가? ③ 어떻게 그곳으로 갈 수 있는가? ④ Sales Promotion Plan ⑤ Cost & Benefit	① 국가 개요 ② 농식품 수출입 규모 ③ OO국 농식품 유통 및 소비 패턴 ④ 한국 농식품의 포지셔닝 ⑤ 장애요인분석 ⑥ 단계별 지원방안 ⑦ 지원사업 다각화방안	① 요약 ② 창업 개요(현황, 배경) ③ 사업 소개(미션, 비전, 목표, 제품) ④ 시장분석(타깃, 경쟁사, 트렌드 등) ⑤ 추진전략(목표, 마케팅·홍보전략, 세부일정 등) ⑥ 필요 예산 및 자금계획 ⑦ 조직 구성 및 고용계획 ⑧ 손익 전망(배당 등)	① 사업 개요 ② 회사 개요 ③ 시장환경분석 ④ 제품 및 서비스 ⑤ 마케팅계획 ⑥ 사업운영계획 ⑦ 재무계획 ⑧ 사업추진계획 ⑨ 향후 사업추진계획 및 Risk Management	① 사업(창업)개요 ② 조직 및 인력운용계획 ③ 기술현황 및 기술개발 계획 ④ 생산 및 시설계획 ⑤ 자금운용 및 조달계획 ⑥ Risk 및 특수 고려사항 ⑦ 추진 일정	① 사업계획 요약 ② 창업 개요(배경, 목적, 동기, 참여인력 전문성, 사업내용 및 특성) ③ 개발 기술(기술수준, 파급효과) ④ 시장분석(목표시장 규모 및 전망, 시장가능성 및 마케팅 전략, 제품 경쟁력, 성장가능성) ⑤ 시설확보계획(생산 등) ⑥ 재무계획(소요자금계획, 자금조달방법, 추정손익계산서) ⑦ 세부 추진일정

Note) 공히 '제목', '핵심요약(Executive summary)'과 '붙임'은 생략. 그리고 위 목차는 의도적으로 맞춤법에 맞게 띄어 쓰기를 하지 않음(즉, 실무 관행에 따름).
※ 상황이 다를 수 있으므로 위 내용은 참고용으로만 활용하시기 바랍니다.

라. 문서(보고서 및 기획서) 작성 6대 원칙

□ **일반적으로, 조직에서 작성하는 보고서나 기획서 등의 문서들은 아래와 같은 원칙들을 준수해서 작성하면 좀 더 효과적인 커뮤니케이션이 가능해질 수도 있습니다.**

- 이런 유(類, Kind)의 원칙들은 시중의 책이나 인터넷 검색 등을 통해도 쉽게 확인할 수 있으며, 이들 모두 선배 세대들이 경험을 통해 남겨 놓은 소중한 유산(遺産, Legacy)들일 것입니다.
  - 물론 이 원칙들을 적용했다고 바로 훌륭한 문서가 되는 것은 아니겠지만, 이를 지키지 않은 문서가 '훌륭하다'라는 평가를 받을 가능성은 매우 낮을 것입니다.
- 그러나, 사실 이들 모두를 기억하고 활용한다는 것은 결코 쉬운 일이 아닐 것입니다. 왜냐하면, 우선 내용도 많고, 추상적인 표현들도 적지 않으며, 각각의 시각(or 초점)도 조금씩 다르기 때문입니다.

〈 조직에서의 문서 작성에 초점이 맞춰진 문서 작성 원칙들 〉

S社*	대통령보고서 작성법**	보고서의 법칙***	CIA 정보보고서****
• 첫 장에서 승부할 것(논점을 명확하게) • 결론을 분명하게 • 상사의 입장에서 작성 • 볼 맛이 나게 • 자기만의 문체 개발 • 오·탈자를 줄일 것 • 서식에 대한 이해(폰트, 간격 등) • 통계수치 정확성 확인 • 중간에 쉬어 가게 • 문장/단의 앞뒤 관계 중요 • 품질로 승부(보고는 종합예술)…	• 이슈를 정확히 추출 • 메시지/결론을 분명히 • 보고서의 고객을 배려 • 보기 좋은 떡이 먹기 좋음 • 구체적 이유, 관련 이론/통계/판례 등을 활용 • 통계수치 정확성 확인 • 문단 선후관계 구성 중요 • 한 문장에 2개의 메시지 금지 (1개의 메시지)…	• 커스터마이징: 의사결정권자 중심으로 써라. • 핵심요약: 짧을수록 좋다. • 두괄식: 일의 순서와 판단의 순서는 다르다. • 카테고리: 대형마트 방식으로 분류하라. • 개조식: 조각이 아니라 구조를 보여줘라. • 직관성과 설득력: 읽는 글과 보는 글의 차이다.	• 결론을 먼저 서술 • 정보의 조직화, 체계화 • 보고서의 형태 이해 • 정확한 언어사용 • 단어의 경제적 사용 • 생각한 것을 분명하게 표현 • 능동태 표현(Use Active Voice) • 작성 보고서를 스스로 편집 • 정보사용자의 니즈 분명히 파악 • 동료의 전문지식과 경험 활용

Source) * 성공을 부르는 기획노하우 과정, S社. ** 청와대 보고서 작성법, 한국공공기관 연구원. *** 보고서의 법칙, 백승권, 2018, 바다출판사.
**** 대통령 보고서, 노무현대통령 비서실, 2007, 위즈덤하우스.

라. 문서(보고서 및 기획서) 작성 6대 원칙

□ **그래서 제가 '많은 분들이 말씀하신 원칙들'과, '제가 실무를 통해 깨달은 원칙들'을 묶어 '문서 작성 6대 원칙**(文書作成 六大原則, Six Principles of Documentation)**'을 정리해봤습니다.**

- 우선, 형식적인 측면에서, 문서 작성 6대 원칙은 왼쪽에 ①번부터 ⑥번까지 정리했고 이에 대한 세부 내용은 오른쪽에 덧붙였습니다.
- 물론, 이를 정리하기 위해 시중에 나와 있는 많은 책을 참고하고 지인들을 인터뷰했으며, **다른 분들이 언급하지 않았던 것들은 붉은색으로 강조해서 표시**(중요하기 때문)했습니다.
- 참고로, 아래의 6대 원칙은 보고서와 기획서는 물론, 전략을 작성할 때에도 공(共)히(= 빠짐없이 다) 적용되는 원칙들입니다.

〈 보고서·기획서 등 보고용 문서 작성 6대 원칙 〉

① **Audience*의 입장에서 작성**	Ⓐ모든 보고서는 상사(또는 고객 등 관련자 = Audience)를 위해 작성해야 함 → 그렇지 않으면 자기를 위한 문서(e.g., 블로그 포스트)가 될 뿐, Ⓑ**예산(비용) 최소화******
② **납득할 만한 Storyline**(스토리라인, 주제를 풀어가는 논리)	Ⓐ'작성(검토·기획) 배경 및 목적'이 '본론(구체적인 검토·분석)', '결론(대안)'의 스토리라인(줄거리)와 자연스럽게 연결돼야 함, Ⓑ문단(또는 장표나 슬라이드)의 선후관계가 매우 중요, Ⓒ**흐름을 깨는 내용은 삭제**하거나 **붙임**(appendix)**으로 이동**시킴
③ **서식 및 형식 존중**	Ⓐ기본 서식 존중(여백, 간격, 폰트 크기, 번호매기기, 안내선 등) → 이것이 문서의 디자인이나 템플릿(Template = 양식)보다 더 중요, Ⓑ오·탈자 최소화
④ **쉽고 복잡하지 않게**	Ⓐ하나하나의 장표를 복잡하지 않게 구성, Ⓑ**적절한 시각화**(그래프, 도형 등 Diagram을 적극적으로 활용, 단 '예쁘니 작업'은 마지막에), Ⓒ쉽게 읽히는 **단문**으로 작성, Ⓓ한 문장에 1개의 메시지, Ⓔ어려운 용어·약어 최소화, Ⓕ자신 없는 내용·용어는 과감하게 삭제
⑤ **객관성 담보**	Ⓐ**정성보다 정량분석**기조 유지, Ⓑ객관적 근거(경쟁사 사례 및 정보, 관련 통계, 법제, 판례 등) 적극 활용, Ⓒ**통계**나 정보 **등의 정**확성 체크(물론, **출처 확인** 및 각주화, Ownership **체크는** 기본, 조작 금지), Ⓓ**각주, 출처, 단위 항상 체크**
⑥ **깊이는 다르게**	Ⓐ**각 문서별 깊이 차등화**(모든 문서를 같은 깊이로 정성을 다해 작성하면 안 됨, 만약 그렇게 하면 버틸 수 있는 사람이 없음)*** Ⓑ**보고서**는, 기획서보다, **가볍고 빠르게**, 그러나 **기획서**는 액션(Action = 추진)을 취할 수 있도록 **자세하고 꼼꼼하게** 작성

Note) * 실무에서는 보고의 대상이 다양하기 때문에 이를 Audience(오디언스)라고 표현했습니다. ** 참고로 기획서와 전략의 경우, 윗분들은 목적을 달성하기 위해, 이왕이면 추가 재원(Budget)을 사용하지 않거나 아니면 가장 적게 사용하는 案(안)을 선호합니다. 이것도 반드시 기억해두시기 바랍니다. *** 한 장이나 반 장의 장표로 보고해도 되는 문서들도 있기 때문입니다.

마. 보고(기획)업무의 대원칙 - 'Keep me posted on your progress(이하 'KMP')!'

□ **일반적으로 보고(기획)업무 실무자에게 'KMP(실무자가 상사에게 수시 보고를 통해 정보를 얻어 내는 것)'는 '가장 중요한 원칙'입니다. 왜냐하면, 대부분의 상사님들이 피드백을 제대로 해주지 않기 때문입니다.**

- 상사와 실무자 간의 커뮤니케이션은 크게, 'Feedback(상사가 실무자에게, 실무자 입장은 수동적)'과 'Keep me posted on your progress!(실무자가 상사에게, 실무자 입장은 능동적)'로 구분됩니다.
- 그러나 Feedback을 제대로 해주는 상사는 그리 많지 않습니다. 그래서 실무자가 적극적으로 상사에게 정보를 얻어내는 과정이 필요하며 이를 가능하게 해주는 것이 바로 KMP입니다.
- KMP는 실무자가 상사에게 '수시 보고를 통해 정보를 얻어 내는 것'이지만 이는 상사들에게도 큰 도움이 됩니다. 왜냐하면, 실무의 디테일을 상당히 강화해주기 때문입니다.

〈 Feedback vs. Keep me posted on your progress! 〉

구분	Ⓐ Feedback(피드백)!	Ⓑ Keep me posted on your progress(KMP)!
누가 하는가?	일반적으로, 상사(Team leader, Boss, Supervisor, etc.)가 팀원(실무자)에게	**팀원(실무자)이 상사에게**
언제 하는가?	일반적으로, 팀원의 보고(중간 또는 완료)를 받은 직후	**업무 지시 이후, 보고 완료 전까지**
왜, 어떻게 하는가?	팀원의 업무 능력 향상을 위해, 보고를 받은 후 '잘한 것', '부족하거나 개선해야 할 것', 이와 관련된 업무 수행 방법 등을 전달	팀원이 자신의 업무 진행상황 등을 **수시로 보고**(보통, 1일 2회 정도)해, 상사의 의중을 수시로 흡수 및 반영 → 쌍방 간 Surprise를 최소화함
장단점 (Pros & Cons)	제대로 된 피드백은 팀원들의 업무 역량이나 조직 적응력을 빠르게 향상시킴, 그러나, 제대로 된 피드백을 하기 위해 준비 시간이 좀 소요된다는 단점도 존재	상사의 의도를 제대로 이해하고 반영할 수 있음 → 삽질 최소화(≒ 보고업무 효율화) 중간에 방향이 잘못됐을 경우에도 이를 바로잡기 용이함, 보고에 대한 부담이 완화되고 보고 스킬도 향상됨, 그래서 업무 마무리도 수월해짐, 더불어 **상사의 업무 디테일도 강해짐***, 그러나 상사가 귀찮아하실 수도 있음**

Note) * 팀원들이 수시로 보고하기 때문에, 상사는 업무의 디테일한 부분까지 오랫동안 기억할 수 있게 됩니다. 그래서 이는 결국 실무형 상사에게 매우 강력한 무기가 됩니다.
** KMP의 장점을 인지하지 못한 상사들의 경우에는 실무자가 자주 보고하는 것 자체를 귀찮게 생각할 수 있기 때문입니다.

This page intentionally left blank.

This page intentionally left blank.

Chapter 3
보고서 및 기획서 작성하기

This page intentionally left blank.

3. 보고서 및 기획서 작성하기

가. 보고(기획)업무 Flow Overview

☐ **일반적으로, 보고(기획)업무는 아래와 같이 여러 이해관계자들(利害關係者)과의 '커뮤니케이션(Communication, 疏通)'과 '협력(協力 또는 協業, Cooperation)으로 이루어지는 것입니다.**

- 상황에 따라 다를 수도 있겠지만, 일반적인 보고(기획)업무의 흐름은 아래와 같이 '①업무지시 접수'로 시작해서 '⑥Follow up(보고완료 후 후속조치)'으로 마무리됩니다.
- 그리고 아시는 바와 같이, 이 과정 하나하나를 수행하기 위해서는 타인과의 소통과 협력이 반드시 필요합니다. 즉, '보고(기획)업무는 혼자 할 수 없다'는 의미입니다.
- 이 챕터(Chapter)에서는 보고(기획)업무 과정 중 '①업무지시 접수', '②자료조사', 그리고 '③문서작성'에 대해 순차적으로 설명해드리겠습니다.

〈 보고(기획)업무 Flow와 Communication & Cooperation 대상 〉

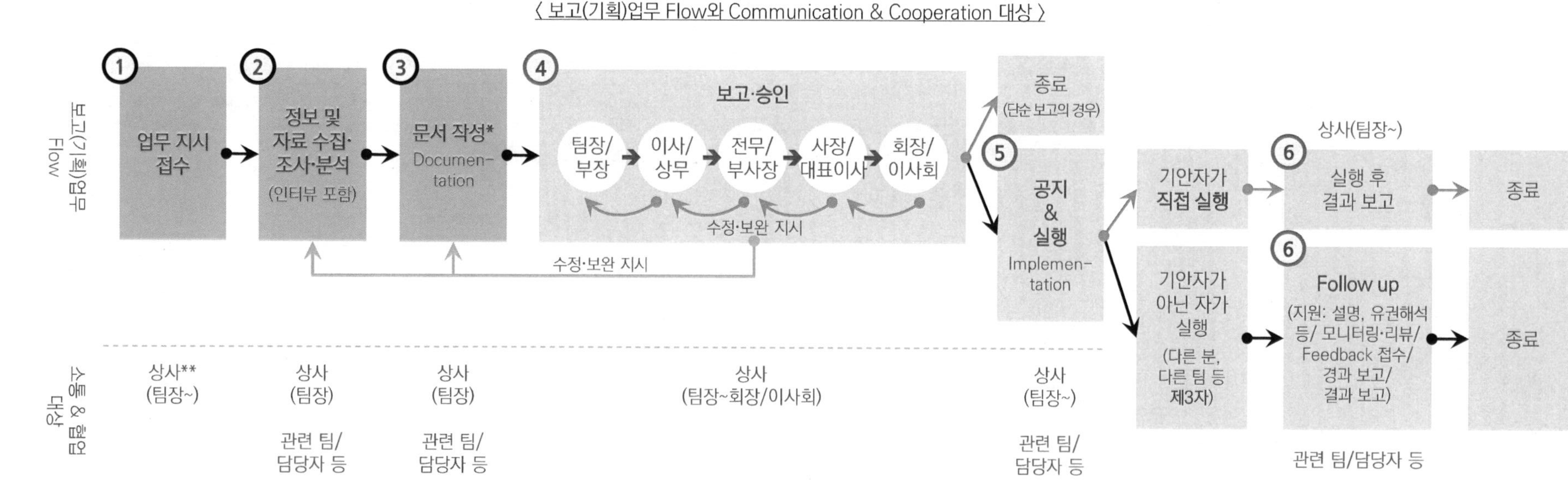

Note) * 앞 Chapter에서 소개한 '문서의 틀'을 사용해 작성합니다.
** 참고로, 위 다이어그램의 '붉은색 글씨'는 업무 수행 중 주요 커뮤니케이션 대상입니다.

This page intentionally left blank.

나. 업무지시 접수하기 - 1) 업무지시의 중요성(1/2)

□ **업무지시는 상사**(업무 지시자 중 특히 팀장급)**와 실무자 모두에게 매우 중요한 단계입니다. 왜냐하면, 업무지시가 제대로 안 됐을 경우 둘 다 좀 곤란한 상황에 처하게 되기 때문입니다.**

- 즉, 업무지시가 제대로 안 됐을 경우(Step 01), 상사와 실무자는 아래 'Step 02'와 같은 상황에 처하게 될 가능성이 높습니다. 왜냐하면, 일의 시작부터 잘못됐기 때문입니다.
- 그럼에도 많은 상사들이 이를 상당히 성의 없게 하곤 합니다. 그리고 실무자들이 궁금한 사항들을 여쭤보면 "이제 좀 네가 알아서 해라"라며 오히려 화를 내기도 합니다.
- 물론, 이런 경우 실무자들에게 해법*이 없는 것은 아니지만, 이런 상황이 반복된다면 실무자들의 사기는 물론, 조직의 성과와 Quality도 추락하게 될 것입니다.

〈 잘못된 업무지시로 인한 결과 〉

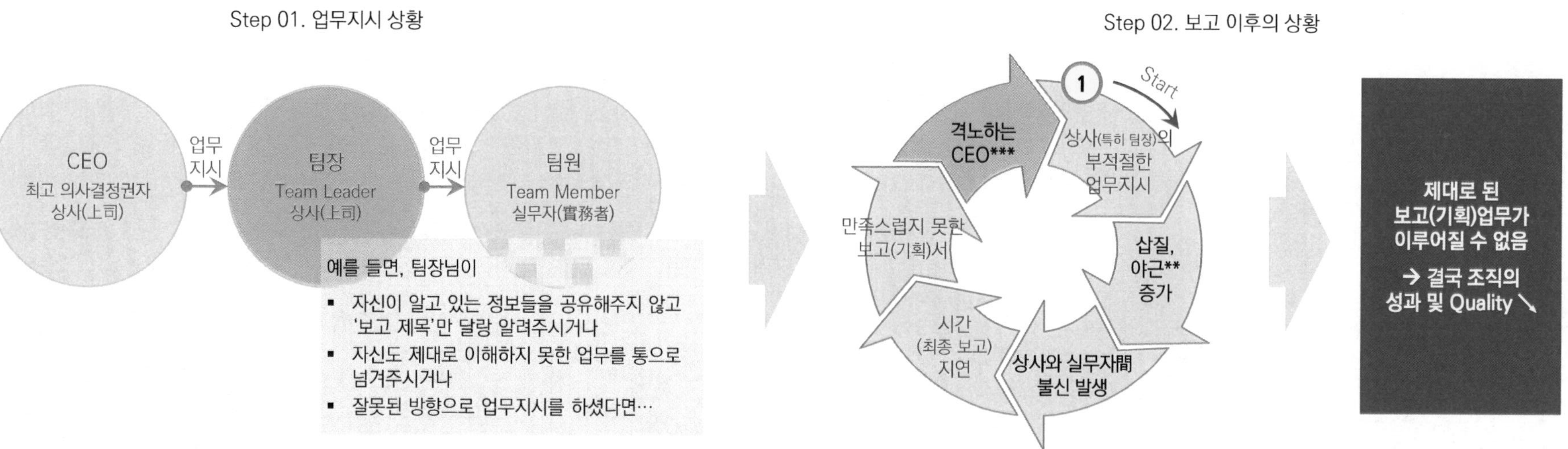

Note) * 바로 앞 Chapter에서 말씀드렸던, 보고(기획)업무의 대원칙('Keep me posted on your progress!')을 적극적으로 활용하시면 됩니다.
** 근로기준법상 시간외근로(연장, 야간 및 휴일 근로) 등. *** 물론 이사회, 지주사, 주주 등도 될 수 있음.

3. 보고서 및 기획서 작성하기

나. 업무지시 접수하기 - 1) 업무지시의 중요성(2/2)

□ **그래서 유능한**(≒ Smart)**한 상사들은 보고(기획)업무의 품질**(Quality)**과 업무 성과를 극대화하기 위해 업무지시에 상당히 공**(功)**을 들입니다.**

- 유능한 상사라면, 업무를 지시할 때 아래 ①번에 적힌 정보들을 전달해주기 위해 노력할 것입니다. 왜냐하면, 이들은 보고서나 기획서를 작성하기 위해 반드시 필요한 것들이기 때문입니다.
- 그리고 이보다 더 유능한 상사라면, 오른쪽 ②번의 정보들까지 전달해주려고 노력할 것입니다. 왜냐하면, 이들은 '실무자들의 보고업무 스킬은 물론 시야까지 넓혀주는 정보'들이기 때문입니다.
- 그러나 아마도 여러분은 이런 유능한 상사들을 뵙지 못했을 가능성이 높습니다. 왜냐하면, 지금은 선배들이 후배들을 조건 없이 육성(育成)해주는 시대가 아니기 때문입니다.

〈 유능한 상사들이 업무를 지시할 때 알려주는 정보들 〉

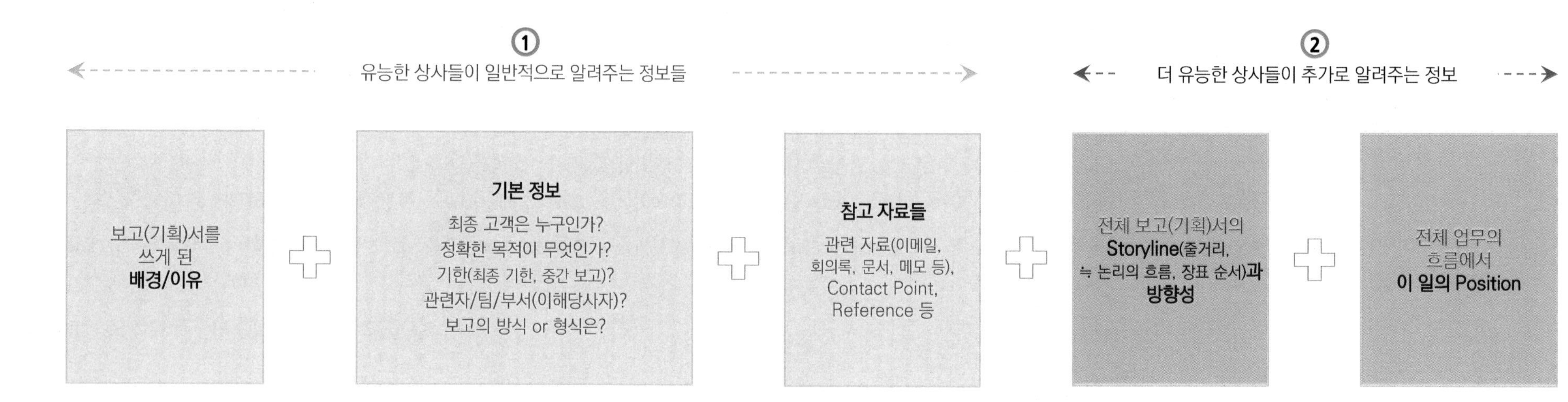

①
유능한 상사들이 일반적으로 알려주는 정보들
②
더 유능한 상사들이 추가로 알려주는 정보
보고(기획)서를 쓰게 된 배경/이유
기본 정보
최종 고객은 누구인가?
정확한 목적이 무엇인가?
기한(최종 기한, 중간 보고)?
관련자/팀/부서(이해당사자)?
보고의 방식 or 형식은?
참고 자료들
관련 자료(이메일, 회의록, 문서, 메모 등), Contact Point, Reference 등
전체 보고(기획)서의 Storyline(줄거리, ≒ 논리의 흐름, 장표 순서)과 방향성
전체 업무의 흐름에서 이 일의 Position

Note) 위와 같은 정보를 전부 알려주시는 상사님은 여러분의 발전을 진심으로 바라는 분일 것입니다.

나. 업무지시 접수하기 - 2) 업무지시 접수 태도 및 방법

□ **보고(기획)업무를 수행하는 실무자의 입장에서, 상사의 업무지시를 받을 때에는 최소한 아래의 노하우(Know-how)들을 반드시 숙지하고 있어야 합니다.**

- 우선, 평소 상사에 대한 불편한 마음은 일단 접어두시기 바랍니다. 왜냐하면, 그런 마음은 아주 쉽게 표정이나 말투로 나타날 수 있기 때문입니다.
- 어차피 일을 해야 할 거라면, 실무자로서 삽질을 최소화하기 위해 최대한 적극적인 자세로 지시사항을 꼼꼼하게 메모하시기 바랍니다.

〈 업무지시를 효과적으로 받기 위한 노하우들 〉

<table>
<tr><th>마인드셋(Mindset***, Mental Attitude)</th><th>방법(方法, How to)</th><th>확인해야 할 사항들(Checkpoints)</th></tr>
<tr><td>▪ 우선, 상사에 대해 적대적인 태도를 버려야 합니다. 아무리 싫고 재수 없어도 '상사는 보고(기획)업무의 Keyman(핵심인물)이자 고객(Audience)'입니다. 그러니, 그분들의 업무지시를 적극적이고 긍정적인 태도로 접수하는 것이 좋습니다. 비즈니스는 비즈니스일 뿐입니다.

▪ 상사는 사실, '말 대꾸를 안 하고 시키는 대로만 일하는 사람'을 원합니다. 그래서 그분들이 여러분에게 가장 듣고 싶어 하는 말은 "네 알겠습니다."입니다. 그리고 예상하시겠지만, 여러분도 상사가 되면 이와 비슷해집니다.

▪ 일은 많이 해 봐야 실력이 늡니다. 모든 일은 연습이자 이력서에 적을 수 있는 커리어(Career)가 됩니다. 그리고 이게 탄탄하게 쌓이면 실력이 되고, 연봉(年俸, Value)이 됩니다.</td><td>▪ 상사가 업무지시를 할 때에는 반드시 노트를 준비해 메모해야 합니다(스마트폰을 이용해 메모를 할 경우, 불필요한 오해가 발생할 수도 있습니다).

▪ 필요한 경우, 녹음*을 하는 것도 좋습니다. 특히, 녹음은 팀이나 회사를 옮긴 지 얼마 안 되는 분들에게 좋은 방법입니다. 물론, 녹음을 부정적으로 인식하는 상사들도 존재한다는 것을 명심하셔야 합니다. 그리고 이 파일을 상사와의 잘잘못을 따지기 위해 활용하시면 상당히 곤란한 상황에 처하게 될 수도 있습니다.

▪ 그리고, 업무지시를 받으신 후, 바로 이메일로 지시 받은 내용을 Bullet Points로 정리해서 보고하시는 것이 좋습니다. 물론 메일에는 향후 일정(특히, 다음 보고 일정)을 언급해주면 더 좋을 것입니다.</td><td>• 업무지시를 받을 때에는, 아래와 같이 보고서를 작성하기 위한 최소한의 정보를 수집해야 합니다.
가) 최종 고객은 누구인가?
나) 정확한 목적이 무엇인가?
다) 기한? (최종기한, 중간보고)
라) 관련자/팀/부서 (이해당사자)
마) 보고의 방식/형식은?

• 회사에는 업무를 지시할 때, 위와 같은 기본적인 정보조차 알려주지 않는 상사들이 많습니다. 그런 경우에는 '1차 보고**'를 할 때 해당 정보를 최대한 수집하셔야 합니다. 이에 대해서는 이후에 설명 드리겠습니다.</td></tr>
</table>

Note) * 이렇게 녹음한 파일은 반드시 보고(기획)업무를 위한 목적으로 활용해야 함. 상세한 내용은 다음 페이지 참고.
** '1차 보고'에 대한 상세 설명은 '참고 10' 참고. *** a particular way of thinking, a person's attitude or set of opinions about something(Merriam-Webster's Learner's Dictionary).

[참고 09] 대화자 간 대화 녹음에 관한 상식

□ **아래 표와 같이, 우리나라에서는 통신비밀보호법에 따라 대화자 간의 대화 녹음**(錄音, Recording)**은 상대방의 사전 동의**(事前同意, Prior consent)**가 없어도 가능합니다.**

- 그러나 그 **비밀녹음**(상대방의 동의 없이 하는 녹음, 아래에서는 A와 B)**이 사회윤리 내지 사회통념에 비추어 용인될 수 있는 행위라고 평가될 수 있어야** 합니다.
- 즉, 그 녹음 파일은 반드시 보고서나 기획서를 작성하기 위한 목적(= 업무 목적)으로만 사용해야 합니다.
  그렇지 않으면 민법상 불법행위에 관한 규정이 적용될 수도 있기 때문입니다. 좀 더 자세한 내용은 아래 Source에 표시해드린 판결문을 확인해보시기 바랍니다.

〈 통신비밀보호법상(이하 통비법) 녹취관련 내용 〉

녹음자가 대화 등에	Case(구체적인 사례)	통비법상 합법/위법	비고
참여한 경우	A. 상대방의 동의 없이, 대화나 통화 시 녹음	**합법**	비밀 녹음으로서, 해당 녹음 파일은 '반드시' 보고서나 기획서 작성 목적으로만 활용해야 합니다.
	B. 상대방의 동의 없이, 회의나 강의 시 녹음	**합법**	
참여하지 않은 경우	C. 동의를 얻고 제3자 간 대화 녹음	합법	–
	D. 동의 없이 제3자간 대화 녹음(무단 녹취)	**불법**	절대 금지

Note)
1. 녹음자가 대화에 참여(포함)한 경우라면 '공개되지 아니한 타인 간의 대화'가 아니므로 통신비밀보호법 위반이 아님(즉, 녹음자가 대화에 참여(포함)되지 않는 경우 '타인의 대화' 녹음으로 통신비밀보호법에 위반).
2. 통비법 위반죄는 성립되지 않더라도 위와 같은 녹음 파일을 이용해 상대방을 협박하면 협박죄, 업무상의 비밀정보를 녹음하고 타인에게 공개하면 업무상 비밀침해죄, 타인의 명예를 훼손할 만한 녹음 내용을 공개하면 명예훼손죄가 성립될 수 있음. 또한, 형사상 죄가 되지 않더라도 이로 인하여 상대방의 인격권·프라이버시권이 침해된 경우 민사상 불법행위에 해당돼 손해배상책임을 부담할 수도 있음.
3. 강의나 수업을 녹음해도 통비법 위반죄는 성립되지 않으나, 해당 강의나 수업의 내용이 저작물이 될 수 있어 이에 대한 녹음, 배포, 인터넷 게재는 저작권법위반죄로 처벌 받을 수도 있음.

Source) 서울중앙지방법원 2018가소1358597

[실전연습 01] 업무지시를 받을 때

□ **업무지시와 관련하여 당신이 아래와 같은 상황에 처하게 됐습니다. 어떻게 해결해야 할지 고민한 후 대답해보세요.**

Q1) 상사님이 당신에게 대충 '보고 제목'만 알려주시고 보고서 작성을 요구하십니다. 그래서, 그 자리에서 한두 가지를 여쭤봤더니, "아 이젠 네가 알아서 할 때가 됐잖아"라고 언성을 높이십니다.

Q2) 당신은 입사 2년 차 사원입니다. 팀장님이 부재중이실 때, 지나가시던 상무님께서 갑자기 당신에게 업무를 지시(직전 5년간 매출 현황을 엑셀 한 장으로 정리)하고 가셨습니다.

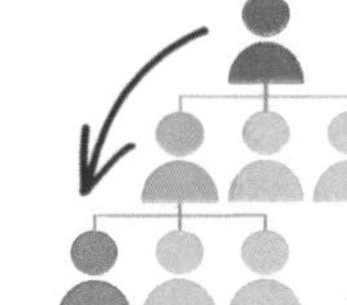

[참고 10] 정보·자료수집 전에 반드시 알아야 하는 Tips - Bullet Point법, 메모지 활용법(1/3)

□ **만약, 업무지시를 받은 사안이 'Ⓐ간단한 보고서'로서 'Ⓑ워드나 한글'로 'Ⓒ퀵(Quick, 급)'하게 작성 및 보고해야 할 사안이라면 'Bullet Point(불릿 포인트)법'을 응용하는 것이 일반적으로 좋습니다.**

- Bullet Point법은, 상사에게 업무지시를 받은 직후, [Step ①]워드나 한글의 빈 페이지에 보고서에 넣을 아이디어들을 생각나는 대로 불릿 포인트(e.g., ▪, ▮, ■, ▫, □, o 등)를 사용해 적고, [Step ②]이것들을 앞에서 말씀드린 문서의 틀(= 목차)에 넣어 개괄적인 스토리라인(= 줄거리)을 만들고, [Step ③ & ④*]살을 붙여 나가는 방법입니다.

〈 'Bullet Point'법의 주요 내용 〉

구분	Bullet Point법
언제 사용하는가?	• 주로, 간단한 보고서를 작성할 때 • Word나 HWP로 보고서를 작성할 때 • 보고서를 급하게 작성 및 보고해야 할 때
어떻게 (Steps)	① 업무지시를 받은 후, 해당 문서에 넣을 내용들을 생각나는 대로 Word나 HWP에 Bullet Point(불릿 포인트)로 쭉 적습니다(이것이 이면지에 적는 것보다 시간을 좀 더 단축시켜줍니다). ② 그리고 이것들 하나하나를, 앞에서 설명해드린 문서의 틀(목차 안)에 집어넣어 스토리라인을 만듭니다. ➔ 보통 '1차 보고' 자료로 활용됨 ③ 이어 각 내용(항목)마다 정보나 자료수집을 통해 살을 붙여 나갑니다. 그리고 이 단계에서 예쁘니 작업(Tone & Manner)을 하시면 안됩니다. ④ 전체 스토리라인에 적합하지 않은 내용들은 과감하게 삭제하거나 붙임(Appendix)으로 이동시켜줍니다.

적용

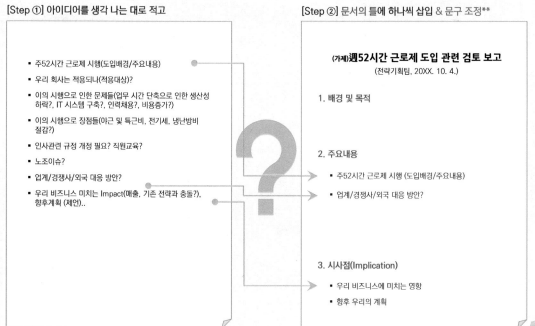

★ 例) CEO께서 지나가시며 "'주52시간 근로제 도입'으로 우리 회사는 문제 없는 건가?" 라고 말씀하셨을 때

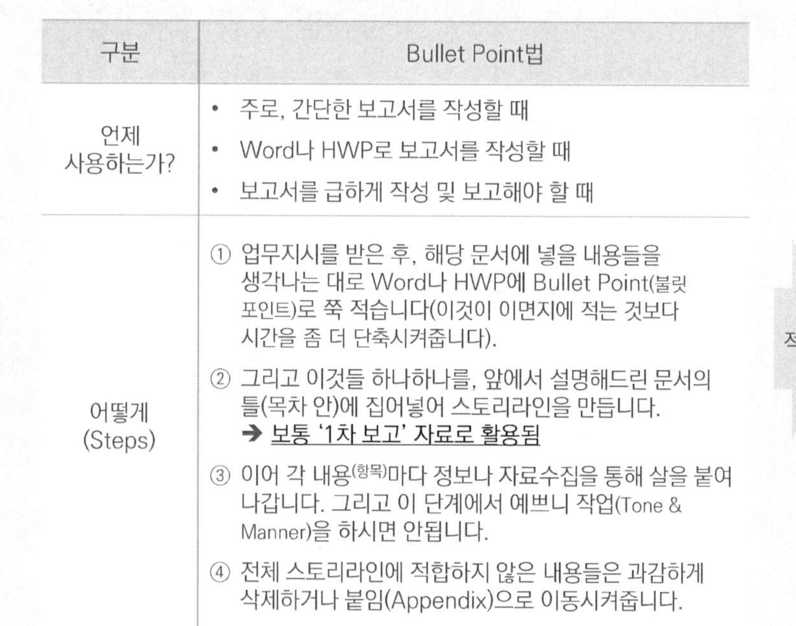

[Step ①] 아이디어를 생각 나는 대로 적고
▪ 주52시간 근로제 시행(도입배경/주요내용)
▪ 우리 회사는 적용되나(적용대상)?
▪ 이의 시행으로 인한 문제들(업무 시간 단축으로 인한 생산성 하락?, IT 시스템 구축?, 인력채용?, 비용증가?)
▪ 이의 시행으로 장점들(야근 및 특근비, 전기세, 냉난방비 절감?)
▪ 인사관련 규정 개정 필요? 직원교육?
▪ 노조이슈?
▪ 업계/경쟁사/외국 대응 방안?
▪ 우리 비즈니스 미치는 Impact(매출, 기존 전략과 충돌?), 향후계획 (제언)..
[Step ②] 문서의 틀에 하나씩 삽입 & 문구 조정**
(가제)週52시간 근로제 도입 관련 검토 보고
(전략기획팀, 20XX. 10. 4.)
1. 배경 및 목적
2. 주요내용
▪ 주52시간 근로제 시행 (도입배경/주요내용)
▪ 업계/경쟁사/외국 대응 방안?
3. 시사점(Implication)
▪ 우리 비즈니스에 미치는 영향
▪ 향후 우리의 계획

Note) * Step ③와 ④에 대한 상세한 내용은 '참고 18' 참고.
** 이때, 스토리라인에 맞지 않는 내용들은 과감하게 삭제하거나 붙임(= 첨부, Appendix 등)으로 보내야 함.

[참고 10] 정보·자료수집 전에 반드시 알아야 하는 Tips - Bullet Point법, 메모지 활용법(2/3)

□ **만약, 업무지시를 받은 사안이 기획서나 전략 등과 같이 'Ⓐ페이지 수가 많은(= 긴) 문서'로서 'ⒷPowerPoint'를 활용해야 하는 경우에는 '메모지 활용법'을 응용하는 것이 좀 더 효율적입니다.**

- 메모지 활용법은 PowerPoint로 문서를 작성할 때(특히, 동시에 여러 문서들을 작성해야 하거나, 스토리라인이 중요한 기획서를 작성해야 할 때 등) 사용하시면, 문서 작성 시간을 적지 않게 절약할 수 있습니다.
- 아래 내용을 보시면 아시겠지만, 절대로, 업무지시를 받고 '바로 문서 작업을 개시하지 마시고', '메모지 활용법'을 이용해 먼저 아이디어를 정리해보시기 바랍니다.

〈 '메모지 활용법의 주요 내용 〉

구분	메모지 활용법
언제 사용하는가?	• PPT로 문서를 작성할 때(특히, 기획서) • 페이지 수가 많은(= 긴) 문서를 작성할 때 • 동시에 여러 문서를 작성할 때
어떻게 (Step)	① 이면지(A4)를 8등분합니다. ② 종이 한 장을 하나의 슬라이드라고 생각하고 표지, 목차, 일반 페이지, 붙임 등에 간단간단한 내용들을 적고, 집게로 묶어줍니다. ③ 다른 일을 하다가, 새로운 아이디어가 생각날 때마다 내용이나 장표를 추가해줍니다. ④ 처음부터 장표를 넘겨가며 스토리라인에 맞게 순서를 변경해줍니다. 어느 정도 내용이 채워졌으면(일정한 두께가 됐을 때), 시간을 확보하고 집중해서 문서를 작성합니다. ⑤ 완성한 페이지와 추가작업이 필요한 페이지를 레이블(Label)*로 구분해서 표시해둡니다.

적용

[Step ①] 이면지(A4)를 8등분

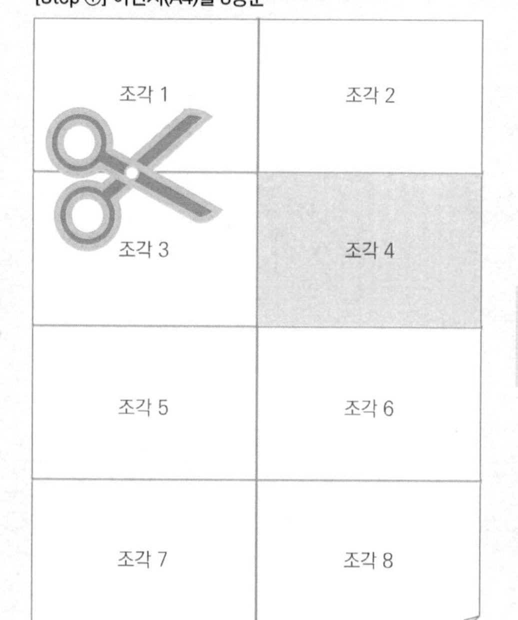

적용

[Step ②] 보고 건(件)별로 구분해 집게**로 묶음

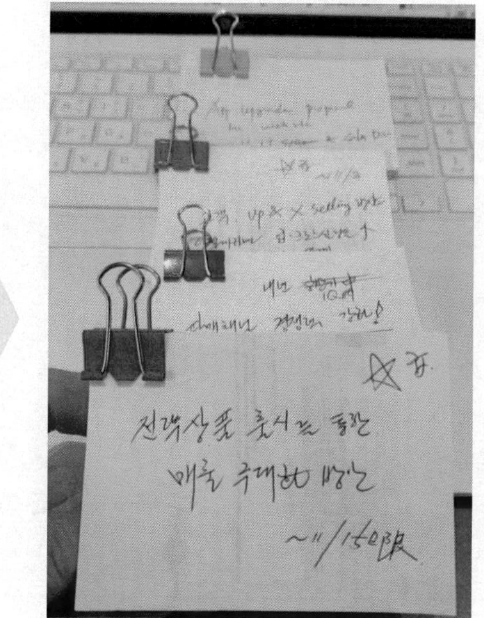

Note) * 좀 더 상세한 내용은 127페이지 참고. ** 보고 件별 집게의 색은 '보고의 중요도'나 '기한(期限, Due date = Deadline)'별로 구분하는 것이 좋음.

[참고 10] 정보·자료수집 전에 반드시 알아야 하는 Tips - Bullet Point법, 메모지 활용법(3/3)

□ **'메모지 활용법'을 사용할 때에는 '각 메모지'가 '한 장의 장표**(= 슬라이드, 페이지)**'라고 생각하고 아래의 예시와 같이 러프**(Rough ≒ 개략적으로)**하게 아이디어를 정리하는 수준으로 작성하면 됩니다.**

- 즉, 처음부터 너무 상세하게 작성할 필요는 없습니다. 그리고 새로운 아이디어가 떠오를 때마다 계속, 조금씩, 내용을 추가(≒ 보완)한 후 적당한 시점에 이를 문서화하면 됩니다.

〈 Example: '메모지 활용법'을 활용한 기획안의 초기 버전 〉

표지

신문 비즈니스 活性化 方案

2020. 10. 04

Strategic Planning

목차

Table of Contents

1. Background & Objective

2. Strategic Analysis : SWOT, "경쟁사" 조사, 소비자 조사

3. Strategic Proposal (제언)

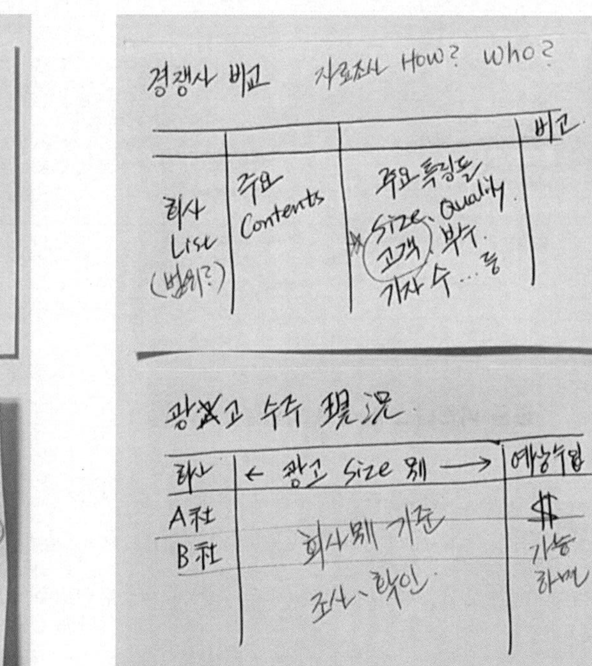

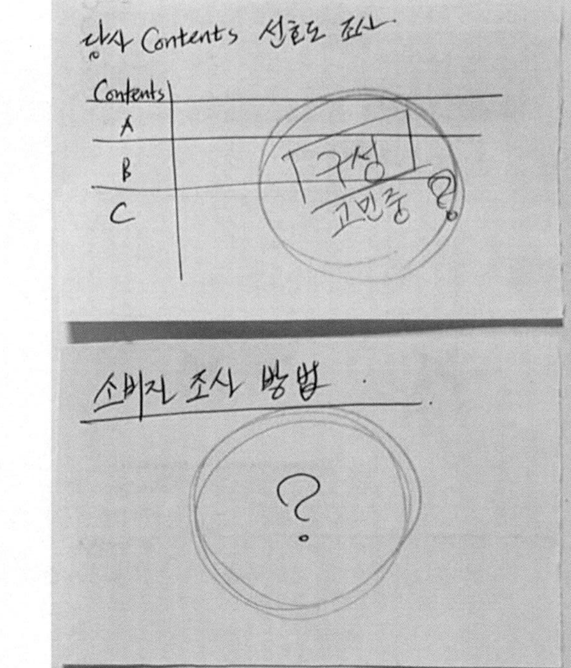

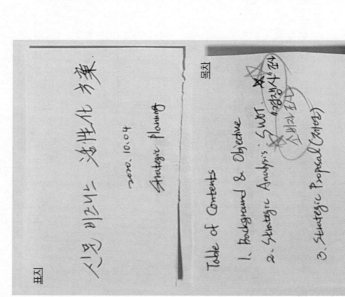

Note) 이 단계에서 반드시 헤드라인(Headline)까지 넣을 필요는 없지만, 전체적인 스토리라인의 흐름은 구체화되는 것이 좋습니다.

[참고 11] 정말 중요한 '1차 보고'

□ **상사에게 업무지시를 받게 되면, 가능한 한 빠른 시간 내에 '1차 보고'를 하셔야 합니다. 그래야 삽질을 적게 하고 여러분의 능력도 인정받을 수 있기 때문입니다.**

- 우선, 업무지시를 받으시면, 간단한 자료수집* 먼저: '①회사 내부의 관련 자료 확인' → '②구글링을 통한 자료(기사 등) 검색' 그리고 → '③담당자 인터뷰(간단하게라도 이야기를 들어 보시고)'를 거친 후 '1차 보고'를 하셔야 합니다.
- 특히, 업무지시를 대충하시는 상사와 일하시는 경우, 욕은 먹겠지만, '1차 보고'를 통해 많은 정보를 얻어내야 합니다.
- 보고 양식은 간단합니다. 오른쪽에 예시와 같이 A4지에 간단하게 작성(인쇄 or 수기)하시면 됩니다.

〈 '1차 보고'의 주요 내용 〉

보고내용	작성방법	보고시기	비고
• 제목(가제목, 假題目, Tentative or working title) • 검토배경(또는 기획배경), 목적 • 목차, 목차별 간단한 스토리(간단하게 어떤 내용들을 넣을지에 대한 정도만) • 예산(기획서의 경우, 계정 & 금액, 편성 예산이 없는 경우 대안제시(e.g., 예산전용 등)) • 일정(최종 완료일, 다음 보고일)	Word, HWP, 이면지에 수기(手記)로	ASAP (as soon as possible): 보통 반나절이나 하루 이내	기획서의 경우 예산은 반드시 확인해야 함

예시

[실전 보고화법 例] 예를 들면, 이렇게 작성한 자료를 가지고 팀장님에게 가셔서 아래와 같이 '1차 보고'를 하시면 됩니다.**

(인사, 꾸벅) "팀장님, 오전에 지시하신 건에 대해 스토리라인을 좀 잡아봤습니다. 지금 시간되시면 간단하게 보고 드려보겠습니다."
(자리에 앉아서) "우선, 보고서의 제목은 「금융혁신 22개 규제 폐지 관련 검토」로 정해봤습니다. 그리고 보고서의 틀은 크게 '배경 및 목적', '주요내용', 그리고 '시사점'으로 구분했습니다. 먼저, '배경 및 목적'에는 '22개 규제 폐지의 추진현황과 시장 움직임을 파악해, 우리 회사가 이에 대해 선제적으로 대응할 필요가 있는지 검토해본다'고 적었습니다. 그리고 '주요내용'에서는 '향후 폐지될 22개 규제의 주요내용을 요약'하고 동시에 '우리 회사와 관련이 있는 내용들도 한 번 체크'해보겠습니다. 더불어 '당국과 경쟁사들의 동향을 조사해서 추가'하고, '우리 회사, 관련 팀들의 입장이나 의견도 반영'해보겠습니다. 마지막으로 '시사점'에서는 위에서 검토한 내용들을 토대로, 이 규제의 폐지가 '우리회사에 어떤 영향을 미치는 것인지' 체크해보고, 영향을 미친다면 '이에 대해 우리가 어떻게 대응해야 하는지'에 대해서도 조심스럽게 제언 드려보겠습니다. 이상입니다"
(이후 메모 or 필요시 녹음)

Example

'금융혁신 22개 규제 폐지' 관련 검토

(전략기획팀, 20XX. 10. 04)

1. 배경 및 목적

가. 현 정부 출범 이후 경제부총리의 강한 의지로 추진 중인 '금융혁신을 위한 **22개 규제 폐지**'의 주요 **추진 현황**과 **관련 시장의 움직임**을 파악한 후,

나. 당사가, 이에 대해, **선제적으로 대응해야 할 필요가 있는 것인지** 검토해보고자 함.

2. 주요내용

가. 폐지될 **22개** 규제의 주요 내용

o 배경, **주요 내용**(핵심내용 및 논점 정리, 적용시기)

- 우리회사(시장)에 관련된 규제는(간단하게 적시)?

나. 감독당국과 **경쟁사 동향** (or 경쟁사들의 움직임)

다. 당사(관련 팀)의 상황/입장

o 사업계획(매출) 영향? 비용 or 조직추가?

o 당사의 제도, 시스템, 교육프로그램 등 변경?

3. 시사점(Implication)

가. 우리 회사에 미치는 영향, 그리고

나. 이에 대해, 우리가 어떻게 대응해야 하는지(향후 계획)

Note) * 다다음 페이지의 '자료수집' 내용 참고. ** 이를 실무상 스크립트(Script)라고 함.

This page intentionally left blank.

다. 정보 및 자료수집 - 1) Overview

□ **일반적으로, 보고서나 기획서를 작성하기 위해서는 반드시, 해당 사안과 관련된, '정보수집**(情報蒐集, Information Gathering)**'과 '자료수집**(資料蒐集, Data & Source Collection)**' 과정이 필요합니다.**

- 구체적으로 정보수집은, 문서를 작성하기 위한 최소한의 정보를 얻기 위해, 주로 '업무 지시'를 받거나 '1차 보고'를 드릴 때(時) 해당 상사(上司, Boss, Leader)를 대상으로 하는 활동이며,
- 자료수집은, 다양한 정보원(情報源, Source)들을 대상으로, 해당 문서의 내용을 조금 더 짜임새 있게 채우기 위한 자료들을 조사·수집하는 활동입니다.

〈 보고(기획)서를 작성하기 위한 정보 및 자료 수집의 내용 〉

	정보수집(情報蒐集, Information Gathering)	**자료수집**(資料蒐集, Data & Source Collection)
실무적 정의	보고(기획)서를 작성하기 위한 최소한의 정보 수집 과정	보고(기획)서의 내용을 채우기 위한 자료(정보) 수집 과정
수집해야 할 주요 내용	가) 최종 고객(최종 보고 대상, Audience*)은 누구인가? 나) 정확한 목적(보고나 기획의 배경 및 목적, Big Picture 등)이 무엇인가? 다) 기한(최종 기한 → 이를 고려해 중간 보고 일정을 수립)? 라) 관련자(또는 팀 등)가 있는가(이해당사자, 이해관련자, 영향을 받는 자)? 마) 보고의 방식이나 형식(발표식 or 보고서式, 좌式, 단순 데이터 전달式)은?	가) 회사 내부의 관련 자료 확인(참고, 과거 자료와 일관성 유지) 나) 구글링(Googling, 이미지 검색) 등을 통한 자료 검색(전문 인터넷 기사 등) 다) 객관적 근거 자료 활용(통계, 경쟁사 동향 및 사례, 법령 및 판례 등) 라) 관련자 등에 대한 인터뷰 실시 마) 네트워크 활용(특히, 외부인 = Especially, outsiders)
시점(When)	최초 업무지시를 받을 때 또는 이후 1차 보고 시	보고업무 개시부터 문서 작업 완료 시까지

Note) * 이 책에서는 보고의 대상(상사 등)을 'Audience'로 통칭하고 있습니다. 왜냐하면, 보고업무가 마치 관객 앞에서 공연을 해야 하는 감독, 작가, 그리고 배우들의 역할과 상당히 유사하기 때문입니다.

다. 정보 및 자료수집 - 2) 정보 수집(情報 蒐集, Information Gathering)

□ **우선, 보고서나 기획서를 효율적으로 작성하기 위해서는 업무 지시를 받은 순간**(아니면 1차 보고 시점)**에 해당 문서를 작성하기 위한 최소한의 정보**(아래에 나열한 5가지)**들을 수집해야 합니다.**

- 아래의 정보들을 이왕이면, 업무 지시를 받을 때 꼼꼼하게 체크하는 것이 좋습니다. 그러나 상사가, 최초 업무를 지시할 때, 이를 알려주지 않는 경우에는 이후 '1차 보고'를 이용해 확인하셔야 합니다.
- 이 중에서, 다른 조직(팀, 부서, 부문 등)에 소속된 이해당사자가 존재하는 경우에는 커뮤니케이션에 특히 주의를 기울여야 합니다(커뮤니케이션의 시점·정도, 정보 공개의 범위, 근거 남기기 등).

〈 정보 수집 단계에서 확인해야 할 주요 사항들 〉

	가) 최종 고객은 누구인가?	나) 정확한 목적이 무엇인가?	다) 기한?	라) 관련자(or 팀), 이해당사자?	마) 보고의 방식 or 형식은?
주요 내용	• 담당 임원까지?, CEO까지?, 당연한 말이지만 일반적으로 높게 올라가는 문서일수록 더 신경을 써야 합니다. 왜냐하면 **분수효과*** 때문입니다. • 물론, 그리고 **오디언스**(Audience, 상사)**의 성향도 모두 다르기 때문**입니다.	• 문서 작성의 **배경과 목적을 명확하게 파악**해야 합니다. • **해당 업무가 속해 있는 전체 업무의 흐름이나 회사나 부문의 전략 방향**(Big Picture, 큰 그림) **등을 고려해 목적**(물론 Storyline도)**을 구체화**해야 합니다.	• 업무 지시를 받을 때 **최종 기한**은 꼭 여쭤봐야 합니다. 그리고, **중간 보고** 일정(**다음 보고 일정**)도 미리 말씀을 나누시는 것이 좋습니다. • 통제할 수 없는 **제3자**(IT, 외부 업체 등)의 **일정은 반드시 우선 고려**해야 합니다.	• 이해당사자가 있는 경우, 문서를 작성하고 실행하는 과정에서(때로는 실행 종료 이후까지도), **커뮤니케이션이 매우 중요**합니다. • 이해당사자를 **자극하는 용어**들을 사용해 목적을 달성해서는 절대 **안 됩니다.**	• 문서의 활용 목적을 파악해 **작성 양식** 등을 결정할 수 있지만, 애매한 경우 상사에게 직접 여쭤보는 것도 좋습니다. • 적절한 대답을 얻지 못한 경우, 선배들에게 조언을 구해보시는 것도 좋습니다.
체크해야 할 사항들	• 최종 보고 대상(정성의 정도 가늠)? • 오디언스의 성향 및 관심사(자주 사용하는 단어, 어록, 취미 등)? • 오디언스가 진짜 원하는 것 • 오디언스의 수준(전공, 이해력 등) • 업무 우선순위 조정**	• 작성 배경 및 목적이 무엇인가? • 전체 업무의 흐름을 이해했는가? • 조직의 전략방향을 이해했는가? • 보고서 or 기획서 구분 • 업무 우선순위 조정(사안의 목적에 따라 조정)	• 최종 및 중간 보고 일정 • 협업 및 실행 일정(with 제3자나 관련 담당자 등) • 해당 업무 내에서의 스케줄 수시 조정(but 최종 기한을 임의대로 조정해서는 안 됨)	• 적절한(효율 & 효과적) 소통(사전·사후, 근거 남기기)을 하고 있는지? • 문서의 객관성, 자극적인 표현 사용 여부(해당 문서로 다치는 사람은 없는 것인지?) • 제공받은 자료를 제대로 이해하고 적절하게 사용했는지?	• 작성 양식 결정(PPT, HWP, Word, Excel 등) • 좌식 vs. Presentation vs. 화상 vs. 대면 보고를 하지 않는 없는 이메일 첨부용 vs. 단순 보고서식?

Note) * 보고가 높게 올라갈수록 그 효과(예를 들면, Impact, Task)는 넓게 퍼질 수밖에 없기 때문.
** 업무 우선순위 조정: 상사의 성향, 업무의 경중 등에 따라 현재 진행 중인 항상업무(일반업무)보다 먼저 처리할 수 있게 업무의 우선순위를 조정.

[실전연습 02] 관련자/팀/부서(이해당사자)와의 Communication

□ **보고(기획)업무에서 '이해당사자'분들과의 커뮤니케이션은 매우 중요합니다. 왜냐하면, 이번 일만 하면 끝나는 관계가 절대 아니기 때문입니다.**

- '이해당사자(업무를 지시한 상사를 제외한)'분들과 언제 어떤 내용으로 Communication을 해야 하는지, 아래의 다이어그램 위에 관련 내용을 작성해보시기 바랍니다.

〈 보고(기획)업무 Flow와 Communication & Cooperation 대상 〉

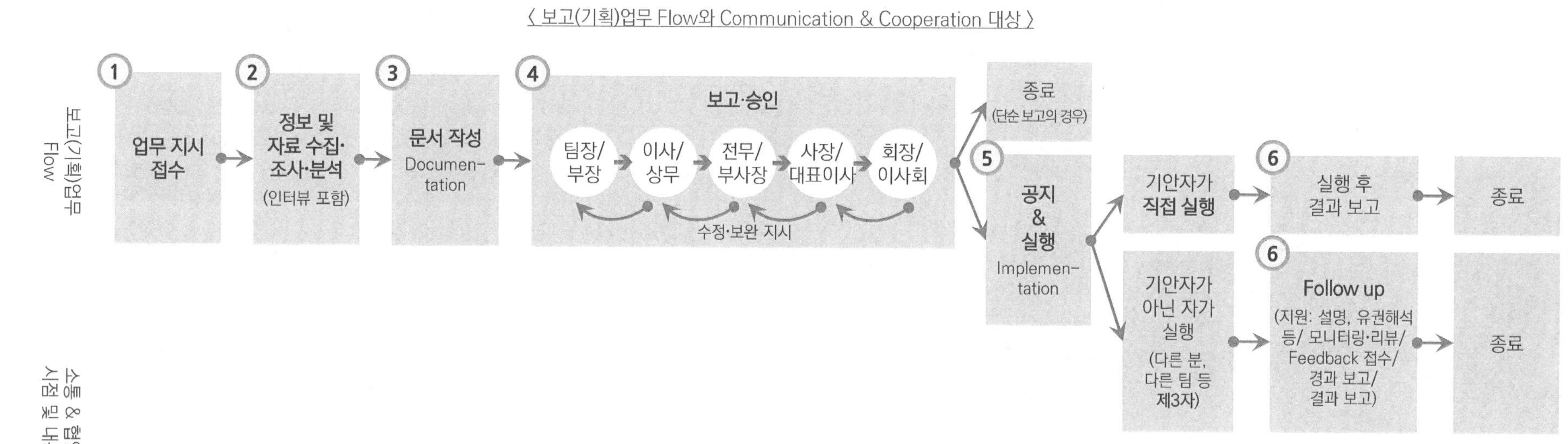

[실전연습 03] 동업자 정신!

□ **보고서나 기획서에 다른 팀**(또는 부문)**을 언급할 때에는 '동업자 정신'이 있어야 합니다. 즉, 조직에서는 남을 '깎아내려**(폄하, 貶下*)**' 목적을 달성해서는 안 됩니다.**

[상황]

- 당사는 고객센터를 이용한 고객들을 대상으로 '서비스 만족도'를 조사하고 있습니다. 그런데 지난 6개월간 고객들의 서비스 만족도가 지속적으로 하락했습니다. 이에 CEO는 전략팀장에게 이 이슈를 검토하라고 지시했습니다. 전략팀장은 팀의 선임 차장에게 이 업무를 할당했고, 3일 뒤, 아래와 같이 보고서 초안을 팀장에게 보고했습니다. 만약, 당신이 전략팀장이라면 어떤 내용을 수정하라고 지시했을까요?

〈 선임 차장의 초안(결론 부분) 〉

3. Implication(시사점)

□ **당사의 고객 서비스 품질**(品質, Quality)**은 경쟁사 대비 매우 낮은 수준**
→ 실제 경쟁사들과 민원 건수를 비교해보면, 당사는 105건으로 ….

구분	당사	경쟁사 A	경쟁사 B	경쟁사 C
고객만족도지수(점)	79	88	86	93
민원건수(건)	105	81	87	65

□ 검토컨대, 이의 주인(主因)**은 당사 **고객센터와 콜센터 근무자들의 서비스 경쟁력**(역량과 마인드)**이 경쟁사 대비 낮기 때문**

□ 이에 당사 고객센터와 콜센터 근무자들의 서비스 경쟁력을 향상시키기 위해 우선, **'(1)관련 제도를 개선**(우수자 보상에 초점을 맞춤)**'**함과 동시에 **'(2)선진국의 고객 서비스 시스템을 직접 경험할 수 있는 연수 기회를 제공'**함으로써 …

〈 以上 〉

〈 수정안 〉

Note) * 가치를 깎아내림(우리말샘), ** 주된 원인, 표준국어대사전

[참고 12] 보고의 방식/형식은?

□ **일반적으로, 회사의 보고 방식은 크게 '대면(對面, face-to-face)'과 '비대면(非對面, Nonface-to-face)'으로 구분되며, 최근에는 '비대면 보고(줌 등을 활용한 영상 보고 포함)'가 크게 증가하는 추세입니다.**

- 보고 방식 중, '프레젠테이션(Presentation, PT)'은 다른 보고 방식들보다 '업무상 부담'이 상당히 큰 방식이지만 '커리어상' 본인의 실력을 실제보다 더 돋보이게 만들 수 있는 가장 효과적인 방식이기도 합니다.
- 일반적으로, 윗분들은 아직까지 대면(對面, F2F, Face-to-Face) 보고 방식을 비대면 방식보다 더 중요하게 생각합니다. 그래서 중요 사안은 꼭 대면으로 보고해달라고 하시는 분들이 많습니다.
- 참고로 비대면(非對面) 방식을 사용하실 때에는, 오해의 가능성을 최소화하기 위해, 최대한 보수적이고 안전한 표현을 사용하시기 바랍니다.

〈 제 경험을 토대로 구분해 본, 보고의 방식과 형식 〉

구분		대면(對面, F2F, Face-to-Face)			비대면(非對面, NonFace-to-Face)		
		F2F(일반)	F2F(회의식)	Presentation	e-mail	Text(문자)/메신저	Call(전화, 컨퍼런스콜 포함)
방식 (대상)	1 대 1	●	–	–	●	●	●
	1 대 多(다)	–	●	●	●	●	●
작성 문서	보고서	상황에 따라 다름	**필요(必要)**	**必要**	상황에 따라 다름	←	←
	보조문서	상황에 따라 다름	←	←	←	←	컨퍼런스 콜의 경우 일반적으로 준비
	형식	워드, 한글 PPT, 엑셀 등	워드, 한글, 또는 PPT(보고용)	PPT(발표용)	워드, 한글, PPT, 엑셀 등	←	←
보고의 부담		★★	★★★	★★★★★	★	★	★★
일반적으로 커리어상(上) 중요도		★★★	★★★★	★★★★★	★★★	★	★★

Note) 화상회의는 비대면에 속하며, Conference Call은 3인 이상이 하는 전화 회의(Meeting).

다. 정보 및 자료수집 - 3) 자료 수집(資料 蒐集, Data & Source Collection)

☐ **문서를 작성하기 위한 최소한의 정보를 수집한 이후에는, 본격적으로 보고서나 기획서의 내용을 좀 더 가치 있게 만들기 위한 자료 수집활동을 전개해야 합니다.**

- 업무 지시를 받으면, 우선 '가)', '나)' 그리고 '마)'를 통해 기초 자료를 수집합니다. 이 과정을 통해 문서의 스토리라인(Storyline, 줄거리)과 더 조사해야 할 자료들의 범위나 깊이를 파악할 수 있게 됩니다.
- 그리고 '라)'를 통해 보다 정확한 '문제의 핵심'을 정의하고 나름대로의 대안(문서의 결론 부분)도 만들어봅니다. 끝으로 '다)'를 활용해 전체 문서 전체의 논리를 좀 더 견고하게 다지면 됩니다.
- 아래의 활동들은 해당 문서의 속성(e.g., 중요도나 시급성 등)에 따라 수행 여부나 수위를 달리 정할 수 있을 것입니다.

〈 자료 수집 단계에서 수행해야 할 주요 활동들 〉

	가) 회사 내부의 관련 자료 확인	나) 구글링을 통한 자료 검색	다) 객관적 근거 자료 활용	라) 관련자 등 인터뷰 실시	마) 네트워크 활용
주요 내용	• 업무 지시를 받으면, **가장 먼저 내부에서 관련 문서를 찾아봐야** 합니다. 그리고 만약 관련 문서가 있다면, 이를 반드시 참고해야 합니다. • 만약 이와 **상충되는 내용을 추가할 경우** 그 **대응 논리**도 미리 **준비**해두시면 좋을 것입니다.	• **구글**이나 **포털 검색**(특히 해당 부문 전문가가 작성한 기사나 포스트) 등을 통해, 부족한 정보나 관련 정보들(특히, Storyline이나 슬라이드 구성 등)을 보완합니다. • 특히, 구글의 이미지 검색을 활용하면, 검색어를 한글과 영어 등으로, 유사한 예제 문서를 찾거나 관련 아이디어를 얻을 가능성이 높습니다.	• 일반적으로 **회사 내부에서 공식적으로 산출된 통계**는 **가장 객관적으로 문제와 해답을 찾아낼 수** 있는 도구입니다.* • 더불어 **경쟁사 자료****, 법령·판례, 관련 규칙과 유권해석 등도 객관성을 담보하는 데 큰 도움이 됩니다.	• 모든 이슈에 대한 문제와 해답은 관련자(실무자 포함)가 알고 있는 경우가 많습니다. 그래서 인터뷰는 매우 중요한 절차입니다. • 인터뷰에서 가장 중요한 과제는 **해당 사안과 관련이 있는 분들** (업무 담당자, 사내·외 전문가 등)**이 상세하게 말을 해줄 수 있는 환경을 마련**하는 것입니다.	• 일반적으로, 보고나 기획서는 **다양한 논점**(시각, 의견)**과 사례**가 담기면 더 좋습니다. 보통 윗분들은 이런 자료를 '노력의 흔적이 보인다'며 높게 평가합니다. • 왜냐하면, 이런 문서가 윗분들의 좁은 시야를 넓게 만들어 주기 때문입니다.
체크해야 할 사항들	• 기존 문서와 방향 등이 일치해야 하는지 여부(일관성 체크) • 기존 문서 관련 결과 보고서 • 기존 문서의 오너십 등	• 관련 및 유사 검색어(한글, 영어, 일본어 등) • 관련 기사나 포스트	• 회사내 통계 산출 가능 여부 및 산출에 필요한 소요시간 확인 • 통계 자료별 오너십 확인 • 경쟁사 자료, 관련 규제 등 확보	• 대상자(팀장 or 실무자) 선정 • 방식(일대일?), 장소(카페?) 선정 • 충분한 먹거리(e.g., 달달한 음료 & 쿠키)	• 다양한 네트워크 확보(e.g., 내부직원, 소비자, 정부, 경쟁사, 다른 산업 종사자 등) • 정보 공유 시 요청 및 공유 정보의 수위 고민

Note) * 외부 통계들(통계청, 국제기구 등)은 문서의 논리(스토리라인, 줄거리)를 보강하는 용도로 활용하는 것이 좋음.
** 상사들의 주요 관심사, 경쟁사 자료(통계, 동향, 전략, 사례 등)는 생각보다 더 큰 힘을 보유하고 있으며, 이를 잘 활용하시면 문서의 품질을 크게 향상시킬 수 있음.

[참고 13] 객관적 통계자료 활용

☐ **일반적으로, 보고서나 기획서의 내용이나 스토리라인**(Storyline, 줄거리)**의 객관성을 극대화할 수 있는 가장 확실한 방법 중 하나는, '객관성이 담보된 통계'를 사용해 논리를 전개하는 것입니다.**

- 일반적으로, 조직(영리기업, 營利企業)에서 '객관성이 담보된 통계'는 '회사 내부의 IT 시스템이나 관리 권한(오너십)이 있는 팀을 통해 산출된 통계'를 의미합니다.
- 그러나 외부(공공기관이나 국제기구 등)에서 산출된 통계들은 해석의 여지가 있는 통계들로 이를 이용해 보고서 등의 중요 논리를 전개한다는 것은 스스로 빈틈(리스크, Risk)을 만드는 결과를 초래할 수도 있습니다.
- 그래서 외부의 통계들은 주로 참고용으로만 활용합니다. 그러나 물론 학교의 수업이나 과제, 공모전, 상품 개발, 공공부문 등에서는 외부 통계를 근거로 논리를 전개해도 크게 문제가 되지 않을 것입니다.

〈 통계별(別) 신뢰도 수준: (A) 〉 (B) 〉 (C) 순(順) 〉

	(A) 회사 내부 통계	(B) 공공기관 통계	(C) 국제 통계
산출 (算出, Production)	▪ 주로, **IT System**을 통해 자동으로 산출 ▪ **오너십**(Ownership, 관리 권한)이 있는 팀이 산출하거나 검증한 통계들	▪ 정부의 각 소관 부처 등에서 산출하거나 취합한 통계들 ▪ 통계청에서 산출·발표한 통계들	▪ OECD, Word Bank, IMF 등 다양한 국제기구***에서 발표하는 통계들 ▪ 타 국가에서 발표하는 통계들
특징 (特徵, Feature)	▪ 조작 및 왜곡 가능성 낮음(조작해도 이내 밝혀질 가능성 높음) ▪ 회사 내부의, 문서보다 신뢰도 높음*	▪ 과년도 통계 위주(과거 데이터 위주) ▪ 산출 기준의 변경 가능성 상존** ▪ 업무 실수 및 오류 가능성 존재	▪ 일반적으로 국가별 산출기준 상이, 통계 조작 가능성도 상존 ▪ 일반적으로 각 국가별 제 상황이나 사정이 고려되지 않은 단순 비교용 통계
활용 (活用, Application)	▪ **보고서나 기획서에서 객관성을 담보하기에 가장 적절한 통계** ▪ 이 통계를 근거로 문서의 결론 도출이나 비용 집행도 가능	▪ 외부 환경분석 시(時) **참고용**으로 활용 가능 (즉, 이 통계 외의 보강근거 필요) ▪ 이를 근거로 문서의 결론을 도출하거나 비용을 집행하기 어려움	▪ 외부 환경분석 시(時) **참고용**으로 활용 가능 (즉, 이 통계 외의 보강근거 필요) ▪ 이를 근거로 문서의 결론을 도출하거나 비용을 집행하기 어려움

Note) * 회사 내부의 '문서'보다는 '통계'가 더 객관적. 왜냐하면 문서는 가치 판단이 투영되고 더불어 왜곡(歪曲, Distortion)이나 조작(造作, Manipulation)의 가능성이 더 높기 때문. ** 이 경우 추세 분석의 가치 하락.
*** 국제기구(國際機構): 어떤 국제적인 목적이나 활동을 위해서 두 나라 이상의 회원국으로 구성된 조직체(우리말샘).

라. 문서 작성하기 - 1) 문서의 틀잡기

□ **우선, 상사에게 업무 지시를 받게 되면, 작성해야 할 문서의 속성을 파악한 후(後) 이에 적합한 문서의 틀을 선택해야 합니다. 그리고 이 단계에서 중요한 것은 '경직성'이 아닌 '융통성'입니다.**

- 즉, 아래의 틀은 절대적인 것이 아닙니다. 그러니 이를 참고해 매 상황에 맞게(늘 상황은 변하기 때문에) 적절한 틀을 선택한 후 이를 응용(應用, 아래의 틀에 추가 or 제외)해서 사용하시기 바랍니다.
- 아래의 서론, 본론, 결론은 여러분의 이해를 돕기 위해 맨 위에 붙인 것이며, 각 목차들의 '의미'와 '대체 가능한 실무 용어들'은 'Chapter 2'의 '기본기' 편을 참고하시기 바랍니다.

〈 보고서/기획서/전략의 틀(목차) 비교 〉

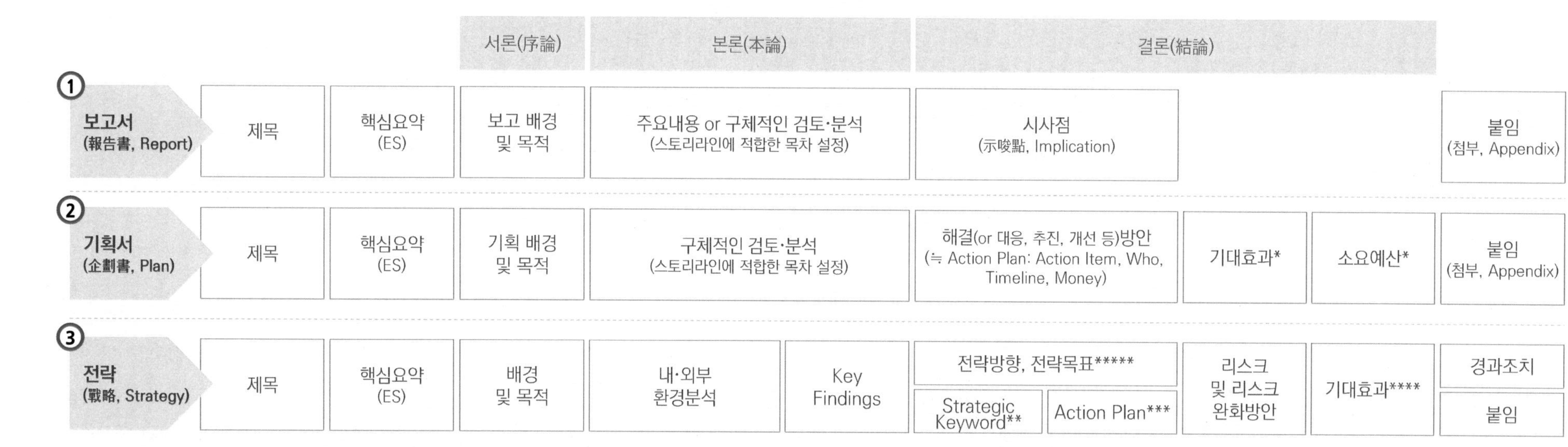

구분			서론(序論)	본론(本論)		결론(結論)				
① 보고서 (報告書, Report)	제목	핵심요약 (ES)	보고 배경 및 목적	주요내용 or 구체적인 검토·분석 (스토리라인에 적합한 목차 설정)		시사점 (示唆點, Implication)				붙임 (첨부, Appendix)
② 기획서 (企劃書, Plan)	제목	핵심요약 (ES)	기획 배경 및 목적	구체적인 검토·분석 (스토리라인에 적합한 목차 설정)		해결(or 대응, 추진, 개선 등)방안 (≒ Action Plan: Action Item, Who, Timeline, Money)		기대효과*	소요예산*	붙임 (첨부, Appendix)
③ 전략 (戰略, Strategy)	제목	핵심요약 (ES)	배경 및 목적	내·외부 환경분석	Key Findings	전략방향, 전략목표*****: Strategic Keyword**	Action Plan***	리스크 및 리스크 완화방안	기대효과****	경과조치 / 붙임

Note) * 상황에 따라 '소요예산'과 '기대효과'의 순서가 바뀌는 경우도 있습니다. ** Strategic Keyword = 전략적 키워드 = 전략과제. *** Action Plan = 주요 or 세부추진과제.
**** Financial Section(or Analysis)는 '기대효과'에 포함시키거나 별도로 분리하기도 합니다. ***** 여기에 슬로건(Slogan)이나 캐치프레이즈(Catchphrase)가 추가되기도 함.

지금부터 보고서, 기획서, 그리고 전략을 작성해보실 수 있는 연습용 템플릿을 보여드리겠습니다.

참고로 이후에 보시게 될 '전략 수립 연습용 템플릿'은
제가 집필한 '실전, 비즈니스 전략 수립 기법'에서 발췌한 것입니다.

보고서 작성 연습用 템플릿

[참고 14] 보고서 준비 양식 (Report to: , Due date: , 업무조정: 必要 / 不要 , 관련자(협업자 등): , 기타:)

제목(Title)

1안: 가제(假題, Working title)

2안: 가제

※ 실무자가 제목을 정해서 보고해도 대부부의 상사들이 이를 수정함 그러니 이런 일 정도로 스트레스 받으면 않도록 주의

Executive Summary(핵심요약)

1. 보고서의 핵심 내용을 요약(일반적으로 Bullet Point 세 개 정도로 정리)

※ 상사가 "나 시간 없어 3분 줄게"라고 훅 치고 들어오더라도, 이를 차근차근 읽기만 하면 중상 정도 수준의 보고로 마무리될 수 있게 작성

Background(보고 배경/목적)

1. 보고 배경(or 검토 배경, 작성 배경 등)
   (이 보고서를 쓰게 된 배경을 정리)

2. 목적
   (이 보고를 통해 궁극적으로 달성하고자 하는 바를, Bullet Point 두 개 정도로 작성)

※ 실무에서는 배경과 목적을 하나의 목차로 묶기도 함(예를 들면, "I. 검토 배경 및 목적" 등)

주요내용(Main Contents, 구체적인 검토·분석): 스토리라인에 적합한 목차 설정

1. 사안에 적합한 목차 1(현황/현상/이슈/문제/사실관계 요약·정리)
   가. 현황/이슈 등을 '이해하기 쉽게', '간략하게', 그리고 '객관적'으로 요약
   나. 관련 논점(문제점 등)은 명확하게 기술
   다. 각 관련자들의 입장 or 상황 기술(당국/소비자/언론/경쟁사 등의 반응/동향, 필요시 해외 사례)
   라. 필요한 경우, 객관적인 근거 제시 (법, 판례, 연구자료, 뉴스 등)

2. 사안에 적합한 목차 2(위의 '제목 1'과 연결될 수 있는 제목)
   가. 현황/이슈 등을 '이해하기 쉽게', '간략하게', 그리고 객관적으로 요약
   나. 관련 논점(문제점 등)은 명확하게 기술
   다. 각 관련자들의 입장 or 상황 기술(당국/소비자/언론/경쟁사 등의 반응/동향, 필요시 해외 사례)
   라. 필요한 경우, 객관적인 근거 제시 (법, 판례, 연구자료, 뉴스 등)

3. 사안에 적합한 목차 3(위의 '제목 2'과 연결될 수 있는 제목)

시사점(Implication)

1. 우리에게 미치는 영향
   (최대한 객관적이고 상식적으로)

2. 향후 계획
   (제언/제안 수준의 Next Step)

※ 상사가 해당 보고서를 작성하도록 지시한 궁극적인 이유는 시사점을 파악하기 위해서입니다. 왜냐하면, 결국 상사의 상사도 이 내용을 궁금해 할 것이기 때문입니다.

붙임(첨부, 별첨, Appendix)

1. 붙임 문서 1
2. 붙임 문서 2

[예시 02] 보고서 준비 양식 (Report to: , Due date: , 업무조정: 必要 / 不要 , 관련자(협업자 등): , 기타:)

제목(Title)

1안: OO제도 변경 관련 현황 보고

2안: OO제도 개편 관련 이슈 검토

※ 정답이 있을 수 없습니다.
이하의 내용을 참고용으로
활용해보시기 바랍니다.

Executive Summary(핵심요약)

1. 보고서의 핵심 내용을 요약(주로 One page)

Background(보고 배경/목적)

I. 검토 배경 및 목적

가. 당국은 최근 급격하게 증가된 OOO 관련 소비자 피해 사건들의 심각성을 인식 (A 언론사의 10월 4일자 탐사 보도)하고, …를 조기에 해소하고자 OO제도를 개편하기에 이름

나. 그러나… 충분한 검토와 논의가 이루어졌다고 할 수 없고… 따라서 당사는 현재 정부가 제안한 개편안을 객관적으로 검토하고 이를 토대로 향후 우리의 스탠스를 조심스럽게 제언 드려보고자 함

주요내용(Main Contents, 구체적인 검토·분석): 스토리라인에 적합한 목차 설정

II. OO제도 변경이 중요한 이유

가. OO제도 변경의 배경(왜 변경됐는지를 파악하면 향후에 어떻게 될지도 가늠할 수 있음)

나. 주요 변경 내용(기존 대비 개정내용 비교)

다. 정부의 금번 제도 변경의 의미

III. 동 제도 변경에 대한 시장의 반응

가. 주요 경쟁사 동향(필요시 해외 사례)

나. 소비자/언론사의 반응(필요한 경우, 당사의 관련 팀이나 부문의 반응)

IV. 당사의 상황

V. 시사점(Implication)

- OO제도 변경으로 계열사를 보유한 경쟁사들의 마케팅 활동이 더욱 공격적으로 추진될 것으로 전망되며…
- 이러한 일부 경쟁사들의 행보는 분명 당사의 영업 활동에 적지 않은 부정적 영향을 미칠 것으로…
- 따라서 당사는… 함으로써 보다 적극적인 조치를 취해야 할 것으로 사료됨.

붙임(첨부, 별첨, Appendix)

1. 당국의 OO제도 개편 세부내용
2. 주요 경쟁사 지배구조 현황

[실전연습 04] 보고서 틀잡기

☐ **지금부터, 실제 발생한 상황이라고 가정하고 다음 페이지에 있는 '보고서의 틀'을 작성해보시기 바랍니다.**

[상황]

- 오늘은 20X1년 1월 15일(수)오전 10:00입니다.
- 당신은 보험회사의 5년 차 대리입니다.
- 부장님께서 갑자기 당신을 호출하셨습니다. "O 대리님, 잠시 제 자리로 와주세요." 그리고 당신에게 아래와 같이 말씀하셨습니다.
- "옆 회사(경쟁사 A)에 상품개발 담당 임원님이 새로 오셨답니다. 이에 대해 검토해서 다음 주 수요일까지 보고해주세요. 사장님께서 궁금해하십니다."

[추가 정보]

- '옆 회사 A'는 당신이 근무하는 회사의 주요 경쟁사(競爭社, Competitor)입니다.
- 당신이 근무하는 회사는 연금보험(주력 상품)을 만들어 시장에 공급하고 있으며, 지난해 말 기준 시장점유율은 약 23%(15년간 업계 1위)였습니다.
- 그리고 같은 기간, 경쟁사 A의 시장점유율은 약 15%(업계 2위)였습니다.
- 두 회사 간의 경쟁은 매우 치열하나, 고령화의 영향으로 시장은 지속적으로 성장하고 있습니다. 그리고 Profit Margin 20%대로 양호합니다.
- 옆 회사에 새로 오신 임원은 미국에서 연금보험 개발 전문가로 이름을 알린 분입니다.
- 그 분의 강점은 복잡한 상품을 소비자들이 이해하기 쉽게 만든다고 합니다. 그리고 마케팅에도 일가견(一家見)*이 있다고 합니다.
- 그 분은 성격이 매우 급하고, 사생활이 매우 복잡하다는 소문도 있습니다.

Note) * 어떤 문제나 일에 대하여 독자적인 경지나 체계를 이룬 견해(표준국어대사전).

[참고 14] 보고서 준비 양식 (Report to: , Due date: , 업무조정: 必要 / 不要 , 관련자(협업자 등): , 기타:)

제목(Title)

1안:

2안:

Executive Summary(핵심요약)

1.

Background(보고 배경/목적)

1.

주요내용(Main Contents, 구체적인 검토·분석): 스토리라인에 적합한 목차 설정

1.

시사점(Implication)

1.

붙임(첨부, 별첨, Appendix)

1.

[연습 05] 보고서 틀잡기

□ **지금부터, 실제 발생한 상황이라고 가정하고 다음 페이지에 있는 '보고서의 틀'을 작성해보시기 바랍니다.**

[상황]

- 오늘은 2020년 5월 11일(수) 14:00입니다.
- 당신은 하루 방문객이 5,000명 이상(회원 수 10,000명, 지난해 매출액 60억)인 온라인 쇼핑몰의 2년 차 사원입니다.
- 대표님께서 당신을 갑자기 호출하셨습니다. "OO씨, 잠시 제 자리로 와주세요."
- 그리고 당신에게 다음과 같이 말씀하셨습니다. "사이버보험이라고 아세요? 우리회사가 사이버보험에 가입해야 하는지 확인해서 보고해주세요."

[추가 정보]

- '2020년부터 본격 시행되는 '사이버보험'은 개인정보 유출 사고에 대비해 기업에게 가입을 강제하는 보험상품*
- 정보통신망법 시행령 개정안에 따른 사이버보험(개인정보보호 손해배상책임보험) 최소 기준

이용자 수 기준(일 평균)	매출액 기준 (직전 사업연도)	(최저)보험가입액 or 내부적립금**	보험을 가입할 경우 예상 월 보험료
100만 명 이상	800억 원 초과~	10억 원	104만 원
	50억 원 초과~800억 원	5억 원	52만 원
	5천만 원~50억 원	2억 원	21만 원
10만~100만 명 미만	800억 원 초과~	5억 원	52만 원
	50억 원 초과~800억 원	2억 원	21만 원
	5천만 원~50억	1억 원	10만 원
1000명~10만 명 미만	800억 원 초과~	2억 원	21만 원
	50억 원 초과~800억 원	1억 원	10만 원
	5천만 원~50억	5천만 원	5만 원

Note) * 개인정보 유출 사고는 대규모일 가능성이 매우 크기 때문에 보상 규모도 그만큼 커질 수밖에 없음. 예를 들면, 2014년 초 여러 카드사(KB국민, NH농협, 롯데)에서 유출된 고객정보 1억4백만 건에 대해, 대법원은 카드사에 피해자 1만여 명에게 한 명당 10만 원씩 배상하라고 판결(총 배상액은 약 10억 원). ** 보험을 가입하거나 회사 내부에 자금을 유보(준비금)해도 됨

[참고 14] 보고서 준비 양식 (Report to: , Due date: , 업무조정: 必要 / 不要 , 관련자(협업자 등): , 기타:)

제목(Title)

1안:

2안:

Executive Summary(핵심요약)

1.

Background(보고 배경/목적)

1.

주요내용(Main Contents, 구체적인 검토·분석): 스토리라인에 적합한 목차 설정

1.

시사점(Implication)

1.

붙임(첨부, 별첨, Appendix)

1.

This page intentionally left blank.

기획서 작성 연습用 템플릿

[참고 15] 기획서 준비 양식 (Report to: , Due date: , 업무조정: 必要 / 不要 , 관련자(협업자 등): , 기타:)

제목(Title)

1안: 가제(假題, Working title)

2안: 가제

※ 실무자가 제목을 정해서 보고해도 대부부의 상사들이 이를 수정함 그러니 이런 일 정도로 스트레스 받으면 않도록 주의

Executive Summary(핵심요약)

1. 기획서의 핵심 내용을 요약(일반적으로 Bullet Point로 1페이지 정도로 정리)

※ 상사가 "나 시간 없어 5분 줄게"라고 훅 치고 들어오더라도, 이를 차근차근 읽기만 하면 중상 정도 수준의 보고로 마무리될 수 있게 작성

Background(기획 배경/목적)

1. 기획 배경
   (이 기획서를 쓰게 된 배경을 정리)

2. 목적
   (이 기획서를 통해 궁극적으로 달성하고자 하는 바를, Bullet Point 두 개 정도로 작성)

※ 실무에서는 배경과 목적을 하나의 목차로 묶기도 함(예를 들면, "I. 기획 배경 및 목적" 등)

접근방법

1. 주로 기획서의 객관성을 더욱 강조하기 위해 작성하며,
2. 구체적으로 기획서 작성 관련 방법론을 간단하게 기술(예를 들면, 통계, 법령, 경쟁사, 언론, 여론 조사, 전문가 조언 등에 기초해 작성했다고 기술)

※ 이 목차는 반드시 포함시키지 않아도 되며, 필요한 경우에만 추가하시면 됩니다.

검토·분석(Review, Analysis): 스토리라인에 적합한 목차 설정

1. 사안에 적합한 목차 1(현황/현상/이슈/문제/사실관계 분석·요약·정리)
   가. 현황/이슈 등을 '이해하기 쉽게' 분석, 그리고 '간략하고' '객관적'으로 요약
   나. 관련 논점(문제점 등)은 명확하게 기술
   다. 각 관련자들의 입장 or 상황 기술(당국/소비자/언론/경쟁사 등의 반응/동향, 필요시 해외 사례)
   라. 필요한 경우, 객관적인 근거 제시(법, 판례, 연구자료, 뉴스 등)

2. 사안에 적합한 목차 2(위의 '제목 1'과 연결될 수 있는 제목)
   가. 현황/이슈 등을 '이해하기 쉽게' 분석, 그리고 '간략하고' '객관적'으로 요약
   나. 관련 논점(문제점 등)은 명확하게 기술
   다. 각 관련자들의 입장 or 상황 기술(당국/소비자/언론/경쟁사 등의 반응/동향, 필요시 해외 사례)
   라. 필요한 경우, 객관적인 근거 제시(법, 판례, 연구자료, 뉴스 등)

3. 사안에 적합한 목차 3(위의 '제목 2'과 연결될 수 있는 제목)
   가.
   나.
      1)
      2)
         가)

[참고 14] 기획서 준비 양식 (Report to: , Due date: , 업무조정: 必要 / 不要 , 관련자(협업자 등): , 기타:)

해결/대응/추진/개선방안(Action Plan)

Action Item(추진과제)	추진일정	KPI/소요비용	담당/협업	비고/기대효과
가. Action Item 1(이를 '추진과제'라고 함) ▪ ○ – ▪	추진기간 or 종기 (완료일)	KPI: 있는 경우에만 작성 비용: 있는 경우에만 작성	담당 및 협업조직 등의 명칭(이름) 나열	기타 사항 및 기대효과(재무, 비재무적으로 구분)
나. Action Item 2(이를 '추진과제'라고도 함) ▪ ○ – ▪	〃	KPI: 〃 비용: 〃	〃	〃
다. Action Item 3(이를 '추진과제'라고도 함) ▪ ○ – ▪	〃	KPI: 〃 비용: 〃	〃	〃

기대효과(Expected Benefit)

1. Financial Benefits(재무적 이익 or 실익, 효익)
   가. 연간 매출 및 수익(Profit) 증가 금액(or 율)
   나. 연간 비용 절감 효과
   다. 인당 생산성(금액 or 율)
   다. 재무제표 Impact(있는 경우 기술) 등…

   ※ 참고로, 비용 회수기간 등을 추가해주는 것도 좋습니다(회수기간의 경우 단축되면 더 좋음).

2. Nonfinancial Benefits(비재무적 이익 or 실익, 효익)
   가. 업무 효율화
   나. 서비스 품질 or 경쟁력 향상
   다. 브랜드 또는 기업 가치(Value)
   라. 고객 충성도 등…

소요예산(Budget Plan)

1. 총 비용(XXX 백만)
   - 기 편성된 예산의 경우: 예산명, 계정과목, 전체 금액 중 필요한 금액 표시 (필요시 월별 편성 금액 표시)
   - 편성된 예산이 없는 경우: 예산계획 수립 (e.g., 전용, 추경 등의 상세한 계획 마련 필요)

붙임(첨부, 별첨, Appendix)

1. 해당 기획서 관련 참고 및 보조 자료 등 첨부

[예시 03] 기획서 준비 양식 (Report to: , Due date: , 업무조정: 必要 / 不要 , 관련자(협업자 등): , 기타:)

제목(Title)

1안: 민원 관리 강화 방안

2안: 민원 관리 강화를 통한 업무 효율 개선 방안

Executive Summary(핵심요약)

1.

I. 기획 배경 및 목적

1. 기획 배경
   가. 최근, 민원 급증 → 이로 인해 제(諸) 문제들이 발생
   나. 2차, 3차 민원 야기 → 업무 병목 발생 → 업무 효율 하락 → 내·외부 고객 불만 급상승

2. 목적
   가. 이의 원인을 정확하게 파악 후 문제를 해결함으로써, 제 업무 효율을 정상화시키고
   나. 對(대) 고객 서비스 품질 향상 도모 → 對 고객 만족도 제고

검토(or 접근)방법

1. 주로 자체적으로 산출한 통계를 기반으로 한 분석과 관련 업무 실무자들의 전문성을…
2. 더불어 경쟁사들의 모범 사례를 적극적으로 참고

검토·분석(Review, Analysis): 스토리라인에 적합한 목차 설정

II. 최근 민원 현황 및 관련 변수 검토

가. 최근 민원 현황(최근 증가하는 추세를 보여 줌, 경쟁사들과 그래프로 비교해주는 것도 좋음 → 합계만)

나. 민원이 증가하는 이유(원인 분석)

1) 민원(통계) 속성 분석(by 업무부문, 상품/서비스, 지역, 연령, 성별, 시간, 담당자… → 상세하게 원인을 파악해야 함)

2) 관련 제도의 미흡 및 불비(평가 및 보상규정, 교육제도 등 제도상의 문제로…)

3) 조직상의 문제점(업무 책임자가 없거나 관리 조직이 불분명해 서로 일을 미루고 있는 경우 등)

4) 기타…

III. 경쟁사들의 민원 관리 현황과 시사점

가. 주요 경쟁사들의 민원 현황(당사와 경쟁사 비교, 위에서 비교했다면 여기에서는 생략)

나. 경쟁사 민원 관련 제도 비교

다. 경쟁사 모범 사례 검토(당사와 비교) 후 시사점 도출

IV.

[예시 03] 기획서 준비 양식 (Report to: , Due date: , 업무조정: 必要 / 不要 , 관련자(협업자 등): , 기타:)

VI. 개선방안(Action Plan)

<table>
<tr><th>Action Item(추진과제)</th><th>추진일정</th><th>KPI/소요비용</th><th>담당/협업</th><th>비고/기대효과</th></tr>
<tr><td rowspan="2">가. 민원 통계 산출기준 변경
▪ 변경 방향
현재(AS IS): 민원 통계 산출 시 별도 제한 없음
개정(TO BE): 최고값과 최저값을 제외한 후 산출
▪ 데이터관리위원회의 사전 검토 및 의결 필요
▪ 이후 System 개발, 제 리포트 수정 및 UAT</td><td rowspan="2">2X09. 1Q</td><td>KPI
N/A</td><td rowspan="2">고객서비스팀
IT개발팀
IT기획팀
전략팀</td><td rowspan="2">데이터관리-위원회의 정기 회의는 매월 첫째 주 수요일에 개최</td></tr>
<tr><td>비용
56백만</td></tr>
<tr><td rowspan="2">나. 직무규정 개정으로 민원 관리 업무 책임 명확화
▪ 개정 방향
현재(AS IS): 민원 관리를 업무 담당자 개인 수준의 책임으로 한정
개정(TO BE): 고객서비스팀 및 영업본부 수준으로 확대
▪ 규정 개정을 위한 사전 미팅 실시
▪ 개정 초안 마련 및 협의
▪ 규정 개정 및 적용
(개정 절차: 해당 팀 → 담당임원 → 합의 → CEO 승인)</td><td rowspan="2">2X09. 5.

3. 28.
4. 10.
5. 23.</td><td>KPI
없음</td><td rowspan="2">인사팀
전략팀
고객서비스팀
영업본부
준법감시팀
감사팀
IT기획팀</td><td rowspan="2">직제규정은 인사팀 소관규정단, 개정 시 전략팀 등의 협의 필요</td></tr>
<tr><td>비용
없음</td></tr>
<tr><td rowspan="2">다. 민원 실적 관리 강화
▪ 강화 방향
– 경영진 KPI로 격상 후 매월 모니터링 실시
– 민원 관리 KPI 비중 강화
– 우수 성과자 보상 강화에 초점을 맞춘 평가기준 개정
▪ 개정 초안 마련 및 협의(팀별 가중치 등)
▪ 규정 개정 및 실행</td><td rowspan="2">2X09. 2Q</td><td>KPI
없음</td><td rowspan="2">인사팀
관련팀
전략팀</td><td rowspan="2">재무 &
비재무</td></tr>
<tr><td>비용
없음</td></tr>
</table>

V. 기대효과(Expected Benefit)

1. Financial Benefits(재무적 이익/실익/효익)
   가. 연간 XXX백만의 비용 절감 효과
   (민원 증가 관련 諸 비용 예측, 납득할 만한 가정 사용이 매우 중요. 직접 비용과 간접 비용으로, 또는 장단기 비용 등으로의 구분도 고려)
   나. 인당 생산성 25% 상승
   (이 경우에도 상식적인 수준의 Assumption 사용이 매우 중요)
   다. 재무제표 Impact(있는 경우 기술)

2. Nonfinancial Benefits(비재무적 이익/실익/효익)
   가. 업무 효율 정상화
   나. 對(대)시민 서비스 품질 향상
   → 내·외부 고객 만족도 개선 → 기업가치 상승

VI. 소요예산(Budget Plan)

1. 총 56백만 집행
   – 기 편성된 전략팀 '업무개선비(총 32.8억)'로 전용

붙임(첨부, 별첨, Appendix)

1. 민원 통계 속성분석(상세)
2. 경쟁사 민원 통계(과거 10년간)
3. 경쟁사 민원 관리 제도 비교(상세)
4. 데이터관리위원회 의결 절차
5. 시스템 개발 비용(견적)

[실전연습 06] 기획서 틀잡기

□ **지금부터, 실제 발생한 상황이라고 가정하고 다음 페이지에 있는 '기획서의 틀'을 작성해보시기 바랍니다.**

[상황]

- 오늘은 20XX년 3월 23일(목) 16:00입니다.
- 당신은 '인터넷정보공유회사'의 15년 차 차장(인사팀장)입니다.
- CHRO(Chief Human Resource Officer, 인사담당 최고임원)님께서 당신을 갑자기 호출하셨습니다. "O 팀장님, 잠시 제 자리로 와주세요."
- 그리고 당신에게 다음과 같이 말씀하셨습니다. "최근 퇴사하는 실무자분들이 회사의 평가시스템에 대해 불만이 많다고 합니다. 중요한 사안입니다. 한_번 전반적으로 검토해주세요."

[추가 정보]

- 최근, 성실한 실무자(대리급)들이 지속적으로 회사를 이탈 중, 그들은 대부분 Exit Interview(퇴직면접, 退職面接)에서 회사의 평가·보상·승진시스템이 불합리하다고 대답
- 회사의 평가, 보상 그리고 승진시스템

구분		1등급(최저)	2등급	3등급	4등급	5등급(최고)
평가	T/O (할당인원)	10%	20%	50%	20%	10%
	(예시) 팀원이 10명일 경우	1명	2명	5명	2명	1명
보상	임금인상률	1%	3%	5%	7%	10%
	성과급 지급률	0%	100%	200%	300%	500%

승진기준
승진예정자는 직전 3년간 평균 4등급 이상이어야 함, 회사는 승진예정자 중 높은 등급순으로 승진자 결정
승진자는 임금인상률에 5%P를 가산
-

- 개별 팀에서 승진예정자에게 최고 평가등급(5등급)을 부여하는 관행이 존재 (즉, 실제 성과(Performance)와는 무관하게 승진예정자에게 모든 Benefit이 집중되는 시스템)
- 최근, 회사는 명예퇴직을 실시했고, 부족한 인력을 전부 신입으로 충원. 그래서 젊은 대리급들의 지속적인 퇴사는 회사 경쟁력 약화로 이어질 가능성이 높음

[참고 15] 기획서 준비 양식 (Report to: , Due date: , 업무조정: 必要 / 不要 , 관련자(협업자 등): , 기타:)

제목(Title)

1안:

2안:

Executive Summary(핵심요약)

1.

Background(기획 배경/목적)

1.

검토(or 접근)방법

1.

검토·분석(Review, Analysis): 스토리라인에 적합한 목차 설정

1.
   가.
   나.
      1)

2.
   가.
   나.
   다.

3.

[참고 15] 기획서 준비 양식 (Report to: , Due date: , 업무조정: 必要 / 不要 , 관련자(협업자 등): , 기타:)

해결/대응/추진/개선방안(Action Plan)

Action Item(추진과제)	추진일정	KPI/소요비용	담당/협업	비고/기대효과
가. ▪ ▪ ▪		KPI 비용		
나. ▪ ▪ ▪		KPI 비용		
다. ▪ ▪ ▪		KPI 비용		

기대효과(Expected Benefit)

1. Financial Benefits(재무적 이익/실익/효익)
   가.
   나.
2. Nonfinancial Benefits(비재무적 이익/실익/효익)
   가.
   나.

소요예산(Budget Plan)

1.
2.

붙임(첨부, 별첨, Appendix)

1.

전략 작성 연습用 템플릿

전략 수립 연습용 템플릿에 대한 보다 상세한 설명은
제가 집필한 '실전, 비즈니스 전략 수립 기법'을 참고하세요.

[참고 16] 전략 준비 양식 (Report to: , Due date: , 코디네이터: , 관련자(협업자 등): , 기타:)

제목(Title)

1안:

2안:

Executive Summary(핵심요약)

1.

Background(배경/목적)

1.

수립(or 작성/검토/접근)방법

1.

내·외부 환경분석(內外部環境分析, Review, Analysis)

1.

[참고 16] 전략 준비 양식 (Report to: , Due date: , 코디네이터: , 관련자(협업자 등): , 기타:)

Key Findings

1.

전략방향 및 목표(戰略方向·目標, Strategic Direction & Goal)

1.

전략과제(戰略課題, Strategic Keyword, 전략적 키워드)	추진과제(推進課題) (주요 or 세부)추진과제(推進課題, Action Plan or Item)	추진일정	KPI/목표	예산(Budget)	담당/협업
1.	가. 나. 다.				
2.	가. 나. 다.				
3.	가. 나. 다.				
4.	가. 나. 다.				
5.	가. 나. 다.				

[참고 16] 전략 준비 양식 (Report to: , Due date: , 코디네이터: , 관련자(협업자 등): , 기타:)

Key Findings

1.

전략방향(戰略方向, Strategic Direction)

1.

전략목표(戰略目標, Strategic Goal)

1.

전략과제(戰略課題, Strategic Keyword, 전략적 키워드)	추진과제(推進課題) (주요 or 세부)추진과제(推進課題, Action Plan or Item)	추진일정	KPI/목표	예산(Budget)	담당/협업
1.	가. 나. 다.				
2.	가. 나. 다.				
3.	가. 나. 다.				
4.	가. 나. 다.				
5.	가. 나. 다.				

[참고 16] 전략 준비 양식 (Report to: , Due date: , 코디네이터: , 관련자(협업자 등): , 기타:)

Risk & Risk Mitigation Plan(리스크와 리스크 완화(or 관리/최소화) 방안)

1. General Issue(일반적으로 모든 Action Plan에 영향을 미칠 수 있는 것)

리스크(Risk)	리스크 완화 방안
가. 나. 다. 라.	가. 나. 다. 라.

2. Action Plan 관련 건

가. 나.	가. 나.
다. 라.	다. 라.
마. 바.	마. 바.
사. 아.	사. 아.
자. 차.	자. 차.

기대효과(期待效果, Expected Benefit)

1. Financial Benefits(재무적 이익/실익/효익)
   가.
   나.

2. Nonfinancial Benefits(비재무적 이익/실익/효익)
   가.
   나.

경과조치(經過措置, Transitional Policy)

1.

붙임(첨부, 별첨, Appendix)

1.

템플릿 파일
다운로드

[참고 16] 전략 준비 양식 (Report to: , Due date: , 코디네이터: , 관련자(협업자 등): , 기타:)

Risk & Risk Mitigation Plan(리스크와 리스크 완화(or 관리/최소화) 방안)

1. General Issue(일반적으로 모든 Action Plan에 영향을 미칠 수 있는 것)

리스크(Risk)	리스크 완화 방안
가. 나. 다. 라.	가. 나. 다. 라.

2. Action Plan 관련 건

가. 나.	가. 나.
다. 라.	다. 라.
마. 바.	마. 바.
사. 아.	사. 아.
자. 차.	자. 차.

기대효과(期待效果, Expected Benefit)

1. Financial Benefits(재무적 이익/실익/효익)
   가.
   나.

2. Nonfinancial Benefits(비재무적 이익/실익/효익)
   가.
   나.

Financial Section(재무부문, Financial Analysis)

1.

경과조치(經過措置, Transitional Policy)

1.

붙임(첨부, 별첨, Appendix)

1.

템플릿 파일
다운로드

[실전연습 07] 전략 틀잡기

□ **아래의 상황을 이전 페이지에 있는 '전략 준비 양식'을 활용해 연습해보시기 바랍니다.**

[상황]

- 오늘은 20XX년 7월 3일(월) 09:00입니다.
- 당신은 'B2B 교육서비스'를 제공하는 중견기업(中堅企業)*의 10년 차 차장(팀장)입니다.
- 사장님께서 당신을 갑자기 호출하셨습니다. "O 팀장, 잠시 제 방으로 와주세요."
- 그리고 당신에게 다음과 같이 말씀하셨습니다. "자네도 잘 알겠지만, 우리 회사가 지금 너무 어렵네, 대안을 좀 마련해보게, 최대한 빨리."

[추가 정보]

- 당신이 근무하는 회사는 '취학 전 아동'들과 '초등학생'들을 타깃으로 '국공립 유치원', '기업이 운영하는 유치원', 그리고 '국공립 초등학교'에 교육서비스를 제공하고 있음
- 회사가 제공하는 교육서비스는 '교육프로그램'과 이를 운영할 수 있는 '강사인력을 공급'하는 것
- 최근 저출산으로 인해 시장(Market) 규모가 빠르게 감소 중, 그리고 이는 당연히 당신이 근무하는 회사의 매출하락으로 이어지고 있음
- 주기적인 전염병 등의 사건이 발생할 때마다 매출 등락(騰落, Ups and Downs)이 매우 심함(왜냐하면, 언제나 아이들은 좀 더 과도하게 보호해야 하기 때문)
- 창업 이후 오랫동안 충성도 높은 고객사들과 B2B Business만 영위했음, 그래서 영업력(신규 시장을 창출할 수 있는 능력)이 좋지 못함
- 직원들은 대부분 정규직이며, 과거의 태평성대를 그리워함
- 전국에 지점망을 보유하고 있으며, 신축한 연수원을 지역 거점별로 운영 중
- 현재 시장의 규모는 연간 1,000억 규모이며 당신의 회사는 시장의 50% 정도를 점유 중
- 시장에는 군소(群小)** 경쟁사들이 난립하나 경쟁관계가 될 만한 회사는 없음
- 현재 회사에는 12개월 정도를 버틸 운영자금이 유보돼 있음
- 적절한 대안을 찾지 못하면, 구조조정(構造調整, Restructuring)***을 추진할 가능성이 높음

Note) * 중소기업은 아니지만 공정거래법상 상호출자제한기업집단(계열사 자산을 다 합쳐서 10조 원이 넘는 기업집단)에 속하지도 않는 기업, 위키백과
** 규모가 그다지 크지 않거나 잘 드러나지 않는 여러 개를 이르는 말, 표준국어대사전, *** 자산 매각, 임금 삭감 또는 인력 감축 등

This page intentionally left blank.

3. 보고서 및 기획서 작성하기

라. 문서 작성하기 - 2) 페이지 구성 - 가) Word or HWP

☐ **일반적으로, 실무상 워드(Word)나 한글(HWP)로 보고서나 기획서를 작성할 때에는 아래의 '03. 표지 + 일반 페이지'와 같이 별도의 '표지'나 '목차' 없이 심플하게 작성*됩니다.**

- 이때, 핵심요약('03. 표지 + 일반 페이지' 기준 ②번)은 문서의 제목 바로 아래에 추가*되며, '주석'과 '출처'(④)는 맨 아래에 작성하지 않고 해당 문장의 바로 아래에 표시합니다.

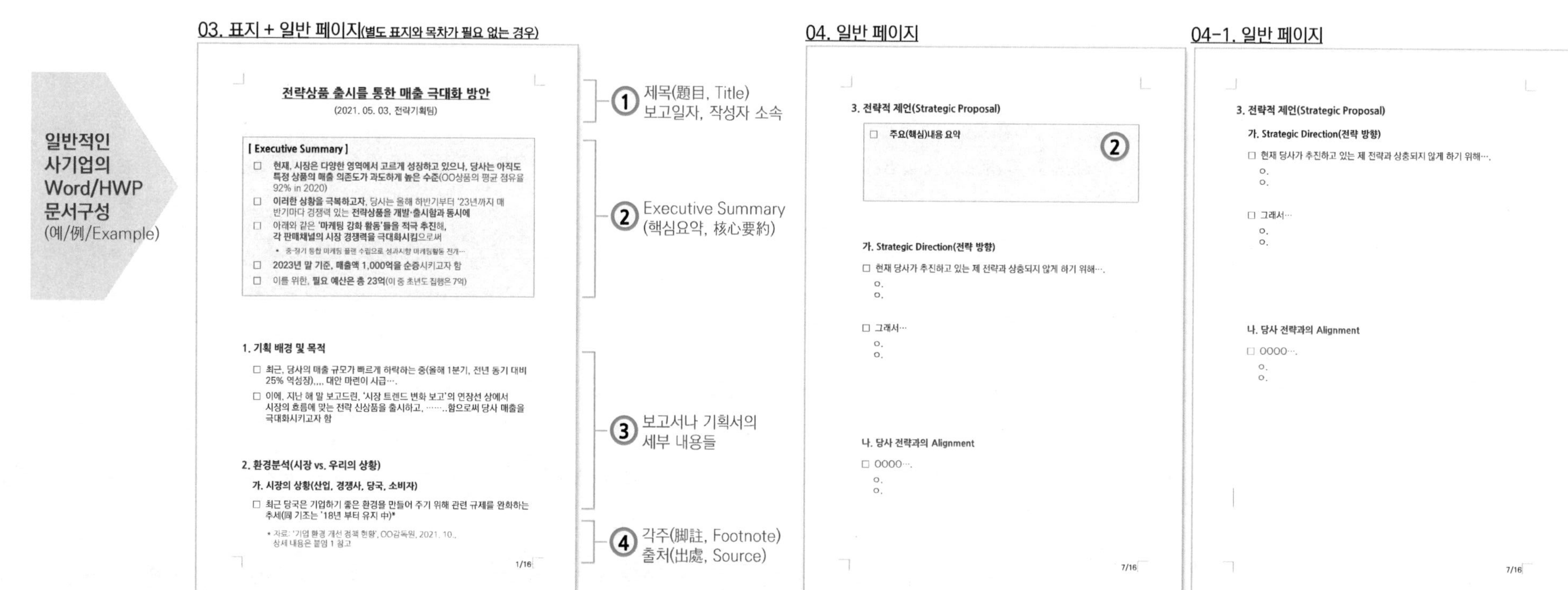

Note) * 물론 공공기관의 경우 별도의 표지나 목차를 붙이는 경우도 많음. ** 일반적으로, 공공기관에서 작성한 문서의 경우에는 '04. 일반 페이지'와 같이 문서 중간중간에 '핵심요약(②)'을 추가함.
그러나 일반적으로 사기업에는 '04-1'과 같이 일반 페이지에는 '핵심요약'을 삽입하지 않음. 즉, 핵심요약은 맨 앞 페이지에만 삽입. ※ 참고로 위 양식들의 번호는 뒤 페이지를 기준으로 한 것임.

[참고 17] General Word/HWP Template(일반적인 워드/한글 문서 템플릿)

□ **물론, 상황에 따라, '01(표지)'와 '02(목차)'를 추가해야 하는 경우도 있습니다. 이런 경우에는 본문이 시작되기 전에 핵심요약**(Executive Summary) **페이지를 넣어 주는 것이 일반적입니다.**

- 본문이 시작되기 전이라 함은 '01(표지)'나 '02(목차)'의 뒤를 말하며, 실무상 '01(표지)' 바로 뒤, '02(목차)' 바로 앞에 핵심요약 페이지를 삽입하는 것이 보다 일반적입니다.
- 물론, 조직마다 워드/한글 템플릿은 조금씩 다릅니다. 그래서, 문서의 디자인보다는 틀(구성요소)에 초점을 맞춰 이해하시면 더 좋을 듯 합니다.

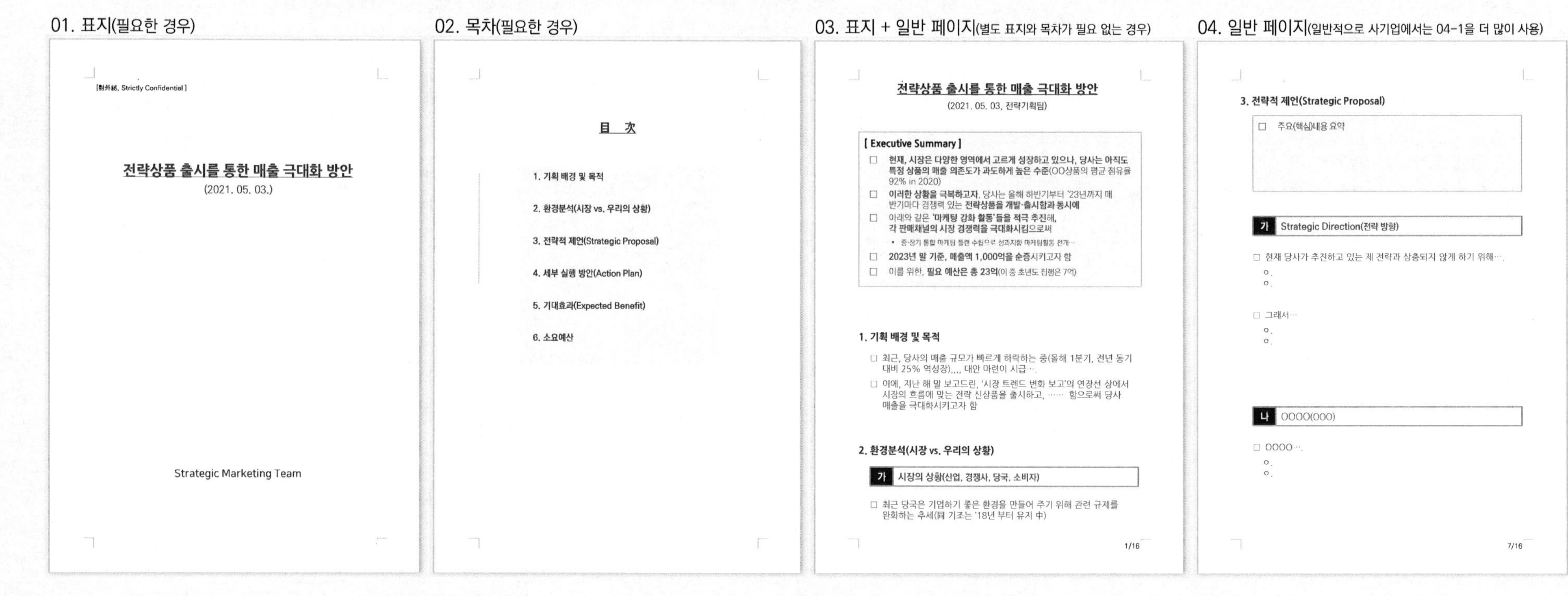

01. 표지(필요한 경우)

[對外秘, Strictly Confidential]

전략상품 출시를 통한 매출 극대화 방안

(2021. 05. 03.)

Strategic Marketing Team

02. 목차(필요한 경우)

目 次

1. 기획 배경 및 목적
2. 환경분석(시장 vs. 우리의 상황)
3. 전략적 제언(Strategic Proposal)
4. 세부 실행 방안(Action Plan)
5. 기대효과(Expected Benefit)
6. 소요예산

03. 표지 + 일반 페이지(별도 표지와 목차가 필요 없는 경우)

전략상품 출시를 통한 매출 극대화 방안

(2021. 05. 03, 전략기획팀)

[Executive Summary]

□ **현재, 시장은 다양한 영역에서 고르게 성장하고 있으나, 당사는 아직도 특정 상품의 매출 의존도가 과도하게 높은 수준**(OO상품의 평균 점유율 92% in 2020)

□ **이러한 상황을 극복하고자**, 당사는 올해 하반기부터 '23년까지 매 반기마다 경쟁력 있는 **전략상품을 개발·출시함과 동시에**

□ 아래와 같은 **'마케팅 강화 활동'들을 적극 추진**해, **각 판매채널의 시장 경쟁력을 극대화시킴**으로써

- 중·장기 통합 마케팅 플랜 수립으로 성과지향 마케팅활동 전개…

□ **2023년 말 기준, 매출액 1,000억을 순증**시키고자 함

□ 이를 위한, **필요 예산은 총 23억**(이 중 초년도 진행은 7억)

1. 기획 배경 및 목적

□ 최근, 당사의 매출 규모가 빠르게 하락하는 중(올해 1분기, 전년 동기 대비 25% 역성장),,,, 대안 마련이 시급….

□ 이에, 지난 해 말 보고드린, '시장 트렌드 변화 보고'의 연장선 상에서 시장의 흐름에 맞는 전략 신상품을 출시하고, …… 함으로써 당사 매출을 극대화시키고자 함

2. 환경분석(시장 vs. 우리의 상황)

가 시장의 상황(산업, 경쟁사, 당국, 소비자)

□ 최근 당국은 기업하기 좋은 환경을 만들어 주기 위해 관련 규제를 완화하는 추세(同 기조는 '18년 부터 유지 中)

1/16

04. 일반 페이지(일반적으로 사기업에서는 04-1을 더 많이 사용)

3. 전략적 제언(Strategic Proposal)

□ 주요(핵심)내용 요약

가 Strategic Direction(전략 방향)

□ 현재 당사가 추진하고 있는 제 전략과 상충되지 않게 하기 위해….

o.
o.

□ 그래서…

o.
o.

나 OOOO(OOO)

□ OOOO….

o.
o.

7/16

Note) 참고로, 기업과 공공기관에서 작성하는 문서는 '[참고 38] 번호매기기 유형' 참고.

3. 보고서 및 기획서 작성하기

라. 문서 작성하기 - 2) 페이지 구성 - 나) PowerPoint(국내 기업 스타일)

☐ **전통적인 국내 기업들의 PPT 슬라이드는 일반적으로 아래와 같은 항목들(①~④)**로 구성됩니다. 그러나 상황에 따라 이 중 일부를 생략하기도 합니다**(특히, 각주와 출처).

- 물론, 이 항목들은 이왕이면 모든 장표에 동일한 형식(서식, 간격, 폰트, 위치 등)으로 반영돼야 하며, 그렇지 않은 경우 해당 문서가 상당히 성의 없는 문서로 평가될 가능성이 높습니다.

일반적인 PowerPoint 장표 구성 (예/例/Example)

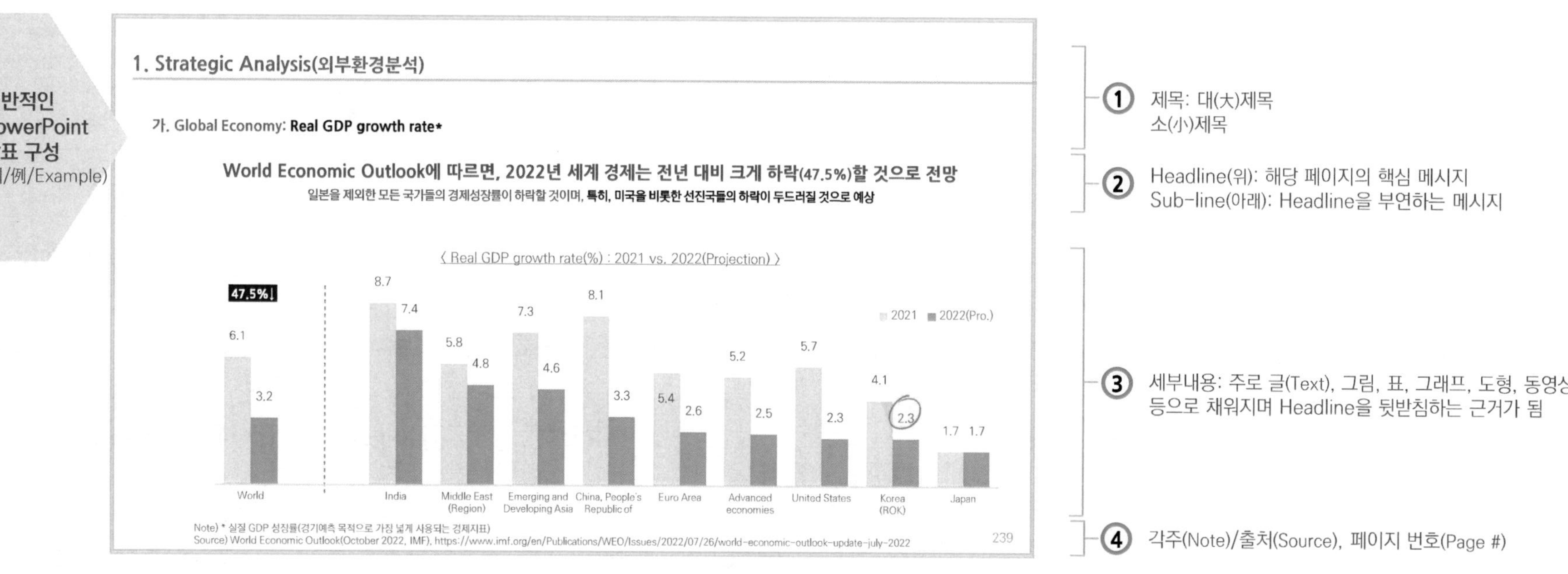

① 제목: 대(大)제목
소(小)제목

② Headline(위): 해당 페이지의 핵심 메시지
Sub-line(아래): Headline을 부연하는 메시지

③ 세부내용: 주로 글(Text), 그림, 표, 그래프, 도형, 동영상 등으로 채워지며 Headline을 뒷받침하는 근거가 됨

④ 각주(Note)/출처(Source), 페이지 번호(Page #)

Note) ** 특히, CEO를 비롯한 고위 임원까지 보고되는 문서(보고서나 기획서 등), 또는 회사 밖으로 나가는 문서(e.g., 고객에게 전달되는 문서 등)인 경우.

라. 문서 작성하기 - 2) 페이지 구성 - 나) PowerPoint(컨설팅 회사 스타일)

□ **그러나 주요 컨설팅 회사들의 PPT 슬라이드는, 일반적으로 국내 기업들과는 달리, 제목(①번의 대 및 소제목)을 넣지 않고 헤드라인(Headline)을 맨 위에 부각시키는 형식으로 작성됩니다**.**

- 그래서 이 스타일로 장표를 작성할 경우 핵심 메시지(Headline)는 더욱 강렬하게, 그리고 세부내용은 '더 크게(때로는 더 많은 내용까지도)' 전달할 수 있게 됩니다.
- 정답이 있는 것이 아니므로 '국내 기업'과 '컨설팅 회사' 스타일을 적절하게 응용해보시기 바랍니다.

일반적인 PowerPoint 장표 구성 (예/例/Example)

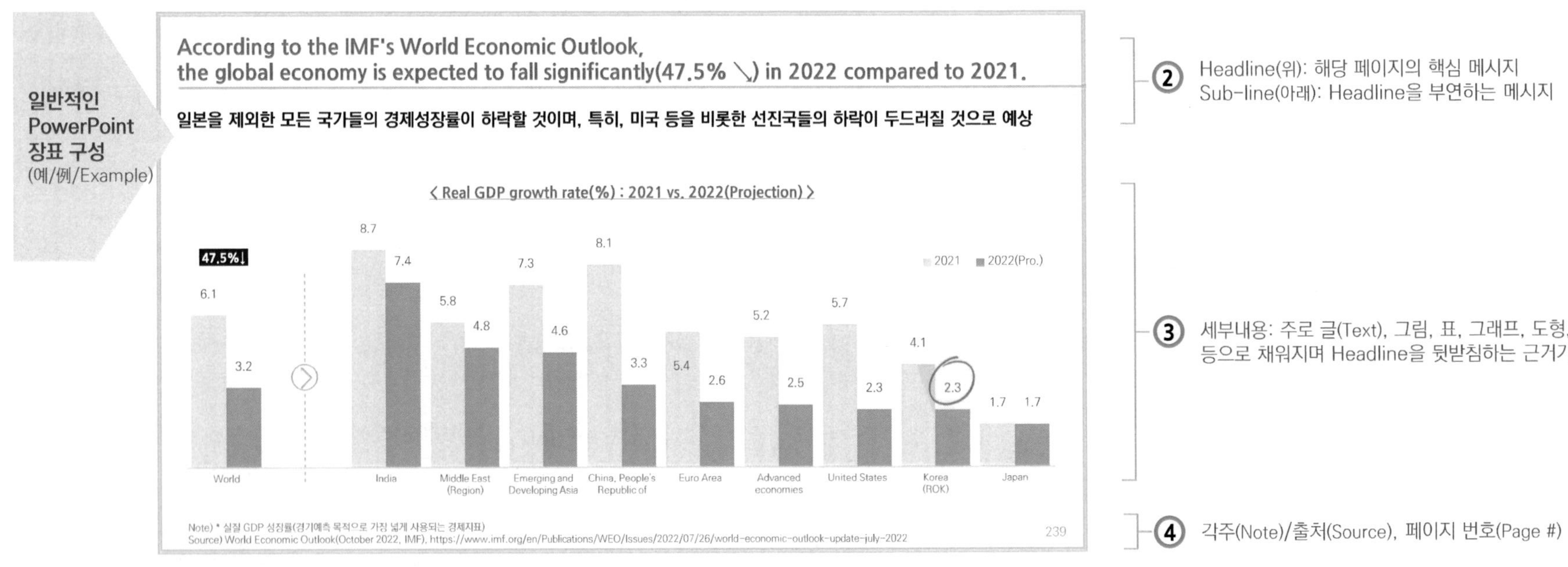

② Headline(위): 해당 페이지의 핵심 메시지
Sub-line(아래): Headline을 부연하는 메시지

③ 세부내용: 주로 글(Text), 그림, 표, 그래프, 도형, 동영상 등으로 채워지며 Headline을 뒷받침하는 근거가 됨

④ 각주(Note)/출처(Source), 페이지 번호(Page #)

Note) ** 물론 모든 컨설팅 회사들이 이렇게 문서를 작성하는 것은 아닙니다만, 일반적인 추세가 이와 같습니다.
구글에서 3대 커설팅 회사(McKinsey & Company, Boston Consulting Group, Bain & Company)의 리포트들을 검색해보면 더 많은 예시 자료들을 참고하실 수 있을 것입니다.

[예시 04] 컨설팅 회사 스타일 - 여기는 헤드라인(Headline)입니다. 여기에 해당 슬라이드의 핵심 메시지를 적어야 합니다. 그래야 이 슬라이드를 통해 전달하려는 메시지를 명확하게 전달할 수 있습니다.

Sales Volume CAGR 2X04-2X08 by Company Group(단위: %)

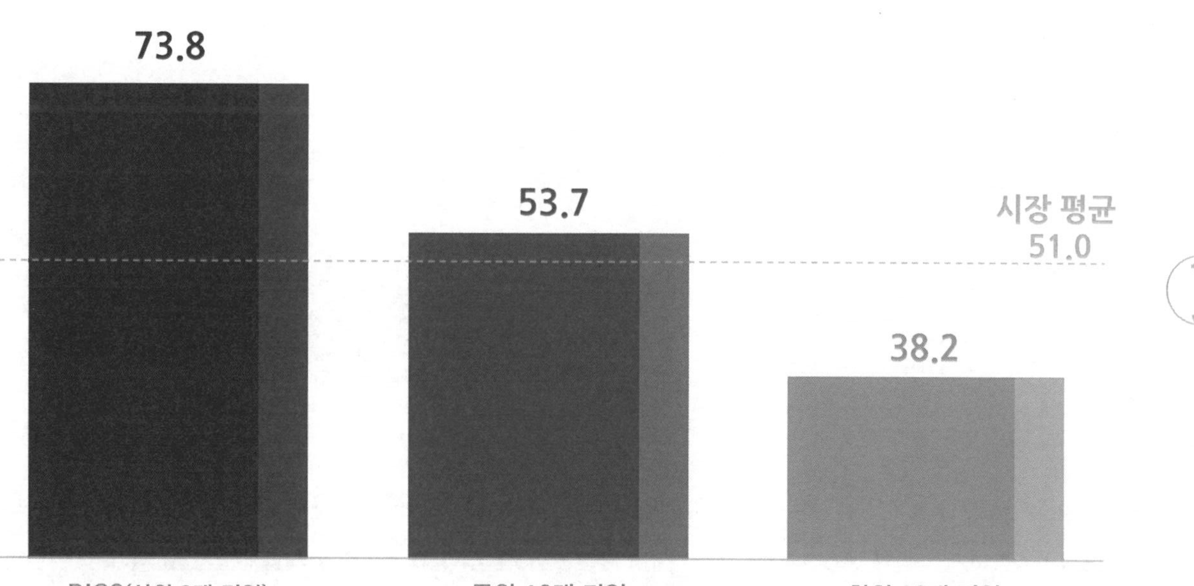

Note: BIG3(삼성, OO, OO), 중위 10개 기업(OO, OO, OO, …), 하위 20개 기업(OO, OO…)
Source: 각 사 기획팀, OOO 협회.

Implications(시사점)

- **지난 5년간의 연평균 시장성장률**(CAGR 2X04-2X08)**은 51.0%로…**
- **시장을 선도하는 BIG3 기업들의 연평균 성장률은 73.8%로 역대 최고치를 기록하며 전체 시장의 성장세를 견인…**
- **지난 5년간 중위 10개사들의 경유 53.7% 성장률을 기록… 그러나 이는 시장 평균을 조금 상회하는 수준으로…**
- **하위 20개 기업의 경우 38.2% 성장으로 BIG3와 중위 10개 기업들 대비…**
  - 하위 20개 기업들의 성장률이 다른 그룹들에 비해 상대적을 낮은 이유는…
  - 더불어 이와 같은 성장률 추세는… 와 같은 외생변수들의 영향으로 향후 몇 년간을 지속될 것으로 전망됨.

2X08. XX. XX. Confidential 2X09-20XX 경영전략 105

[참고 18] General PowerPoint Template(일반적인 PPT 문서 템플릿)(1/2)

□ **국내 기업에서 PPT로 작성하는 보고서나 기획서는 일반적으로 아래와 같은 장표(帳票 = 슬라이드, PPT Slide)*들로 구성되며, 구체적으로 표지, Executive Summary, 목차, 일반 페이지, 붙임이 그것입니다.**

- 파워포인트의 템플릿은 단순한 것이 좋습니다. 물론, 회사에 공식적인 템플릿이 있다면 그것을 사용하시고 만약 없다면 아래의 예(例)처럼 최대한 심플하게 만들어 활용해보시기 바랍니다.

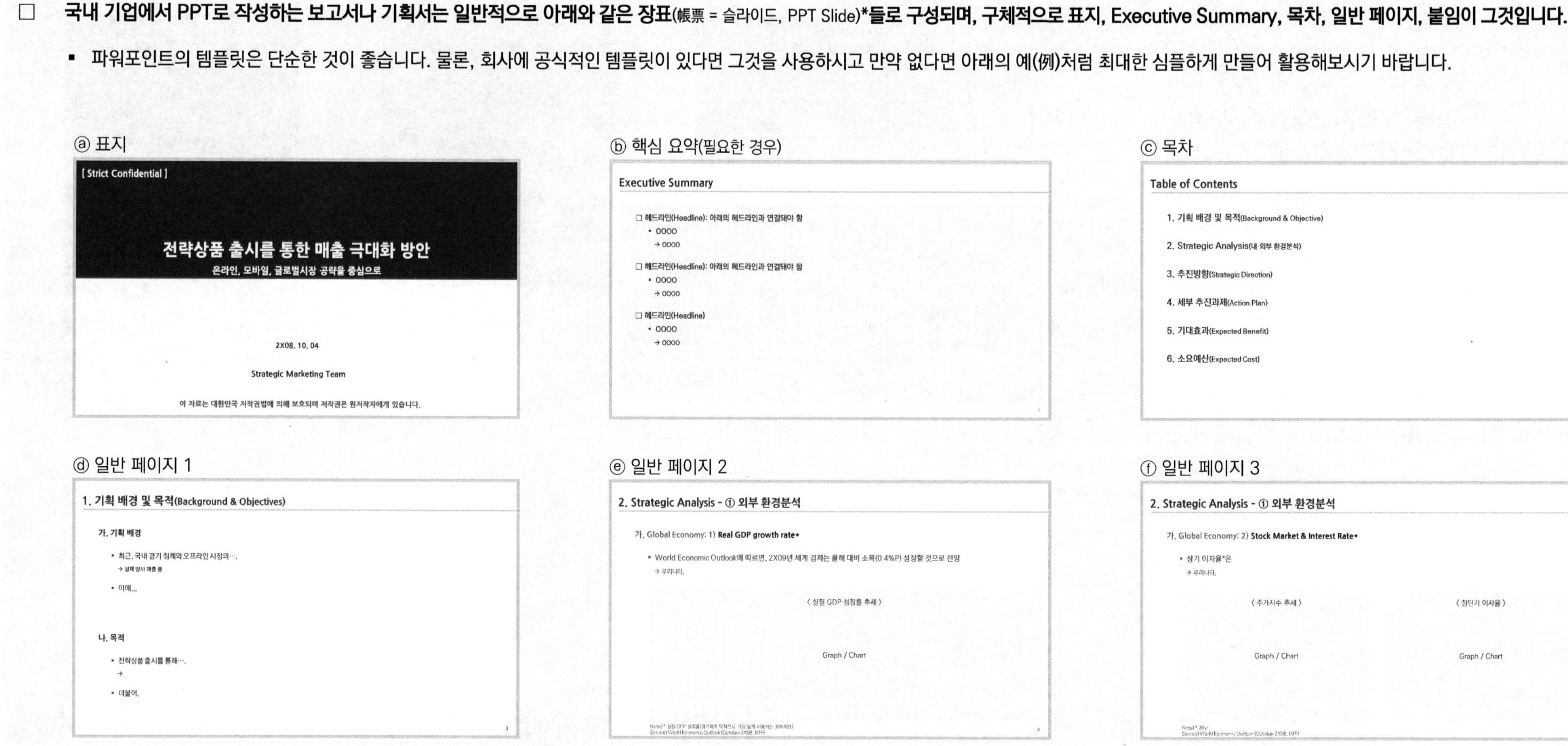

Note) * 장표(帳票): 장부(帳簿)와 전표(傳票)를 아울러 이르는 말. 즉, 사무용 서류를 이르는 말(우리말샘).

[참고 18] General PowerPoint Template(일반적인 PPT 문서 템플릿)(2/2)

□ 국내 기업에서 PPT로 작성하는 보고서나 기획서는 일반적으로 아래와 같은 장표(帳票 = 슬라이드, PPT Slide)*들로 구성되며, 구체적으로 표지, Executive Summary, 목차, 일반 페이지, 붙임이 그것입니다.

- 파워포인트의 템플릿은 단순한 것이 좋습니다. 물론, 회사에 공식적인 템플릿이 있다면 그것을 사용하시고 만약 없다면 아래의 예(例)처럼 최대한 심플하게 만들어 활용해보시기 바랍니다.

ⓖ 일반 페이지 4

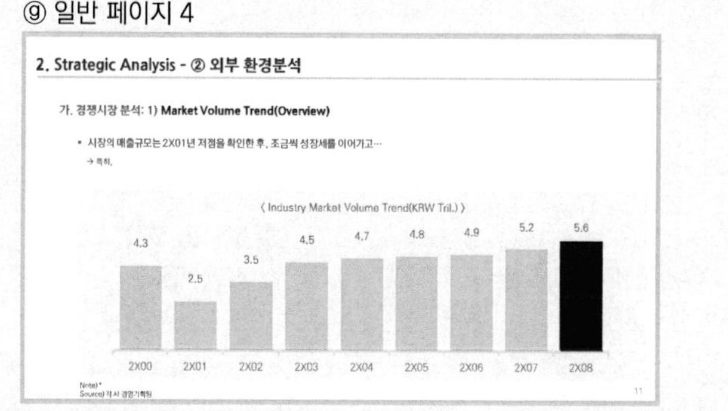

ⓗ 일반 페이지 5

2. Strategic Analysis - ② 외부 환경분석

가. 경쟁시장 분석: 2) Market Volume Trend(by Competitor Group)

〈 BIG 3 〉 〈 Middle 5 〉 〈 Others 〉

ⓘ 일반 페이지 6

2. Strategic Analysis - ② 외부 환경분석

가. 경쟁시장 분석: 4) 경쟁사 그룹별 주요 전략방향

구분	2X18 전략방향	2X09 전략방향	2X08 vs. 2X09	비고
BIG3		• 비용효율 관리 개선 • 글로벌시장 적극 공략	•	
Middle 5		• 對 고객서비스 경쟁력 강화 • 차별화를 통한 신시장 확대 • 온라인 플랫폼 안정화		
Others		• 틈새시장 전문성 강화 • 상품 경쟁력 제고 • 고객서비스 품질 개선		

ⓙ 일반 페이지 7

3. 추진방향(Strategic Direction)

가. 상품운용전략의 방향

〈 Our Strategic Direction of Products 〉

2X08 'Local Market Centric' 국내시장 중심의 영업활동 전개

2X09 'Differentiation' 상품 차별화를 통한 시장경쟁력 강화

2X10이후 'Globalization' with Online Flatform Offline → Online 중심 냉방* 중심 → 전세계

ⓚ 일반 페이지 8

3. 추진방향(Strategic Direction)

다. 전략상품 도입 방안

- OOOO
  → OOOO

상품 스펙	• ··· • ···
판매채널	• 온라인 및 모바일채널 전용 • ···
세부내용	• 온라인 및 글로벌 마케팅 적극 전개 • 계열사 시너지 극대화를 위한 • ···

· · ·

ⓛ 붙임(Appendix)

Appendix 1. 주요 경쟁사들의 상품 운용 현황

회사	제품 내용	비고
경쟁사 A		
경쟁사 B		
경쟁사 C		

Note) * 장표(帳票): 장부(帳簿)와 전표(傳票)를 아울러 이르는 말. 즉, 사무용 서류를 이르는 말(우리말샘).

[예시 05] ⓚ 해결/대응/추진/개선방안(1/3)*

라. 민원 관리 강화를 위한 개선방안(Action Plan)

<table>
<tr><th>추진과제
(Action Item)</th><th>세부내용
(Details, Description)</th><th>예상비용
(Expected Cost)</th><th>담당
(Owner)</th><th>비고
(Remark)</th></tr>
<tr><td>①
민원 통계
산출기준 변경</td><td>▪ 민원 통계 산출기준 현실화로 현상 왜곡 최소화**
- 변경 방향
<table><tr><th>현재(AS IS)</th><th>개정(TO BE)</th><th>비고</th></tr><tr><td>민원 통계 산출기준上
최고 및 최저값에 관한 제한 無</td><td>민원 통계 산출 시,
최고값*** 및 최젓값*** 배제 기준 신설</td><td>향후 산출기준 변경 전후
기준에 따라 각각 산출</td></tr></table>- 추진내용
o 산출기준 변경안 마련(~ 1/15) → 고객서비스위원회 및 데이터관리위원회 안건 상정 및 의결(~ 2/6)
o IT 시스템(통계 산출 및 리포팅 관련) 개발(~ 2/27) 및 UAT(~ 3/15)
o 관련 조직 및 유관 기관 대상 커뮤니케이션 진행(~ 3/25)
- 적용시기: 2X09. 3월 통계부터(즉, 4월 산출하는 3월 민원 통계부터)</td><td>56백만</td><td>Owner:
고객서비스팀
IT개발팀
IT기획팀
전략기획팀</td><td>고객서비스위원회,
데이터관리위원회의
정기회의는 각각 매월
첫째 주 수요일과
목요일에 개최</td></tr>
<tr><td>②
직무규정 등
관련 규정 제·개정</td><td>▪ 직무규정 등 관련 규정 제·개정으로 민원 관리 업무 책임 명확화
- 개정 방향
<table><tr><th>현재(AS IS)</th><th>개정(TO BE)</th><th>비고</th></tr><tr><td>민원 관리 업무를
실무 담당자 개인의 책임으로 한정</td><td>민원 관리 업무에 대한 책임을
고객서비스팀, 운영본부, 영업본부,
경영본부 수준으로 확대</td><td>'경영진 중점지표'로 승격</td></tr></table>- 규정別 세부내용(총 4개 규정)
⋮</td><td>추가 비용
없음</td><td>인사팀
전략기획팀
고객서비스팀
영업본부
준법감시팀
감사팀
IT기획팀</td><td>직제규정은 인사팀
소관규정
단, 개정 시
전략기획팀,
준법감시팀의
협의 필요</td></tr>
</table>

Note) * 앞 페이지 ⓚ의 다른 템플릿 예시입니다. '해결', '대응', '추진', '개선' 등의 용어 중 하나와 '방안'을 합성해 제목을 붙임. ** 통상 해당 추진과제의 키워드에 목적까지 추가해 표기.
*** 한글 맞춤법 제30조에 따라, 이를 최곳값과 최젓값으로 써야하나 필자는 그렇게 쓰지 않겠습니다.

[예시 05] ⓚ 해결/대응/추진/개선방안(2/3)*

라. 민원 관리 강화를 위한 개선방안(Action Plan)

<table>
<tr><th>추진과제
(Action Item)</th><th>세부내용
(Details, Description)</th><th>추진일정
(Timeline)</th><th>예상비용
(Expected Cost)</th><th>담당
(Owner)</th><th>비고
(Remark)</th></tr>
<tr><td>①
민원 통계
산출기준 변경</td><td>▪ 민원 통계 산출기준 현실화로 현상 왜곡 최소화**
– 변경 방향<table><tr><th>현재(AS IS)</th><th>개정(TO BE)</th><th>비고</th></tr><tr><td>민원 통계 산출기준上
최고 및 최저값에 관한 제한 無</td><td>민원 통계 산출 시,
최고값*** 및 최젓값*** 배제 기준 신설</td><td>향후 각 기준별로
통계 산출</td></tr></table>– 추진내용
ㅇ 산출기준 변경안 마련(~ 1/15) → 고객서비스위원회 및 데이터관리위원회 안건 상정 및 의결(~ 2/6)
ㅇ IT 시스템(통계 산출 및 리포팅 관련) 개발(~ 2/27) 및 UAT(~ 3/15)
ㅇ 관련 조직 및 유관 기관 대상 커뮤니케이션 진행(~ 3/25)
– 적용시기: 2X09. 3월 통계부터(즉, 4월 산출하는 3월 민원 통계부터)</td><td>2X09. 1Q까지
변경 완료</td><td>56백만</td><td><u>Owner:
고객서비스팀</u>
IT개발팀
IT기획팀
전략기획팀</td><td>고객서비스위원회,
데이터관리위원회의
정기회의는 각각 매월
첫째 주 수요일과
목요일에 개최</td></tr>
<tr><td>②
직무규정 등
관련 규정 제·개정</td><td>▪ 직무규정 등 관련 규정 제·개정으로 민원 관리 업무 책임 명확화
– 개정 방향<table><tr><th>현재(AS IS)</th><th>개정(TO BE)</th><th>비고</th></tr><tr><td>민원 관리 업무를
실무 담당자 개인의 책임으로 한정</td><td>민원 관리 업무에 대한 책임을
고객서비스팀, 운영본부, 영업본부,
경영본부 수준으로 확대</td><td>'경영진 중점지표'化</td></tr></table>– 규정별 세부내용(총 4개 규정)
⋮</td><td>2X09. 5.까지
제·개정 완료</td><td>N/A</td><td>인사팀
전략기획팀
고객서비스팀
영업본부
준법감시팀
감사팀
IT기획팀</td><td>직제규정은 인사팀
소관규정
단, 개정 시
전략기획팀,
준법감시팀의
협의 필요</td></tr>
</table>

Note) * 앞 페이지에서 '추진일정'을 별도로 분리한 템플릿. ** 통상 해당 추진과제의 키워드에 목적까지 추가해 표기.
*** 한글 맞춤법 제30조에 따라, 이를 최곳값과 최젓값으로 써야하나 필자는 그렇게 쓰지 않겠습니다.

[예시 05] ⓚ 해결/대응/추진/개선방안(3/3)*

라. 민원 관리 강화를 위한 개선방안(Action Plan)

추진과제 (Action Item)	세부내용 (Details, Description)	추진일정 (Timeline)	KPI/목표 (Target/Goal)	예상비용 (Expected Cost)	담당 (Owner)	비고 (Remark)
① 민원 통계 산출기준 변경	▪ **민원 통계 산출기준 현실화로 현상 왜곡 최소화**** - 변경 방향 현재(AS IS): 민원 통계 산출기준上 최고 및 최저값에 관한 제한 無 개정(TO BE): 민원 통계 산출 시, 최고값*** 및 최젓값*** 배제 기준 신설 - 추진내용 ο 산출기준 변경안(향후 산출기준 변경 전후 기준에 따라 각각 산출) 마련(~ 1/15) ο 고객서비스위원회 및 데이터관리위원회 안건 상정 및 의결(~ 2/6) ο IT 시스템(통계 산출 및 리포팅 관련) 개발(~ 2/27) 및 UAT(~ 3/15) ο 관련 조직 및 유관 기관 대상 커뮤니케이션 진행(~ 3/25)	2X09. 1Q까지 변경 완료 (4월에 산출하는 3월 민원 통계부터 적용)	추진일정 준수	56백만	Owner: 고객서비스팀 IT개발팀 IT기획팀 전략기획팀	고객서비스위원회, 데이터관리위원회의 정기회의는 각각 매월 첫째 주 수요일과 목요일에 개최
② 직무규정 등 관련 규정 제·개정	▪ **직무규정 등 관련 규정 제·개정으로 민원 관리 업무 책임 명확화** - 개정 방향 현재(AS IS): 민원 관리 업무를 실무 담당자 개인의 책임으로 한정 개정(TO BE): 민원 관리 업무에 대한 책임을 고객서비스팀, 운영본부, 영업본부, 경영본부 수준으로 확대 - **규정別 세부내용**(총 4개 규정) ⋮	2X09. 5.限	추진일정 준수	N/A	인사팀 전략기획팀 고객서비스팀 영업본부 준법감시팀 감사팀 IT기획팀	직제규정은 인사팀 소관규정 단, 개정 시 전략기획팀, 준법감시팀의 협의 필요

Note) * 앞 페이지에서 'KPI/목표'를 별도로 분리한 템플릿. 이는 '방안'에 포함돼야 할 요소들을 모두 나열해 본 것이며 실무에서는 앞의 두 템플릿을 응용하시길 추천드림. ** 통상 해당 추진과제의 키워드에 목적까지 추가해 표기.
*** 한글 맞춤법 제30조에 따라, 이를 최곳값과 최젓값으로 써야하나 필자는 그렇게 쓰지 않겠습니다.

This page intentionally left blank.

This page intentionally left blank.

라. 문서 작성하기 - 3) 실전 문서 작성 기법들 - 가) Overview

□ **일반적으로, 보고서나 기획서는 Audience**(오디언스, 고객, 주로 상사님)**들에게 보여드리는 것이기 때문에, 형식적인 측면을 경시**(輕視, Belittle, Negligence)***해서는 안 됩니다.**

- 아래의 형식적인 스킬(Skill)들은 주로 Audience의 눈높이에 맞춘 것들입니다. 그래서 이것들을 문서를 작성하는 실무자들이 익히는데 다소 시간이 소요될 수도 있습니다.
- 그러나 일단 익숙해지면 작성한 문서의 품질(品質, Quality)이 상당히 높아질 것입니다. 그리고 윗분들로부터 업무능력을 인정받게 될 가능성이 매우 높아질 것입니다.
- 그러나 작성하는 문서마다 아래의 스킬들을 전부 적용해서는 안 됩니다. 그러면 문서 작성 시간이 너무 많이 소요될 것이기 때문입니다.

〈 실전 문서작성 기법들 〉

	Professional Skills(좀 더 전문적으로 보이는 스킬들)	**General Skills**(일반적인 스킬들)
세부 내용	(1) Executive summary(핵심요약, 核心要約) (2) Headline storyline(헤드라인 스토리라인, 헤드라인 줄거리) (3) Strategic Proposal(전략적 제언·제안, 戰略的 提言·提案) (4) 숫자/통계(統計)의 정확성(正確性) (5) 경쟁사 동향/비교 분석(競爭社 動向比較分析, Competitors' Movement) (6) 안내선(案內線, Guides of PowerPoint) (7) 레이블(Label, 라벨) (8) 마케팅 등 분석 기법들(Marketing Tools) (9) 단계별 접근법(段階別 接近法, Step-by-step Approach) (10) 보고서용 PowerPoint(PPT) vs. Presentation용 PPT (11) History Management(업무이력 관리)	(1) 문장과 표현을 단순화(單純化, Simplification)하기 (2) 번호매기기(Numbering) (3) 맞춤법(Spelling, Orthography) (4) 각주(脚註, Footnote), 출처(出處, Source), 범례(凡例, Legend), 단위(單位, Unit) (5) 연결되는 단어가 끊기지 않게 (6) Graph/Chart 활용 (7) 기타 다이어그램(Diagram) (8) 간략 소개(簡略紹介, Brief introduction) (9) 기타 사항들(其他, Others)

Note) * 대수롭지 않게 보거나 업신여김(표준국어대사전)

실전 문서 작성 기법들 - Professional Skills(좀 더 전문적으로 보이는 스킬들)

라. 문서 작성하기 - 3) 실전 문서 작성 기법들 - 나) Professional Skills - (1) Executive Summary(ES, 핵심요약)

☐ **전체 문서의 '핵심요약(核心要約)'인 'Executive Summary(ES)'는, Audience들이 전체 문서를 읽지 않아도, 해당 문서의 핵심을 빠르게 파악할 수 있게 도와(조력해)주는 역할을 수행합니다.**

- 그러나 일반적으로 모든 보고서나 기획서에 ES가 포함돼야 하는 것은 아닙니다. 왜냐하면, 가볍게 보고하는 보고서(보통 1~3페이지 정도)들까지 이렇게 공을 들일 필요는 없기 때문*입니다.
- ES의 삽입 위치는 PPT 문서의 경우(예시 01), '표지'와 '목차' 사이(아래 가운데)이며, ES의 분량(페이지 수)은 보통 한 장(1 page) 이내이나 상황에 따라 몇 장**이 되기도 합니다.
- 참고로 워드(Word)나 한글(HWP) 문서(예시 02, 다음 페이지)의 경우 ES는 일반적으로 '제목'과 '배경 및 목적' 사이에 삽입됩니다.***

〈 예시 01: PowerPoint 문서의 경우 Executive Summary 〉

01. 표지

Strictly Confidential

2X09-2X11年
전략상품 출시를 통한 매출 극대화 전략

2X08. 10. 04

Strategic Planning Team

02. Executive Summary(기획서 전체의 내용을 요약)

Executive Summary

☐ 현재, 시장은 다양한 영역에서 고르게 성장하고 있으나, 당사는 아직도 특정 상품의 매출 의존도가 과도하게 높은 수준(OO상품의 평균 점유율 92% in 2X08)

☐ 이러한 상황을 극복하고자, 당사는 올해 하반기부터 2023년까지 매 반기마다 경쟁력 있는 전략상품을 개발·출시함과 동시에

☐ 아래와 같은 '마케팅 강화 활동'들을 적극 추진해, 각 판매채널의 시장 경쟁력을 극대화시킴으로써
- 중·장기 통합 Marketing Plan 수립으로 성과지향 마케팅활동 전개
- 계열 및 파트너사들의 강점을 활용한 시너지 마케팅활동 추진 등…

☐ 2023년 말 기준, 매출액 1,000억을 순증시키고자 함

구분	2X09 2H	2X10 2H	2X11 2H	2X12 2H	2X13 2H
매출 순증액(억)	50	200	550	750	1,000

☐ 이를 위한, 필요 예산은 총 23억(이중 초년도 집행은 7억)

03. 목차

Table of Contents(목차)

1. 기획 배경 및 목적
2. 환경 분석(시장 vs. 우리의 상황)
3. Key Findings & Our Strategic Plan(전략적 제언)
4. Expected Benefits(기대효과)

Note) * 즉, ES는 주로 '기획서'나 '페이지 수가 많은 보고서'에 삽입됩니다. ** 2 ~ 5 페이지 정도. 예를 들어, 그룹 회장님에게 보고를 하는 경우 글씨 크기를 더 키워야 하기 때문에 페이지가 증가하기도 합니다.
*** 회사에 따라, 특히 한글이나 워드 문서는, 매 페이지 마다(맨 위 또는 맨 아래에) ES를 넣기도 합니다.

라. 문서 작성하기 - 3) 실전 문서 작성 기법들 - 나) Professional Skills - (1) Executive Summary(ES, 핵심요약)

☐ **그리고 동시에 ES는, 보고 시 아무리 당황스러운 상황이 발생해도 실무자의 머리가 백지상태가 되지 않게 도와주는, 안전장치**(安全裝置, Back-up Plan)**인 대본**(臺本, Script)**이기도 합니다.**

- 예를 들면, 보고 시에 상사님이 "다른 일정 때문에 시간이 없다"며 "5분 내로 보고하라"고 정신 없게 채근(採根, Push)*하실 때에도, 당황할 필요 없이 'ES를 대본(臺本, Script) 삼아' 차분하게 말씀 드리면 무난하게 보고를 마무리 할 수 있게 됩니다.
- 그래서 ES는 반드시 이런 상황을 염두에 두고 만드셔야 합니다.
  - 즉, ES를 작성하실 때에는 Bullet point(옆의 예시에서는 네모박스(□)) 뒤에 쓰여진 각 문장들이 처음부터 끝까지 매끄럽게 스토리(Storyline)가 연결돼야 한다는 것입니다. 그래야 최악의 상황에서도 생존할 수 있게 됩니다.
  - 참고로, 네모박스 아래의 서브 Bullet point(옆의 예시에서 '·')까지 스토리라인을 연결시키는 것은 'Too Much'가 될 수도 있습니다.

〈 예시 02: Word/HWP 문서의 경우 ES 〉

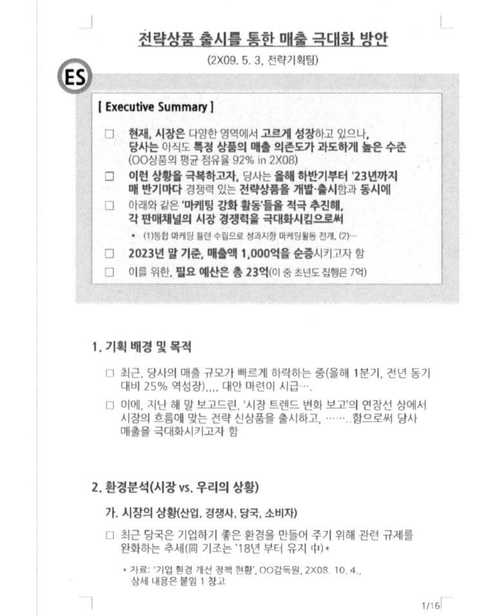
전략상품 출시를 통한 매출 극대화 방안
(2X09. 5. 3, 전략기획팀)
ES
[Executive Summary]
□ 현재, 시장은 다양한 영역에서 고르게 성장하고 있으나, 당사는 아직도 특정 상품의 매출 의존도가 과도하게 높은 수준 (OO상품의 평균 점유율 92% in 2X08)
□ 이런 상황을 극복하고자, 당사는 올해 하반기부터 '23년까지 매 반기마다 경쟁력 있는 전략상품을 개발·출시함과 동시에
□ 아래와 같은 '마케팅 강화 활동'들을 적극 추진해, 각 판매채널의 시장 경쟁력을 극대화시킴으로써
- (1)통합 마케팅 플랜 수립으로 성과지향 마케팅활동 전개, (2)…
□ 2023년 말 기준, 매출액 1,000억을 순증시키고자 함
□ 이를 위한, 필요 예산은 총 23억(이 중 초년도 집행은 7억)

1. 기획 배경 및 목적
□ 최근, 당사의 매출 규모가 빠르게 하락하는 중(올해 1분기, 전년 동기 대비 25% 역성장),,,, 대안 마련이 시급….
□ 이에, 지난 해 말 보고드린, '시장 트렌드 변화 보고'의 연장선 상에서 시장의 흐름에 맞는 전략 신상품을 출시하고, ……..함으로써 당사 매출을 극대화시키고자 함

2. 환경분석(시장 vs. 우리의 상황)
가. 시장의 상황(산업, 경쟁사, 당국, 소비자)
□ 최근 당국은 기업하기 좋은 환경을 만들어 주기 위해 관련 규제를 완화하는 추세(同 기조는 '18년 부터 유지 中)*
* 자료: '기업 환경 개선 정책 현황', OO감독원, 2X08. 10. 4., 상세 내용은 붙임 1 참고
1/16

※ 전쟁에 나갈 때는 총알을 반드시 챙겨야!!!

❖ 만약, 핵심요약(ES)을 작성하지 않으셨다면, '반드시' 1분 이내로 요약해 보고 드릴 수 있는 대본(스크립트, Script)을 준비해, 미리 암기하신 후 보고에 임하시기 바랍니다.

❖ 왜냐하면, 위에서도 말씀드렸지만 대부분의 상사(특히, 임원)님들이 늘 급하고 바쁘시기 때문입니다. 그래서 윗분들은 실무자들이 보고를 하기 위해 찾아 뵈면, "나 시간 없으니까 5분 내로 보고하세요"라고 말씀하시는 경우가 많습니다. 이때 미리 준비한 '대본(스크립트, Script)'이 있다면 이런 당황스러운 상황이 외려 여러분의 능력을 빛나게 만들어 줄 기회가 될 수도 있을 것입니다.

Note) * 재촉

라. 문서 작성하기 - 3) 실전 문서 작성 기법들 - 나) Professional Skills - (2) Headline Storyline

□ **일반적으로 모든 '일반 페이지**(보고서이든 기획서이든)**'에는 Headline이 있어야 합니다. 왜냐하면, 헤드라인은 해당 페이지의 핵심 메시지**(Key Message)**이기 때문입니다.**

- 헤드라인은, 일반적으로, PowerPoint 문서의 경우에는 '예시 01'과 같이 '제목(소제목)'과 '세부내용' 사이*에, 그리고 Word/HWP 문서의 경우 '예시 02'와 같이 '제목' 이나 'Executive Summary' 아래에, Bullet Point(□, ㅇ, ▪, •) 형식으로 표시됩니다.
- 그리고 Headline은 PowerPoint에서는 주로 한 줄로, Word/HWP에서는 두 줄을 넘지 않게 간결하게 작성됩니다.
- 일반적으로 PPT의 경우(왼쪽 예시 01) 한 페이지에 하나, Word/HWP 문서의 경우(오른쪽 예시 02) 한 페이지에 여러 개의 Headline을 적습니다.
- 이 정도 지식은, 직장 경험이 없는 대학생분들까지도 잘 알고 있습니다. 그런데, 사실 Headline의 핵심은 이것이 아닙니다.

Note) * 물론, 이는 회사의 문화나 상황에 따라 달라질 수 있습니다. 예를 들면, 어떤 회사는 PPT의 Headline을 상단 '대(大)제목'의 위치에 적기도 합니다.
** 참고로, 위 Headline은 여러분에게 강조해드리기 위해 노란색 배경과 붉은색 글씨로 표시한 것입니다.

3. 보고서 및 기획서 작성하기

라. 문서 작성하기 - 3) 실전 문서 작성 기법들 - 나) Professional Skills - (2) Headline Storyline

☐ **Headline의 핵심은, 각 페이지의 Headline**(예를 들면 아래의 ① ~ ④)**이 처음부터 끝까지 하나의 스토리로 쭉 연결돼야 한다는 것입니다.* 사실, 이게 진짜 실력입니다.**

- 보고(기획)업무는 일종의 커뮤니케이션입니다. 평상시 상대방이 이야기를 하다가 갑자기 삼천포로 빠지면 이상한 것처럼, 문서(보고서나 기획서)도 마찬가지입니다.
- 문서도 스토리가 있어야 하며, 이 스토리를 연결해주는 것이 바로 Headline입니다. **잘 작성된 문서는 처음부터 끝까지 Headline만 쭉 읽어봐도, 전체 문서의 스토리와 내용을 쉽게 파악할 수 있는** 것입니다. 예를 들면, 앞 페이지에 있는 '예시 02(Word/HWP 문서)'에서도 두 Headline(Headline 1과 2)의 스토리라인이 서로 연결돼 있답니다.

〈 예시 03: Headline을 통한 Storyline 〉

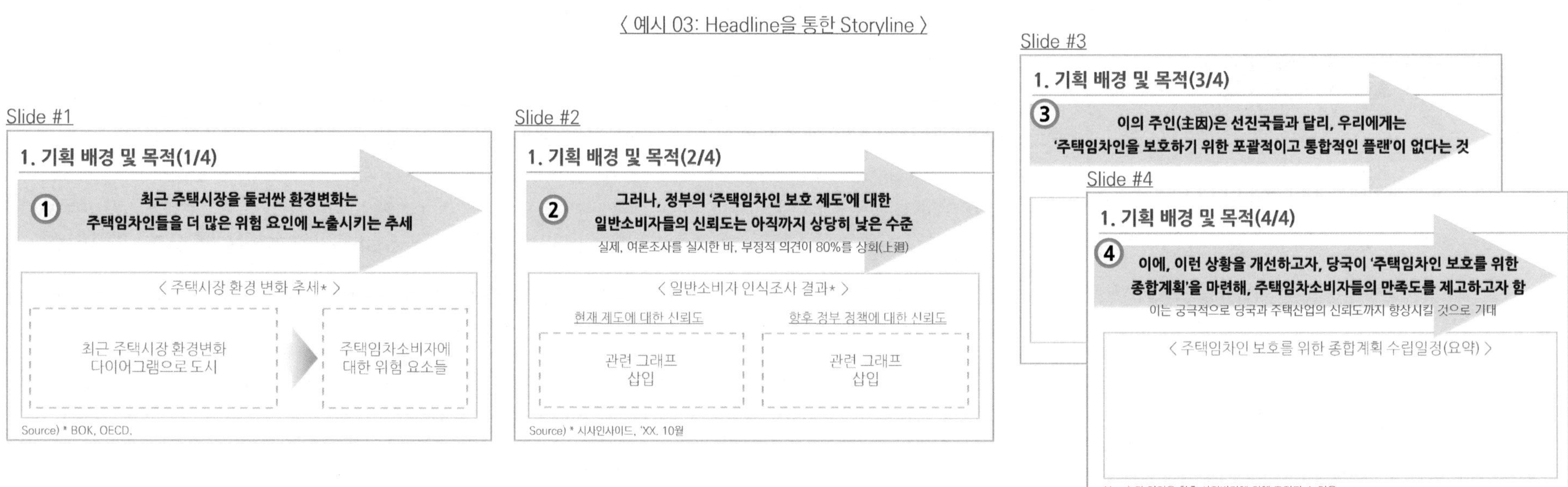

Note) * 물론 예외는 언제든지 존재할 수 있습니다만, 그럼에도 불구하고 원칙은 알고 계셨으면 합니다. 그리고 위의 예시는 제가 임의로 Storyline(줄거리)을 만들어 본 것입니다.

[참고 19] 보고서나 기획서의 Storyline을 잡는 방법 - Bullet Point법 응용

□ **추가로, 만약 Word나 HWP로 보고서를 작성하신다면, 아래와 같이 앞에서 배운 'Bullet Point법(Step ①~②)'을 활용해, '헤드라인'으로 '스토리라인'을 만들어 가시면 됩니다.**

- 이는, 구체적으로, 업무 지시를 받은 후 [Step ①], 워드나 한글의 빈 페이지에, 보고서에 넣을 아이디어들을 생각나는 대로 불릿 포인트를 사용해 적고, [Step ②]이것들을 앞에서 배운 문서의 틀에 넣습니다. 그리고 [Step ③]Headline을 활용해 전체 문서의 스토리라인(Storyline = 줄거리 ≒ 논리 전개)을 구체화하고, [Step ④]각 헤드라인을 보강할 수 있는 세부내용(≒ 보강 자료)을 추가하는 방법입니다.

★ 例) CEO님께서 지나가시며 "'주52시간 근로제 도입'으로 우리 회사는 문제없는 건가?"라고 말씀하셨을 때

[Step ①] 아이디어를 생각 나는 대로 적고

- 주52시간 근로제(도입배경/주요내용)?
- 우리 회사는 적용되나(적용대상?, 언제부터?)
- 이의 시행으로 인한 문제들(업무 시간 단축으로 인한 생산성 하락?, IT 시스템 구축?, 인력채용?, 비용증가?)
- 이의 시행으로 장점들(야근 및 특근비, 전기세, 냉난방비 절감?)
- 인사관련 규정 개정 필요? 직원교육?
- 노조이슈?
- 업계/경쟁사/외국 대응 방안?
- 우리 비즈니스 미치는 Impact?
- 영향이 있다면, 향후 계획(제언)

[Step ②] 정해진 틀에 하나씩 삽입 & 문구 조정*

(가제)週52시간 근로제 도입 관련 검토
(전략기획팀, 20XX. 10. 4.)

1. 배경 및 목적
   - 최근 도입된 주52시간 근로제로…
   - 이에 대해, 당사가 선제적으로 대응…
2. 주요내용
   - 주52시간 근로제의 주요내용(도입배경/주요내용)
   - 우리 회사는 적용되나(적용대상? 언제부터?)
   - 이의 시행으로 인한 장단점(생산, 매출, 채용, 손익..
   - 인사관련 규정 등 노조 관련 이슈
   - 업계/경쟁사 등의 동향(주로 대응 방안)?

   ⋮
3. 시사점(Implication)
   - 우리 비즈니스에 미치는 영향
   - 향후 우리의 계획

[Step ③] Headline으로 Storyline을 만들고**

2. 주요 내용

가. '주52시간 근로제'의 주요내용

□ 주52시간 근로제는 **주당 최고 근로시간**을 현재 **68시간에서 52시간으로 단축**하는 것

□ 이에 따라, 동 제도는 **내년부터 당사에 전면 적용**

나. 同 제도로 인해 야기될 수 있는 이슈들

□ 우선, 이 제도가 전면 적용될 경우, 당사의 **월평균 생산량은 약 50만 개가 감소**할 것으로 예상됨

□ **현재**의 **생산 규모를 유지**하기 위해서는 **약 1,500명의 생산직 근로자를 수혈해야** 할 것으로 예상됨

⋮

[Step ④] Headline아래 살(부연 설명)*을 붙임**

2. 주요 내용

가. '주52시간 근로제'의 주요내용

□ 주52시간 근로제는 **주당 최고 근로시간**을 현재 **68시간에서 52시간으로 단축**하는 것
  - ㅇ 부연 설명(객관적 근거)
    [표] 개정내용 요약표

□ 이에 따라, 동 제도는 **내년부터 당사에 전면 적용**
  - ㅇ 부연 설명

나. 同 제도로 인해 야기될 수 있는 이슈들

□ 우선, 이 제도가 전면 적용된다면, 당사의 **월평균 생산량은 약 50만 개가 감소**할 것으로 예상됨
  - ㅇ 이를 월평균 매출로 환산하면 약 3백억
    [표] 동 제도 적용時 생산·매출 변화(예상)

□ **현재**의 **생산 규모를 유지**하기 위해서는 **약 1,500명의 생산직 근로자를 수혈해야** 할 것으로 예상됨
  - ㅇ 부연 설명

⋮

Note) * 이때, 스토리라인에 맞지 않는 내용들은 과감하게 삭제하거나 붙임(= 첨부, Appendix 등)으로 보내야 함.
** 우선 해당 문서의 스토리라인을 헤드라인(위의 노란색 영역)으로 구성. *** 각 헤드라인을 보강할 수 있는 세부 내용을 각 헤드라인 바로 아래에 추가.

[실전 연습 08] Headline Storyline

☐ **아래 슬라이드(≒ 장표) 의 그래프들을 보고 헤드라인(Headline)을 완성해보세요.**

I. External Environmental Analysis(외부 환경분석, 外部環境分析)

1. 경제: Real GDP Growth Rate(실질 GDP 성장률)

- …

→ …

〈 Real GDP Growth Rate Trend(%) 〉

CHN / Non-OECD / WLD / KOR / OCED / ERO(17) / US

〈 주요 국가별 실질 GDP 성장률 추세(%) 〉

국가	2010	2014	2015	2016	2017	2018	2019	2020	2021	2022	2023
IND	8.5	7.4	8.0	8.3	6.8	6.5	3.7	-6.6	8.7	6.9	6.2
CHN	10.6	7.4	7.0	6.8	6.9	6.7	6.0	2.2	8.1	4.4	4.9
Non-OECD	7.6	4.6	3.9	4.3	4.6	4.6	3.7	-2.3	6.1	3.3	3.8
WLD	5.3	3.4	3.2	3.1	3.6	3.5	2.8	-3.4	5.8	3.0	2.8
CAN	3.1	2.9	0.7	1.0	3.0	2.8	1.9	-5.2	4.5	3.8	2.6
KOR	**6.8**	**3.2**	**2.8**	**2.9**	**3.2**	**2.9**	**2.2**	**-0.9**	**4.0**	**2.7**	**2.5**
JAP	4.1	0.3	1.6	0.8	1.7	0.6	-0.2	-4.5	1.7	1.7	1.8
OCED	3.1	2.1	2.5	1.9	2.7	2.4	1.7	-4.6	5.5	2.7	1.6
ERO(17)	2.0	1.4	1.9	1.8	2.8	1.8	1.6	-6.5	5.3	2.6	1.6
US	2.7	2.3	2.7	1.7	2.3	2.9	2.3	-3.4	5.7	2.5	1.2
UK	2.1	3.0	2.6	2.3	2.1	1.7	1.7	-9.3	7.4	3.6	0.0
RUS	4.1	0.7	-2.0	0.2	1.8	2.8	2.1	-2.6	4.7	-10.0	-4.1

Note) 2022년은 예상치, 2023년은 전망, 국가별 순위는 2023년 GDP 성장률 기준
Source) OECD, Economic Outlook, 2022. 9., https://www.oecd-ilibrary.org/economics/oecd-economic-outlook/volume-2022/issue-1_62d0ca31-en

6

① 상세 데이터를 삽입하는 경우(오른쪽 표), 그래프(왼쪽)를 너무 복잡하게(e.g., 데이터 레이블을 너무 많이 넣거나 등) 그리지 않는 것이 더 좋습니다. 이런 경우 왼쪽의 그래프는 추세(Trend)를 인지할 정도로만 그리셔도 됩니다.

② 오른쪽 표와 같이, 너무 많은 데이터를 삽입하면 복잡해 보일 수도 있습니다. 이런 경우 Audience의 성향을 고려해서 데이터의 양을 적절하게 조절하시기 바랍니다(e.g., 불필요한 국가나 연도를 빼는 등).

Excel & PPT 파일 다운로드

Note) 헤드라인이 채워진 PPT 파일은 오른쪽 QR 코드를 통해 다운로드하세요. 유일한 정답이 있을 수 없지만 참고는 하실 수 있을 것입니다.

[실전 연습 09] Headline Storyline

☐ **아래 슬라이드(≒ 장표)의 그래프들을 보고 헤드라인(Headline)을 완성해보세요.**

I. External Environmental Analysis(외부 환경분석, 外部環境分析)

1. 인구통계학적 접근 - 가. 장래인구추계

- …

→ …

〈 장래 인구 추계(단위: 백만 명)* 〉

	1960	1970	1980	1990	2000	2010	2020	2030	2040	2050	2060	2070
전체인구	25.0	32.2	38.1	42.9	47.0	49.6	51.8	51.2	50.2	47.4	42.6	37.7
15~64세	13.7	17.5	23.7	29.7	33.7	36.2	37.4	33.8	28.5	24.2	20.7	17.4
~14세	10.6	13.7	13.0	11.0	9.9	8.0	6.3	4.3	4.4	4.2	3.3	2.8
65세~	0.7	1.0	1.5	2.2	3.4	5.4	8.2	13.1	17.2	19.0	18.7	17.5

〈 연령 구간별 인구 점유율(단위: %)* 〉

	1960	1970	1980	1990	2000	2010	2020	2030	2040	2050
65歲~	2.9	3.1	3.8	5.1	7.2	10.8	15.7	25.5	34.4	40.1
15~64歲	54.8	54.4	62.2	69.3	71.7	73.1	72.1	66.0	56.8	51.1
~14歲	42.3	42.5	34.0	25.6	21.1	16.1	12.2	8.5	8.8	8.8

Note) * 추계 시나리오: 중위 추계(기본 추계: 출산율-중위 / 기대수명-중위 / 국제순이동-중위)
Source) 통계청, 주요 인구지표(성비, 인구성장률, 인구구조, 부양비 등) 전국, 통계청, 2021년 12월 발표자료

7

① 단순히 장래 인구의 움직임만을 설명하는 것보다는 이와 더불어 경제나 시장 등의 향방을 함께 가늠해보는 것도 좋습니다.

② 우리나라 인구추계를 분석하며, 향후 큰 변화가 생길 산업들이 적지 않다는 점을 늘 염두(念頭)에 두시는 것이 좋습니다.

Excel & PPT 파일 다운로드

Note) 헤드라인이 채워진 PPT 파일은 오른쪽 QR 코드를 통해 다운로드하세요. 유일한 정답이 있을 수 없지만 참고는 하실 수 있을 것입니다.

[실전 연습 10] Headline Storyline(1/2)

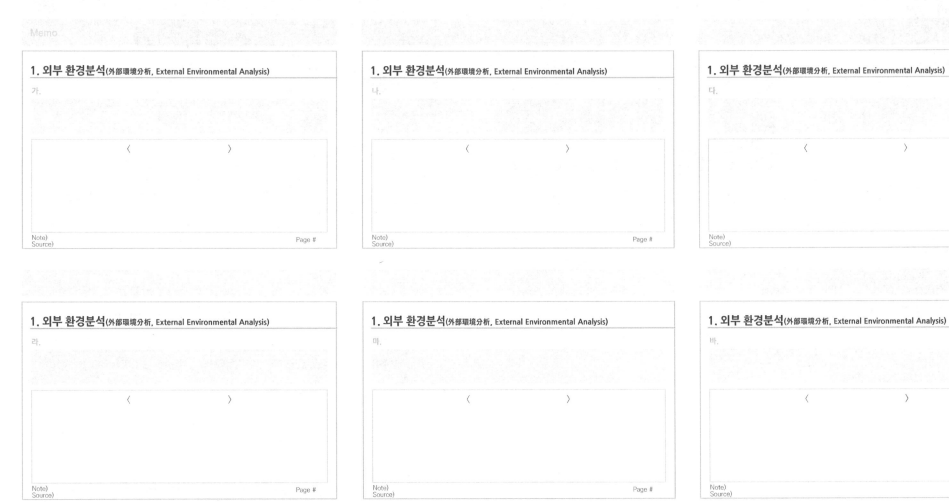

Memo

1. 외부 환경분석(外部環境分析, External Environmental Analysis)

가.

〈 〉

Note)
Source)
Page #

1. 외부 환경분석(外部環境分析, External Environmental Analysis)

나.

〈 〉

Note)
Source)
Page #

1. 외부 환경분석(外部環境分析, External Environmental Analysis)

다.

〈 〉

Note)
Source)
Page #

1. 외부 환경분석(外部環境分析, External Environmental Analysis)

라.

〈 〉

Note)
Source)
Page #

1. 외부 환경분석(外部環境分析, External Environmental Analysis)

마.

〈 〉

Note)
Source)
Page #

1. 외부 환경분석(外部環境分析, External Environmental Analysis)

바.

〈 〉

Note)
Source)
Page #

Note) 위 템플릿(Template)을 활용해 '헤드라인(Headline)'과 '세부내용'의 틀을 잡아보세요. 위 자료(PPT 파일)는 제가 운영하는 블로그에서 다운로드하실 수 있습니다.

[실전 연습 10] Headline Storyline(2/2)

슬라이드가 들어가야 할 목차 등 Memo

Headline을
두 줄로 작성해주세요.

Note)
Source)
Page #

Note)
Source)
Page #

Note)
Source)
Page #

Note)
Source)
Page #

Note)
Source)
Page #

Note)
Source)
Page #

Note) 위 템플릿(Template)을 활용해 '헤드라인(Headline)'과 '세부내용'의 틀을 잡아보세요. 위 자료(PPT 파일)는 제가 운영하는 블로그에서 다운로드하실 수 있습니다.

라. 문서 작성하기 - 3) 실전 문서 작성 기법들 - 나) Professional Skills - (3) Strategic Proposal(SP, 전략적 제안/제언)

☐ **일반적으로, 보고서 등의 결론 부분에 위치한 '전략적 제안/제언(Strategic Proposal)'은 해당 문서에서 가장 중요한 부분(핵심, 核心, Key)*****이며, 모든 문서는 바로 이것을 얻기 위해 작성됩니다.**

- 문서의 앞부분(서론, 본론)은 모두 이 부분(SP)을 제대로 만들기 위한 과정입니다. 그래서 SP의 논리나 스토리라인(줄거리)도 당연히 앞부분의 내용과 연결(Alignment)돼야 합니다.
- 만약, 이 부분이 앞부분과 제대로(논리적·실무적·구체적·객관적)으로 연결되지 않는 경우, '수준 낮은 문서'라는 평가를 받게 될 가능성이 높습니다.

Note) * 상황에 따라 '소요예산'과 '기대효과'의 순서가 바뀌는 경우도 있습니다. ** Strategic Keyword = 전략적 키워드 = 전략과제. *** Action Plan = 주요 or 세부추진과제.
**** Financial Section(or Analysis)는 '기대효과'에 포함시키거나 별도로 분리하기도 합니다. ***** 특히 위 다이어그램의 결론 부분 중 진한 남색 부분.

라. 문서 작성하기 - 3) 실전 문서 작성 기법들 - 나) Professional Skills - (3) Strategic Proposal(SP, 전략적 제안/제언)

☐ **문서**(특히, 기획서나 전략)**의 전략적 제안**(or 제언, 이하 제안)**을 작성할 때에는 언제나 '상식적**(常識的)**', '실무적**(實務的)**', '구체적**(具體的)**', 그리고 '객관적**(客觀的)**'이어야 합니다.**

- 구체적으로, 우선, 제안의 내용은 '본론 부분에서 검토·확인한 내용들(Key Findings)'을 토대로 '상식적인 수준의 논리'로 만들어져야 합니다. 그리고 물론 이 과정에서
- '재무적 타당성*'과 '관련 규정의 준수*' 여부도 '상식적인 수준'으로 검토된 후 반영돼야 할 것이며, 이렇게 만들어진 제안의 내용은 반드시 '구체적'이고 '객관적'이어야 합니다.
- 그리고 마지막으로, 모든 제안의 내용은 반드시 실무적으로 실행 가능해야 합니다. 아무리 좋은 제안도 실행 가능성이 없거나 낮다면 공염불(空念佛, 口頭禪 = 구두선****, 헛소리)이 될 뿐입니다.

〈 전략적 제안/제언을 작성하기 위한 기본원칙 〉

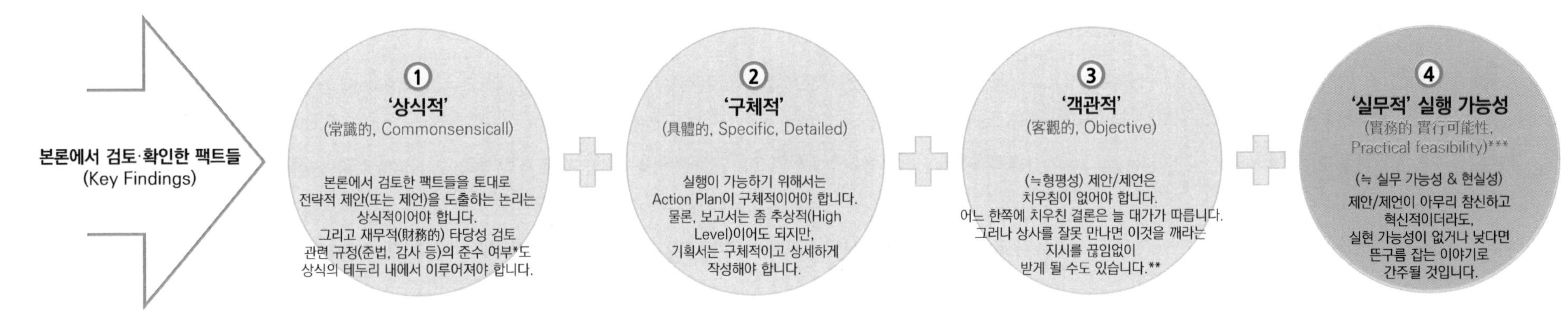

Note) * 재무적 타당성은 주로 '투입 비용대비 효과'로, 관련 규정의 준수는 주로 준법감시(Compliance)와 감사(Audit) 기준으로 검토. ** 이는 상사의 지시 근거를 명확하게 남기는 방법으로 해결할 수 있습니다.
*** 즉, 제안/제언은, 조직(회사, 팀 등)이 현재 보유하고 있는 제(諸) 능력과 한계(e.g., 조직, 예산, 공간, 권한, 업무량 등)를 고려해 현실적으로 작성돼야 합니다. ****실행이 따르지 않는 실속이 없는 말(우리말샘).

[실전 연습 11] 실무적 실행 가능성

□ **당신은 지금 아래와 같은 기획서를 작성하고 있습니다. 다음 각각의 상황에 대한 '실무적 실행 가능성' 유무(有無)를 판단하고 현실적인 대안(代案)을 한번 마련해 보시기 바랍니다.**

- 아래의 '추가 확인 사항'은 보통 실무팀과의 인터뷰를 통해 얻을 수 있는 정보들입니다. 이 정보의 인지 여부에 따라 실무적 실행 가능성의 판단은 달라질 수 밖에 없습니다.

	상황	추가 확인 사항	실무적 실행 가능성	대안
①	▪ 당신은 고객들의 목소리를 청취하는 이벤트를 기획 중입니다. 그리고 이를 통해 고객들의 신규 구매 수요를 파악하려고 합니다. ▪ 그러기 위해서는 누군가 고객들에게 직접 전화를 드려 그분들의 목소리를 들어야 합니다. ▪ 고민 끝에, 고객들과 공식 소통 창구인 고객서비스팀에게 이 역할을 맡기면 될 것 같았습니다. 그래서 사장님께 그 내용을 보고드리고 재가(裁可, Approval)를 득했습니다.	▪ 고객서비스팀은 3개월 전 조직원을 절반이나 감축(30명에서 15명으로)했고 이후 충원은 없었습니다. ▪ 고객서비스팀의 실무담당자와 인터뷰를 해보니, 현재는 과거 2~2.5명이 하던 업무를 1명이 수행하며 해당 업무에 적응 중이라고 합니다.	有(있음) / 無(없음)	
②	▪ 당신은 지금 회사(중소기업)를 더 성장시키기 위한 전략을 작성 중입니다. 그리고 이를 위한 여러 추진과제(Action Plan) 중 하나가 바로 'IT 개발인력 충원(3명)'입니다. ▪ 당신은 이것이 회사의 성장을 위해 매우 중요한 요소라고 판단하고, 인력 충원 예산을 대기업의 보상 수준으로 편성했습니다. ▪ 당신은 이 정도면 충분하다고 생각하고, 기획서 승인절차를 마무리 했습니다.	▪ 인사팀 채용 담당자와 인터뷰를 해보니, '대기업 수준 이상의 보상을 제공해도 우리 회사에 오겠다는 사람이 없다'고 말합니다. ▪ IT 개발자들은 보상보다 회사의 브랜드를 더 중요하게 생각한다고 합니다.	有(있음) / 無(없음)	

3. 보고서 및 기획서 작성하기

라. 문서 작성하기 - 3) 실전 문서 작성 기법들 - 나) Professional Skills - (3) Strategic Proposal(SP, 전략적 제안/제언)

□ **Strategic Proposal**(SP, 전략적 제안 or 제안 ≒ 결론 부분)**은 '보고서'의 경우 '시사점**(示唆點, Implication)**'으로, '기획서'의 경우 '방안**(해결, 대응, 추진 or 개선방안 ≒ 대안)**'으로 구체화됩니다.**

- 즉, 일반적으로 보고서는 결론 부분(시사점)에 'ⓐ우리에게 미치는 영향(Expected Impact)'과 이에 대한 'ⓑ향후 우리의 계획(High Level Direction)'을 추상적으로라도 언급하면 충분하나,
- 기획서는 보고서와 달리, 결론 부분에 '구체적인 방안(해결, 대응, 추진 or 개선방안 ≒ Action Plan)'과 '예산(Action Plan을 추진하기 위한 비용)', 그리고 '기대효과'를 '구체적'이고 '상세'하게 작성해야 합니다.

〈 보고서와 기획서의 전략적 제안/제언 비교 〉

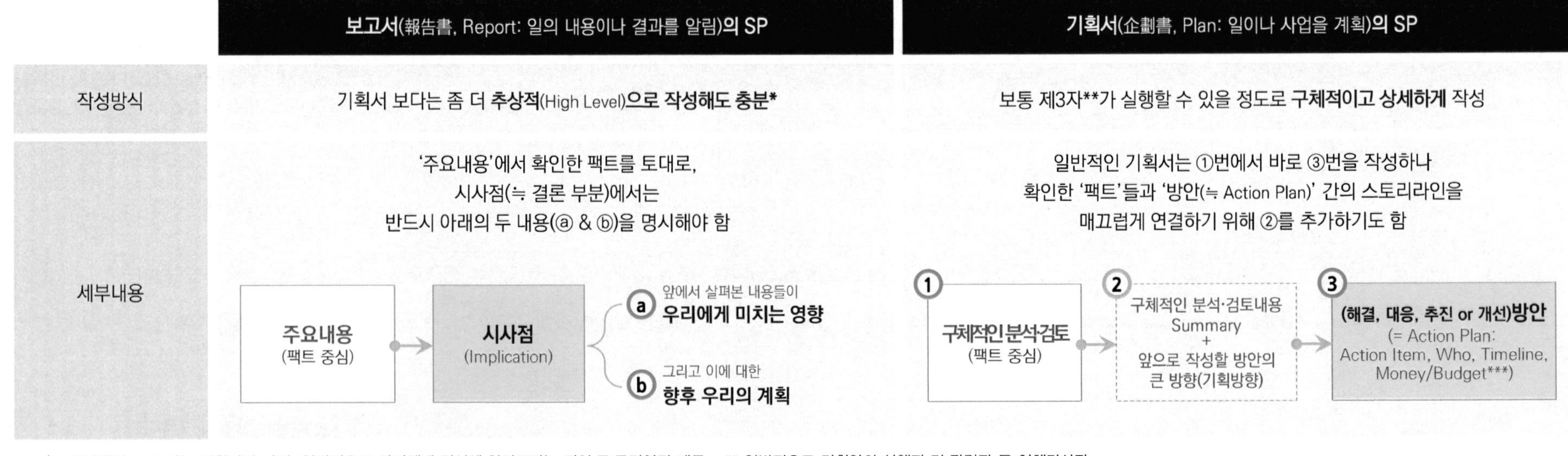

	보고서(報告書, Report: 일의 내용이나 결과를 알림)**의 SP**	**기획서**(企劃書, Plan: 일이나 사업을 계획)**의 SP**
작성방식	기획서 보다는 좀 더 **추상적**(High Level)**으로 작성해도 충분***	보통 제3자**가 실행할 수 있을 정도로 **구체적이고 상세하게** 작성
세부내용	'주요내용'에서 확인한 팩트를 토대로, 시사점(≒ 결론 부분)에서는 반드시 아래의 두 내용(ⓐ & ⓑ)을 명시해야 함 **주요내용** (팩트 중심) → **시사점** (Implication) ⓐ 앞에서 살펴본 내용들이 **우리에게 미치는 영향** ⓑ 그리고 이에 대한 **향후 우리의 계획**	일반적인 기획서는 ①번에서 바로 ③번을 작성하나 확인한 '팩트'들과 '방안(≒ Action Plan)' 간의 스토리라인을 매끄럽게 연결하기 위해 ②를 추가하기도 함 ① **구체적인 분석검토** (팩트 중심) → ② 구체적인 분석·검토내용 Summary + 앞으로 작성할 방안의 큰 방향(기획방향) → ③ **(해결, 대응, 추진 or 개선)방안** (= Action Plan: Action Item, Who, Timeline, Money/Budget***)

Note) * 왜냐하면, 보고서는 기획서와 달리, 일반적으로 상사에게 적시에 알려드리는 것이 주 목적이기 때문. ** 일반적으로 기획안의 실행자 및 관련자 등 이해당사자.
*** 사안에 따라 '어떻게(How)'가 추가되기도 함.

[참고 20] 보고서의 '시사점(Implication)' 예시

□ **아래의 예시는 실제 여러 회사의 기획 담당자들이 작성한 보고서의 결론 부분**(시사점 = Implication)**입니다. 물론, 이것들이 정답은 아니지만, 보고서 작성 전에 읽어 보시면 조금이라도 도움이 될 것입니다.**

- 아래 내용을 보시고, 여러분도 보고서 작성에 자신감을 가져보시기 바랍니다. 보고서는 절대 대단한 문서가 아닙니다. 그저, 특정 사안, 상황, 이슈 등에 대해 적시에 보고드리는 것이 중요한 것일 뿐입니다.*

〈 예시 01 〉

3. Implication(시사점)

□ 검토컨대, 입법예고된 안(案)대로 법률이 개정될 경우, 특히 계열사를 보유한 경쟁사들의 '마케팅 활동이 적극적으로 전개될 것으로 전망됨…
그리고 물론, 다른 경쟁사들도 이런 상황을 관망하지만은 않을 것으로 예상됨

□ 그러나, 경쟁사들의 이와 같은 적극적인 행보는, 일부 정치인들과 함께 기업들이 '소비자들의 이익을 외면한다'는 여론의 비난에 노출될 가능성이 높음
→ 즉, 이에 대한 선제적(경쟁사보다 발 빠른) 대응은 자칫 당사의 브랜드 가치(Brand Value)에 부정적 영향(Negative Impact)을 미칠 가능성이 농후

□ 따라서 당사는, 同 법이 개정된 이후 경쟁사들과 여론의 동향을 계속 주시한 후, 당사의 중장기 전략에 도움이 될 수 있는 '제휴마케팅전략'을 조심스럽게 전개해야 할 것으로 사료됨

〈 이상 〉

〈 예시 02 〉

4. 전망 및 시사점

□ 이상에서 검토한 바와 같이, 국내 시장의 오프라인 판매망(직영이든 대리점이든)을 지속 확대하는 것이 매출과 수익 증대로 연결될지는 미지수
- 따라서, 최근 경쟁사들의 채산성(採算性) 하락에 따른 오프라인 매장 축소 추세와 온라인채널의 매출 급신장을 주시할 필요 有

□ 왜냐하면, 당사가 경쟁사들보다 고정비(Fixed Cost) 비율이 약 6%p 정도 높기 때문(당사 XX% vs. 경쟁사 평균 XX%).
…

□ 이에, 당사는 연초(年初) 수립한 마케팅전략대로, 올 연말까지 온라인채널을 경쟁력을 강화하기 위한 활동에 총력을 집중해야 할 것으로 사료됨

붙임 1. 경쟁사 비용구조 비교 1부. 끝.

〈 예시 03 〉

3. 시사점 및 향후대응

□ 검토컨대, 상기 이슈는 특정 대리점(A)의 자체적 일탈행위로 인한 고객정보 유출사건이며, 당사 영업채널과는 이와 무관한 것으로 파악됨…
그러나, 대리점 사업모델은 이번 사건과 같이 고객정보 유출 리스크(Risk)가 상존(常存)…

□ 따라서, 당사는 현행 개인정보보호관련 법규를 철저히 준수함은 물론 유사시 법적 Risk를 최소화하기 위해
- 제휴사 대상 고객정보보호 관련 교육 지원을 강화하는 동시에(교육이수확인서 징구 등)
- 현재 협회에서 진행 중인 '대리점 개인정보 보호제도 개선TF'를 통해, 당국에 '대리점 제휴계약 해지 또는 폐업 시, 고객정보를 회수 및 파기할 수 있는 절차' 마련을 적극적으로 요구할 것임

□ 이와 더불어 당사는 당국과 업계의 동향을 주시하고, 同 이슈로부터 발생할 수 있는 諸(제) 리스크(Risk)를 최소화하기 위한 대응 활동을 보다 적극적으로 전개해야 할 것으로 사료됨

〈 以上 〉

Note) * 보고서로 보고를 드리고 난 후 '추가 검토' 지시를 받은 경우(세부 실행방안 마련 등)에는 이를 기획서나 전략으로 작성(≒ 개발)하시면 됩니다.
이때, 필요한 경우(상황에 따라), 여러 이해관계자들과 함께 TF를 구성해 방안을 마련하는 것도 하나의 옵션이 될 것입니다.

3. 보고서 및 기획서 작성하기

라. 문서 작성하기 - 3) 실전 문서 작성 기법들 - 나) Professional Skills - (3) Strategic Proposal(SP, 전략적 제안/제언)

□ **기획서**(전략 포함)**의 결론 부분 중 '해결**(또는 대응, 추진, 개선)**방안'과 '기대효과'를, 아래와 같은 '순서**(① → ⑤, 이를 '두괄식'이라고 이해하셔도 좋음)**'로 작성하면 '보고업무'가 훨씬 더 수월해질 것입니다.**

- 즉, 아래와 같은 순서대로 기획서를 작성한 후 '보고(≒ 화법, PT 포함)'하시면, 여러분이 전달하고자 하는 메시지를 상사님들에게 보다 더 쉽고 정확하게 전달할 수 있게 될 것입니다.
- 그리고 이에 대한 자세한 예시(例示, Example)는 뒤 페이지를 참고하시기 바랍니다.

〈 기획서의 '(해결/대응/추진/개선)방안'과 '기대효과' 작성 및 보고 방법 〉

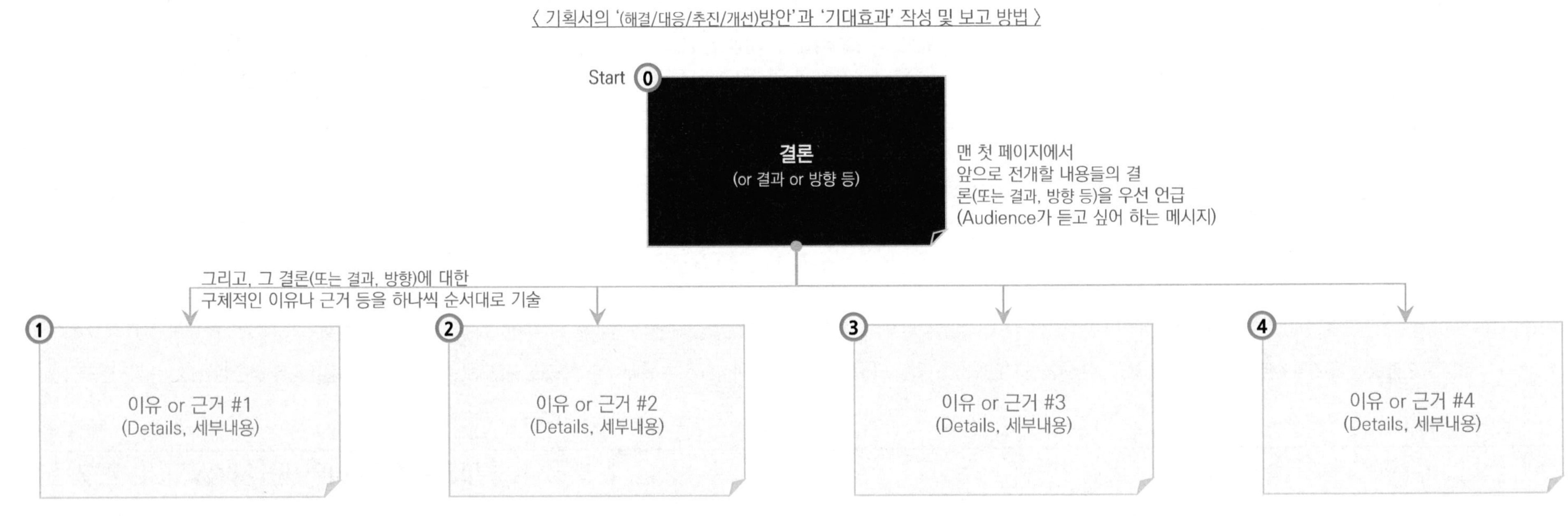
Start 0
결론
(or 결과 or 방향 등)
맨 첫 페이지에서
앞으로 전개할 내용들의 결
론(또는 결과, 방향 등)을 우선 언급
(Audience가 듣고 싶어 하는 메시지)
그리고, 그 결론(또는 결과, 방향)에 대한
구체적인 이유나 근거 등을 하나씩 순서대로 기술
1 이유 or 근거 #1
(Details, 세부내용)
2 이유 or 근거 #2
(Details, 세부내용)
3 이유 or 근거 #3
(Details, 세부내용)
4 이유 or 근거 #4
(Details, 세부내용)

[참고 21] '기대효과' 작성 및 보고 화법

□ **기획서 등에서 '기대효과**(期待效果, Expected Benefit)**'를 여러 페이지로 보고 드릴 때에는, 앞 페이지의 설명을 참고해서 아래와 같이 슬라이드를 구성해 보고 드려보는 것도 좋습니다.**

- 물론 이것이 유일한 정답은 아닐 것입니다. 그러나 분명, 여러분에게 새로운 아이디어를 제공해드릴 정도는 될 듯합니다.

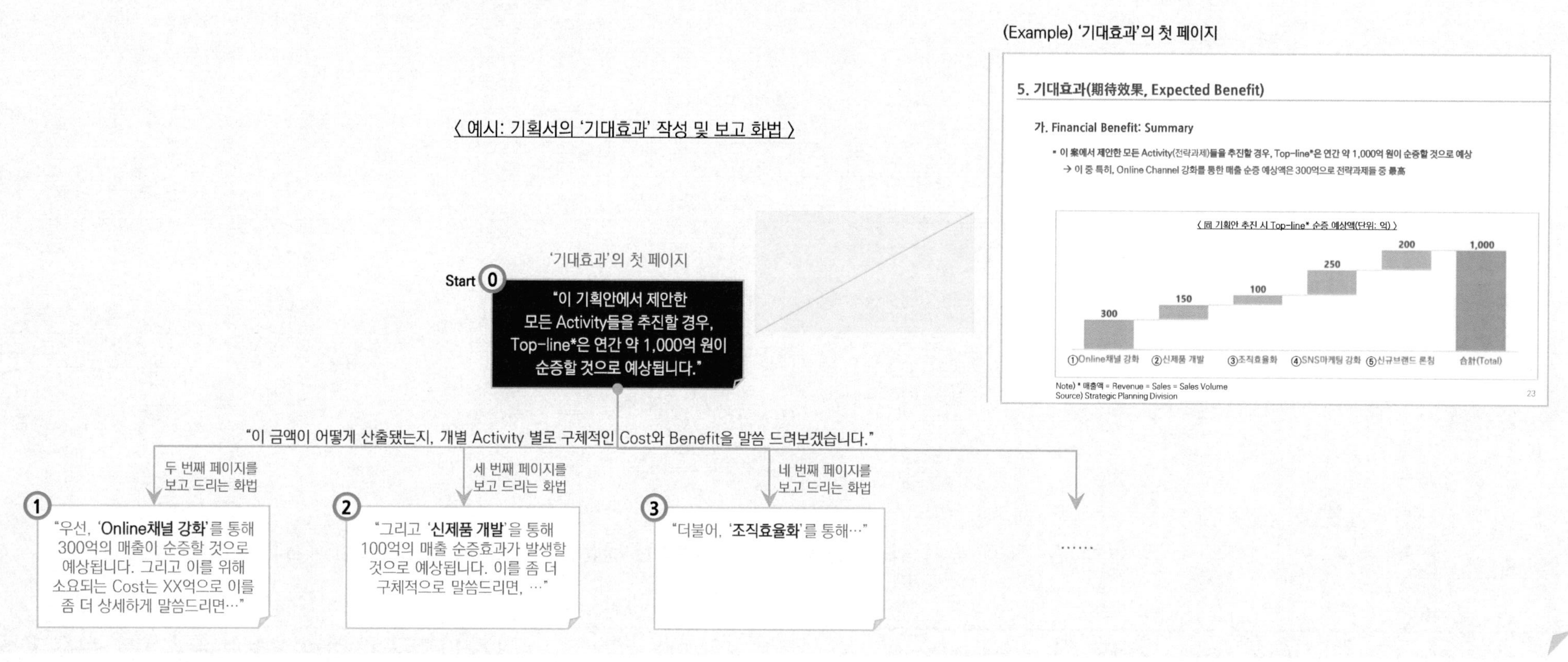

〈 예시: 기획서의 '기대효과' 작성 및 보고 화법 〉
(Example) '기대효과'의 첫 페이지
5. 기대효과(期待效果, Expected Benefit)
가. Financial Benefit: Summary
• 이 案에서 제안한 모든 Activity(전략과제)들을 추진할 경우, Top-line*은 연간 약 1,000억 원이 순증할 것으로 예상
→ 이 중 특히, Online Channel 강화를 통한 매출 순증 예상액은 300억으로 전략과제들 중 最高
〈 同 기획안 추진 시 Top-line* 순증 예상액(단위: 억) 〉
300
150
100
250
200
1,000
①Online채널 강화
②신제품 개발
③조직효율화
④SNS마케팅 강화
⑤신규브랜드 론칭
合計(Total)
Note) * 매출액 = Revenue = Sales = Sales Volume
Source) Strategic Planning Division
23
'기대효과'의 첫 페이지
Start 0
"이 기획안에서 제안한 모든 Activity들을 추진할 경우, Top-line*은 연간 약 1,000억 원이 순증할 것으로 예상됩니다."
"이 금액이 어떻게 산출됐는지, 개별 Activity 별로 구체적인 Cost와 Benefit을 말씀 드려보겠습니다."
두 번째 페이지를 보고 드리는 화법
세 번째 페이지를 보고 드리는 화법
네 번째 페이지를 보고 드리는 화법
1 "우선, 'Online채널 강화'를 통해 300억의 매출이 순증할 것으로 예상됩니다. 그리고 이를 위해 소요되는 Cost는 XX억으로 이를 좀 더 상세하게 말씀드리면…"
2 "그리고 '신제품 개발'을 통해 100억의 매출 순증효과가 발생할 것으로 예상됩니다. 이를 좀 더 구체적으로 말씀드리면, …"
3 "더불어, '조직효율화'를 통해…"
……

Note) * Top-line = 매출액

[실전 연습 12] 두괄식 스토리라인 연습(1/2)

□ 당신은 지금 대기업 A의 입찰과정*에 참가하기 위해 제안서를 준비하고 있습니다. Audience를 만족시킬 수 있게 제안서의 스토리라인을 만들어보세요.

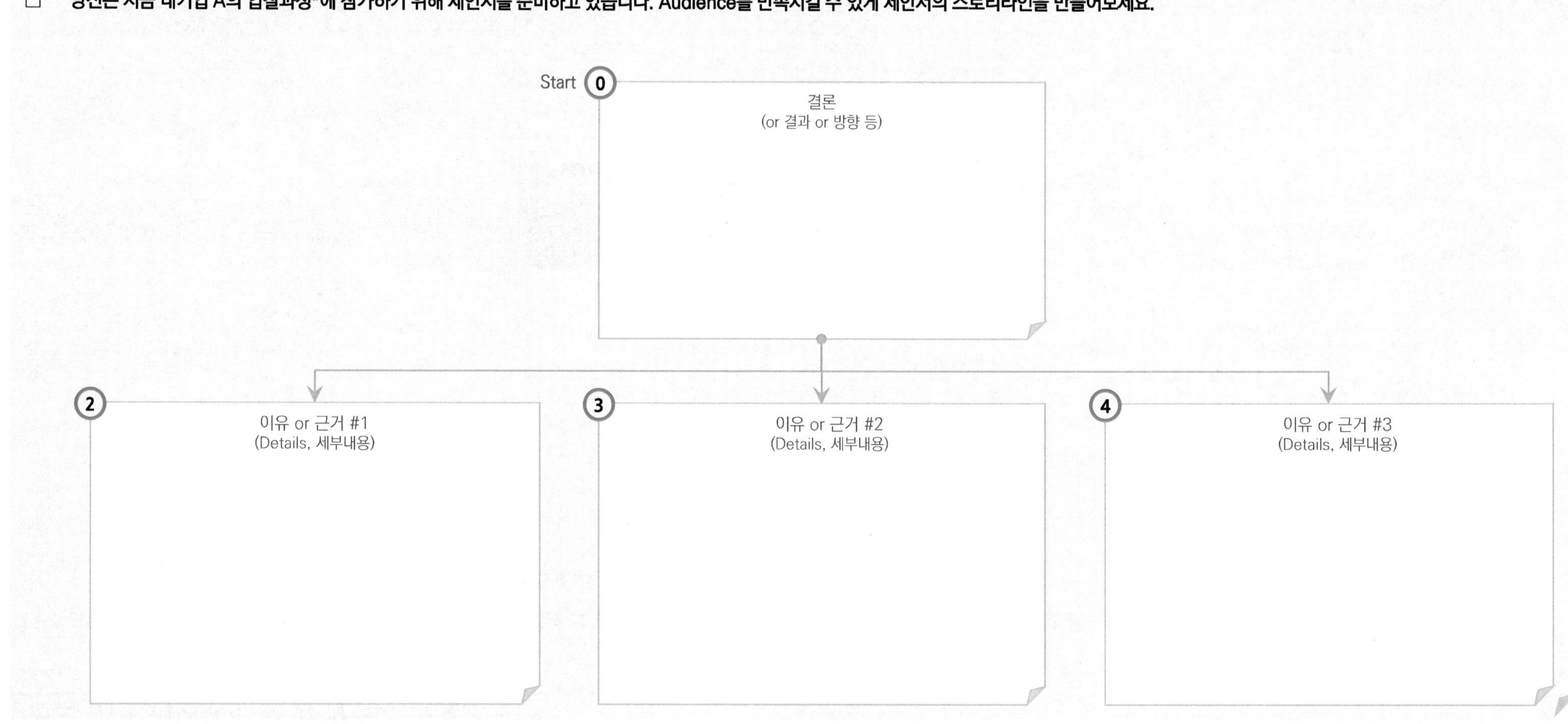

Note) * 직원들의 역량 강화를 위한 교육프로그램 제공 서비스

[실전 연습 12] 두괄식 스토리라인 연습(2/2)

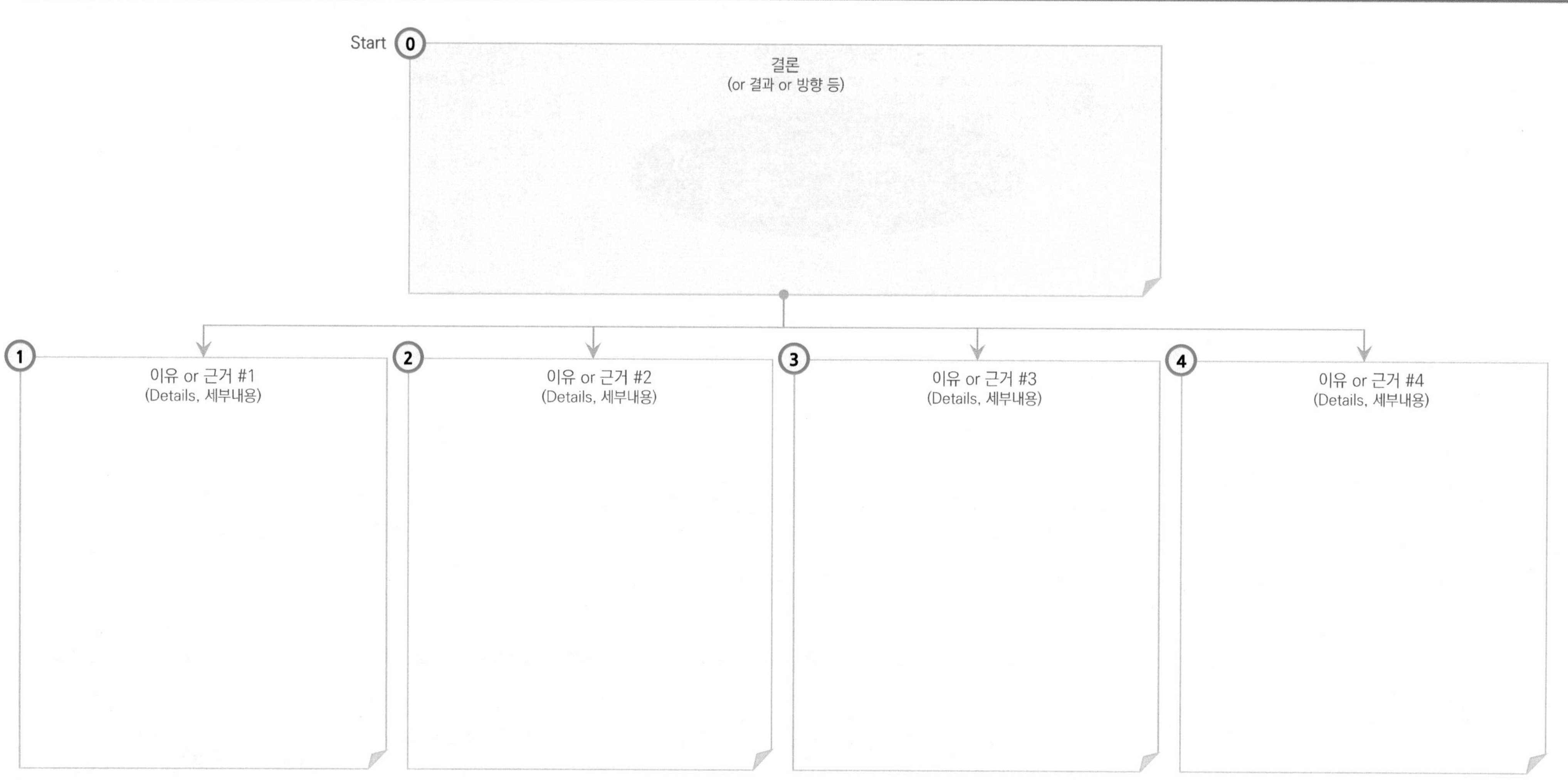

3. 보고서 및 기획서 작성하기

라. 문서 작성하기 - 3) 실전 문서 작성 기법들 - 나) Professional Skills - (3) Strategic Proposal(SP, 전략적 제안/제언)

□ **더불어, 방안**(주로, 기획서의 '해결/대응/추진/개선방안' ≒ 대안)**을 마련할 때에는 가능하면 '여러 분야'와 관련된 '다양한 추진과제'들이 포함돼야 합니다. 그래야 고민 좀 했다는 말을 듣게 될 것입니다.**

- 조직에서 발생하는 대부분의 문제들은 '하나의 방법'만으로 해결하기는 매우 어렵습니다. 왜냐하면, 그만큼 여러 원인들이 엉켜서 문제가 발생하기 때문입니다.*
- 그래서 어떤 문제를 제대로 해결하고 싶다면, 아래 예시와 같이, 주변을 좀 넓게 살핀 후 대안을 마련하는 것이 보다 효과적일 수 있습니다.

〈 예시: 고객서비스 품질을 개선하기 위한 전략적 제안/제언들 〉

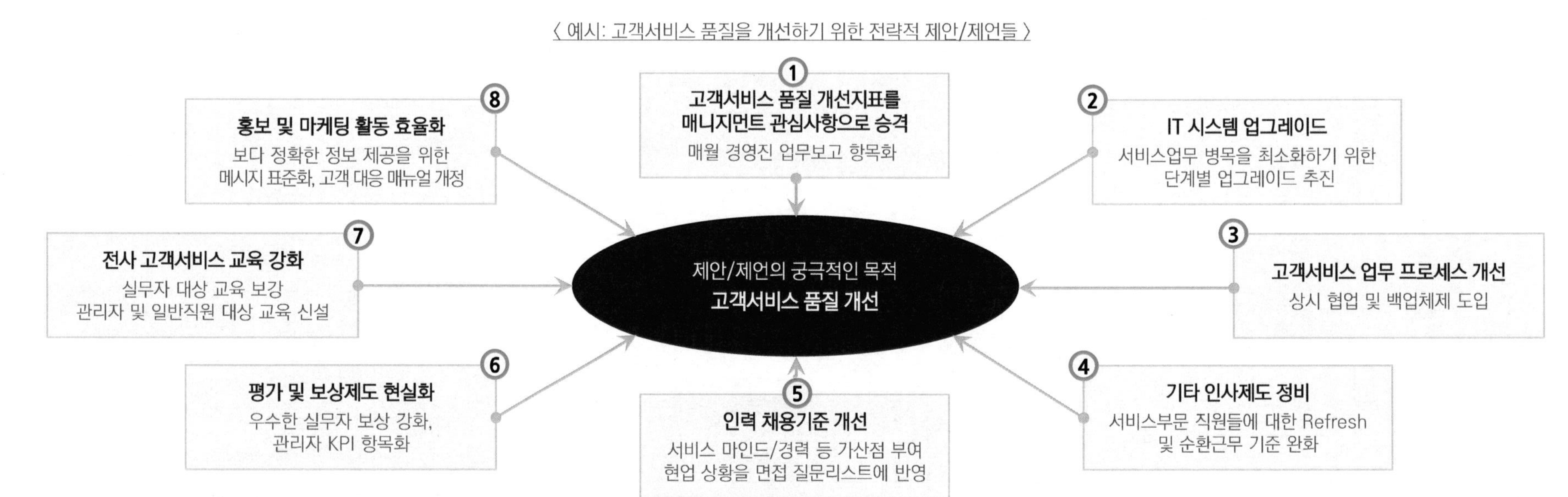

Note) * 겉으로는 단순해 보였던 사안도, 여러 실무 담당자분들과 이야기를 나누다 보면 상당히 복잡한 사안이 돼버리는 경우가 많습니다.
그래서 가벼워 보이는 일들도 위와 같이 넓게 보시는 연습을 꾸준히 하셔야 합니다. 그러다 보면 다른 분들이 가지지 못한 넓은 View를 얻게 될 것입니다.

[실전 연습 13] 실무적인 대안(방안) 찾아보기

□ **회사가 성장하기 위해서는 제휴 회사를 늘려야 합니다. 그런데 좀처럼 제휴 실적이 늘지 않습니다. 이 문제를 해결 할 수 있는 다양한 방법들을 찾아보시기 바랍니다.**

- 방안을 찾을 때는 회사의 조직도(組織圖, Organization Chart)나 각 팀의 업무분장표(Table of Role and Responsibility)를 옆에 두고 고민해보시는 것도 좋습니다.

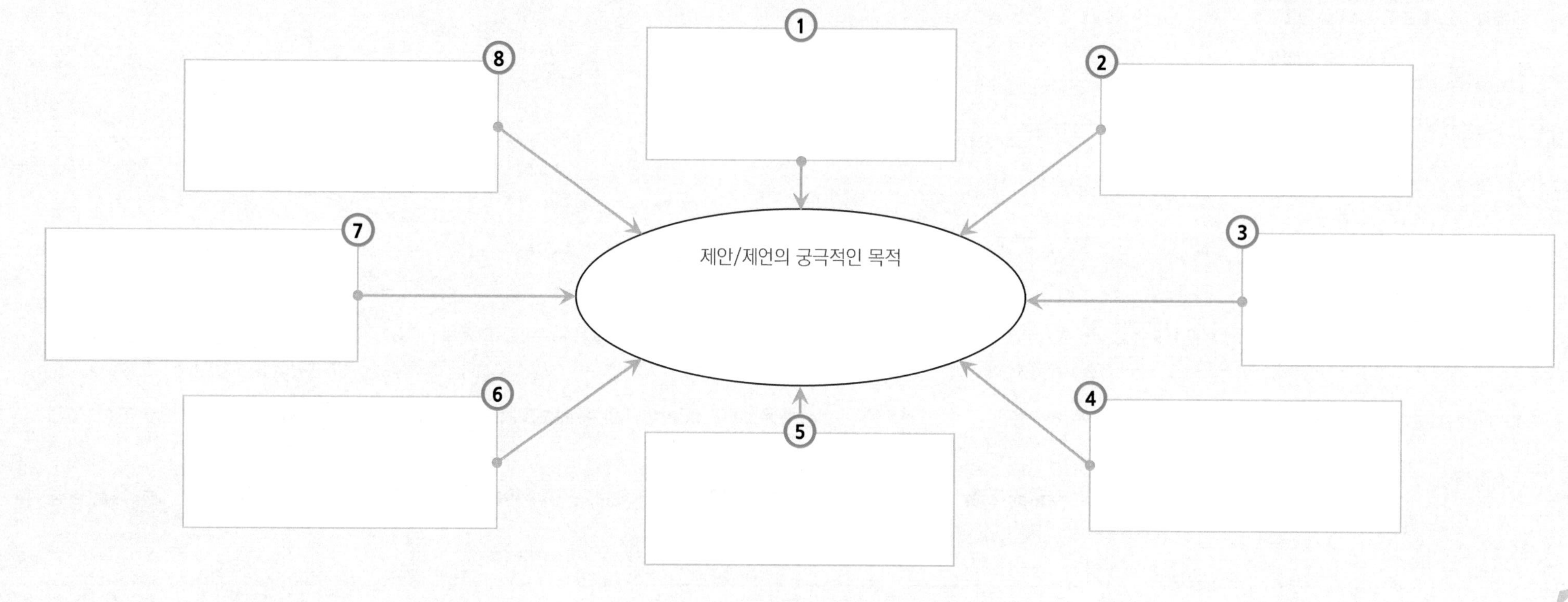

3. 보고서 및 기획서 작성하기

라. 문서 작성하기 - 3) 실전 문서 작성 기법들 - 나) Professional Skills - (3) Strategic Proposal(SP, 전략적 제안/제언)

□ **그리고, 여러 가지 대안이 있을 때에는 이의 장·단을 비교해 드려야 합니다. 왜냐하면, 윗분들은 결심**(決心, Decision Making, 그 중에 하나를 선택하는 것)**이 자신의 고유 권한이라고 생각하시기 때문입니다.**

- 만약, '상사님이 마음에 품고 있는 대안'을 알게 된다면(주로 보고업무 과정에서 미리 눈치챌 수 있음), 이를 반드시 대안 중에 하나로 포함시켜야 합니다.
- 그리고 '실무자가 선택한 안(案)'과 '상사님이 최종 선택한 안'이 다른 경우*, 상사님의 안으로 유연하게 전환할 수 있는 화법도 미리 준비하시면 도움이 될 것입니다.

〈 예시: 전형적인 대안 비교 양식 〉

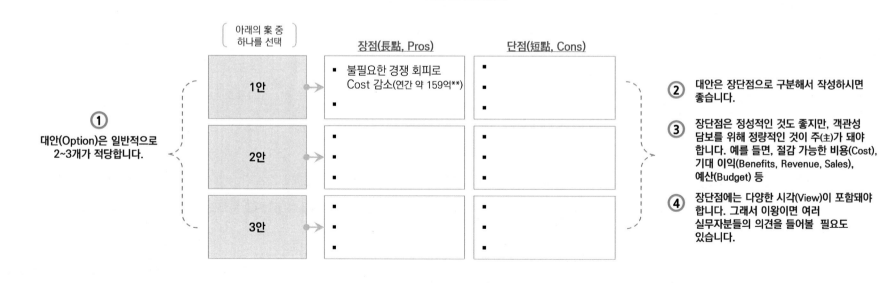

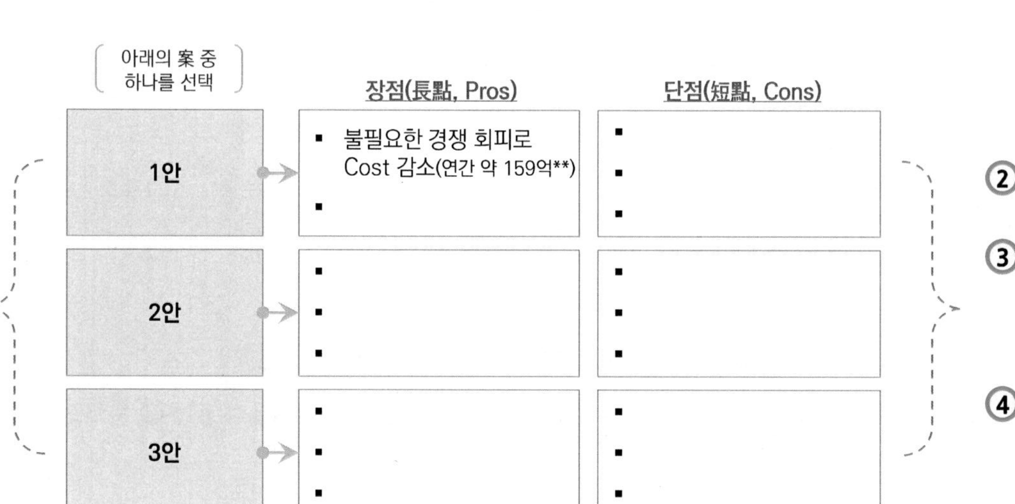
아래의 案 중 하나를 선택
장점(長點, Pros)
단점(短點, Cons)
1안
불필요한 경쟁 회피로 Cost 감소(연간 약 159억**)
2안
3안
① 대안(Option)은 일반적으로 2~3개가 적당합니다.
② 대안은 장단점으로 구분해서 작성하시면 좋습니다.
③ 장단점은 정성적인 것도 좋지만, 객관성 담보를 위해 정량적인 것이 주(主)가 돼야 합니다. 예를 들면, 절감 가능한 비용(Cost), 기대 이익(Benefits, Revenue, Sales), 예산(Budget) 등
④ 장단점에는 다양한 시각(View)이 포함돼야 합니다. 그래서 이왕이면 여러 실무자분들의 의견을 들어볼 필요도 있습니다.

Note) * 대부분의 상사님들은 자신이 결심(決心)하기 전에 실무자의 의견을 묻습니다. ** 이런 경우 산출 내역은 별도(각주나 붙임 등)로 표시해 주셔야 합니다.

[참고 22] Strategic Proposal Option Template(1/2)

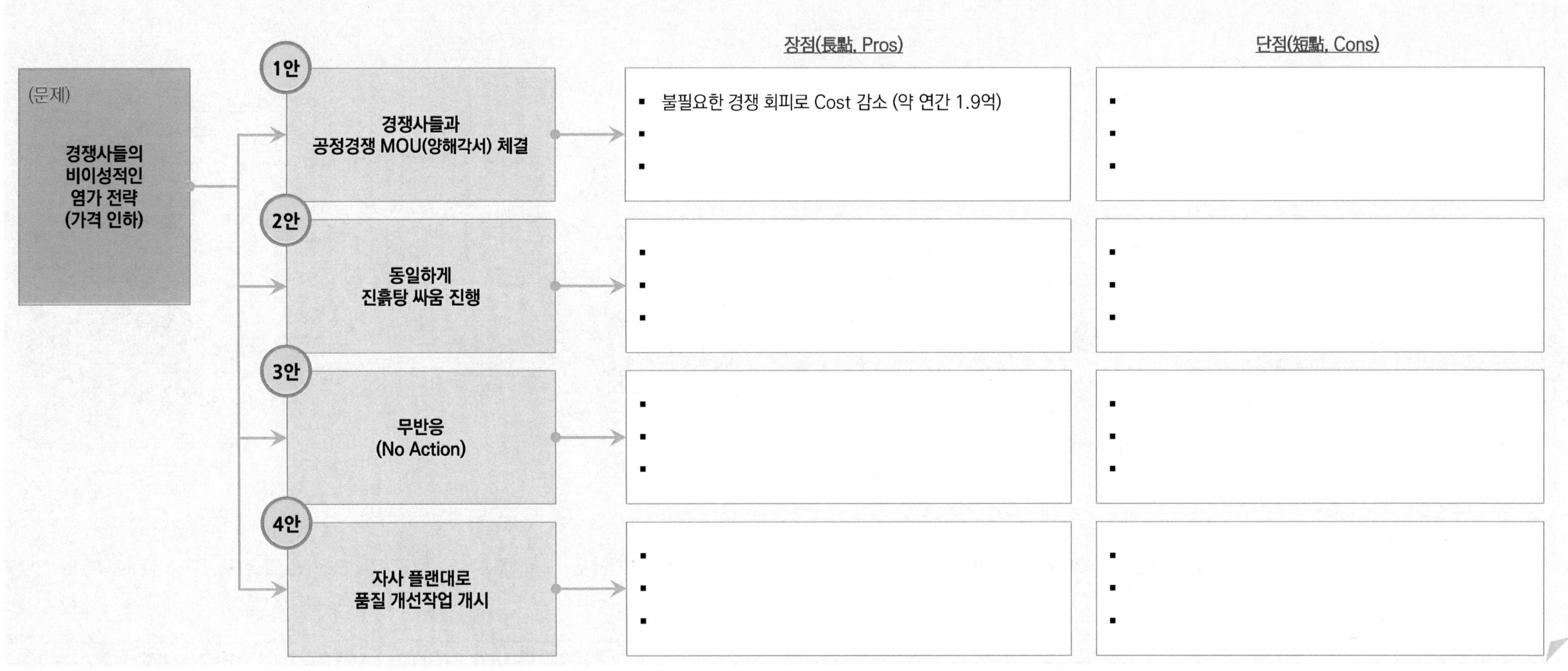

Note) 이는 일반적으로 윗분들이 선호하는 양식이나, 각 안(案)별로 장단점의 중복을 최소화해서 작성하기란 상당히 어려운 일일 것입니다.
참고로, 위 자료는 제가 운영하는 블로그에서 PowerPoint로 다운로드하실 수 있습니다.

[참고 22] Strategic Proposal Option Template(2/2)

□ **아래는 전략적 제안/제언 부분에서 종종 사용되는 대안 양식입니다. 이 양식을 활용하시면 실무자가 고민했던 여러 대안들의 장·단점을 간략하게 보고 드릴 수 있습니다.**

(문제)

OO사업부분의 누적 적자 해소

	1안	2안
	선택과 집중 OO사업부문을 폐쇄하고, 그동안 동 사업부문에 투입되던 자원을 보다 성장 가능한 다른 부문에 투자	**위기를 기회로** 추가 투자를 통해 OO사업부문의 경쟁력을 강화함
장점 (長點, Pros)	▪ ▪ ▪ ▪	▪ ▪ ▪ ▪
단점 (短點, Cons)	▪ ▪ ▪ ▪	▪ ▪ ▪ ▪

Note) 위 자료는 제가 운영하는 블로그에서 PowerPoint로 다운로드하실 수 있습니다.

3. 보고서 및 기획서 작성하기

라. 문서 작성하기 - 3) 실전 문서 작성 기법들 - 나) Professional Skills - (3) Strategic Proposal(SP, 전략적 제안/제언)

☐ **추가로, 기대효과**(期待效果, Expected Benefit) **부문 등에 향후 매출 등을 예측하는 자료를 추가할 때에는 이왕이면 세 개 정도의 시나리오**(Scenario)**를 준비하는 것이 좋습니다.**

- 왜냐하면, 하나의 시나리오로 매출 등을 예측하는 것보다 여러 개의 시나리오로 예측하는 것이 보다 더 '현실적'이고 '객관적'이며 '안전'하기 때문입니다.
- 일반적으로 시나리오는 ①Best-case(최고의 상황), ②Realistic-case(가장 현실적인 상황)*, 그리고 ③Worst-cast(최악의 상황)로 구분합니다.

〈 예시: 기획안 추진으로 인한 '하반기 이후 매출 전망' 〉

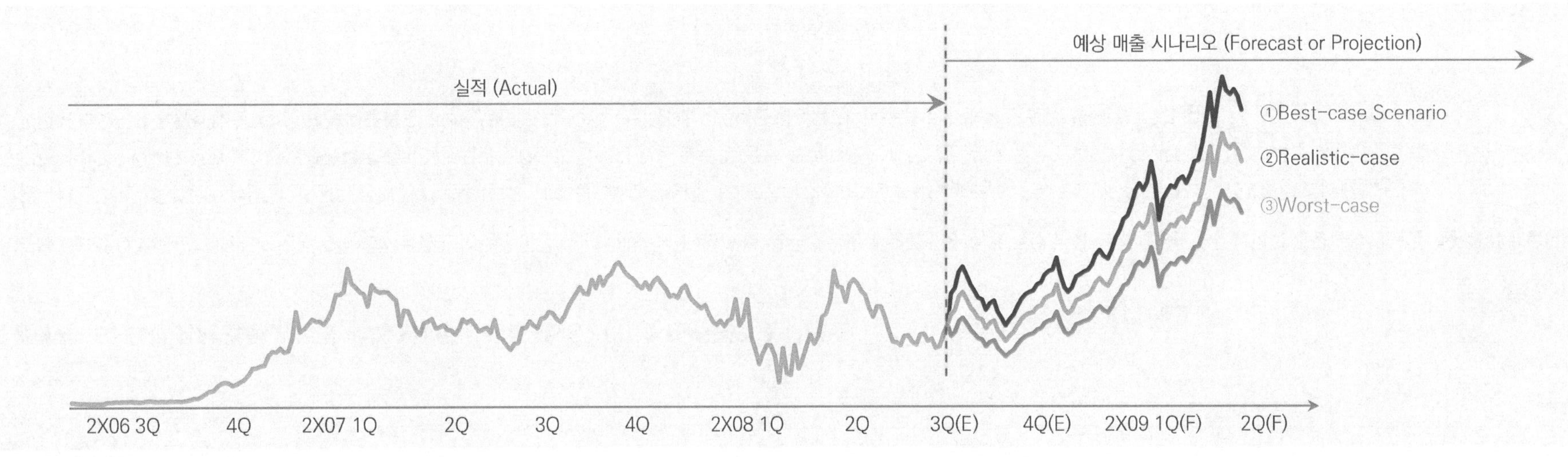

Note) * 상황에 따라서 Normal이나 Average를 사용하기도 합니다.

라. 문서 작성하기 - 3) 실전 문서 작성 기법들 - 나) Professional Skills - (4) 숫자/통계의 정확성

□ **대부분의 Chief Officer**(고위 임원. 특히, CFO와 CEO)**님들이 숫자나 통계**(특히 회사 내부에서 산출된)**를 매우 중요하게 생각하며, 이를 제대로 사용하지 않는 경우 상당히 민감하게 반응할 가능성이 높습니다.**

- 왜냐하면, 모든 의사결정이 바로 이 숫자나 통계로부터 시작되고, 그 결정으로 인한 결과가 그분들의 보상(성과급 등 Compensation package)에 직접적으로 영향을 미치기 때문입니다.
- 그래서 보고서나 기획서에 표기된 ⓐ숫자나 통계가 틀리거나 ⓑOwnership이 있는 팀의 검증절차를 제대로 거치지 않은 경우, 업무 신뢰도와 역량에 치명상(致命傷, Fatal injury)을 입게 될 수 있습니다.
- 따라서 보고서나 기획서에 숫자나 통계를 사용할 경우에는, 리스크를 최소화하기 위해, 이왕이면 아래의 시나리오를 참고해 이를 검증해보시기 바랍니다.

〈 숫자/통계 산출 및 검증 〉

Scenario(통계에 대한 ~)	통계 산출	Data 가공	결과 검증	비고
① Ownership이 우리 팀에 있는 경우 또는 Ownership이 있는 팀이 없는 경우	자체 산출	자체 가공	자체 검증	특히, 윗분들에게 요약표로 숫자를 보고드릴 때에는 절대로 합계(合計, Sum)가 틀려서는 안 됨
② Ownership이 다른 팀에 있고, 우리 팀이 자체적으로 해당 통계를 산출할 수 없거나, 산출 할 수 있어도 산출의 실익이 없는 경우*	Ownership이 있는 팀에게 자료 산출 등 협조 요청, 자체 산출 지양(止揚)**	자체 가공	필요시, 가공한 결과를 Ownership이 있는 팀에게 검증해줄 것을 요청	〃
③ Ownership이 다른 팀에 있으나 우리 팀에서 산출해도 크게 민감하지 않은 경우	자체 산출	자체 가공	〃	〃

Note) * 예를 들면, 자체적으로 통계 산출은 가능, 그러나 산출한 통계가 틀렸을 경우 리스크가 너무 큰 경우 등(e.g., 재무제표 관련 통계들). ** 더 높은 단계로 오르기 위하여 어떠한 것을 하지 아니함(우리말샘).

라. 문서 작성하기 - 3) 실전 문서 작성 기법들 - 나) Professional Skills - (5) 경쟁사 정보 조사/분석

□ **보고서나 기획서에서 '경쟁사의 정보*'는 '회사 내부에서 산출한 숫자나 통계'만큼** 강력한 힘을 가지고 있습니다. 그래서 이 정보를 확보할 수 있는 사람의 가치가 높은 평가될 때가 많습니다.**

- 왜냐하면, 대부분의 윗분들은 언제나 경쟁사들(특히, 라이벌 관계, 아니면 시장을 리딩하거나 벤치마킹을 할 수 있는 회사들)의 움직임(≒ 동향, Movement)을 지속적으로 확인하고 싶어 하시기 때문입니다.
- 그 이유는 크게 두 가지입니다. 하나는 시장의 흐름을 적시에 파악하기 위해서이고, 다른 하나는 본인이 추진하시는 안(案, Plan)에 대한 '확신'이나 '지지' 등을 얻기 위해서입니다.
- 그래서 경쟁사 네트워크를 활용해, 그들의 정보를 빠르게 수집 및 분석할 수 있는 사람***은 언제나 윗분들의 관심을 한 몸에 받게 될 것입니다.

〈 경쟁사 동향/비교분석의 가치 〉

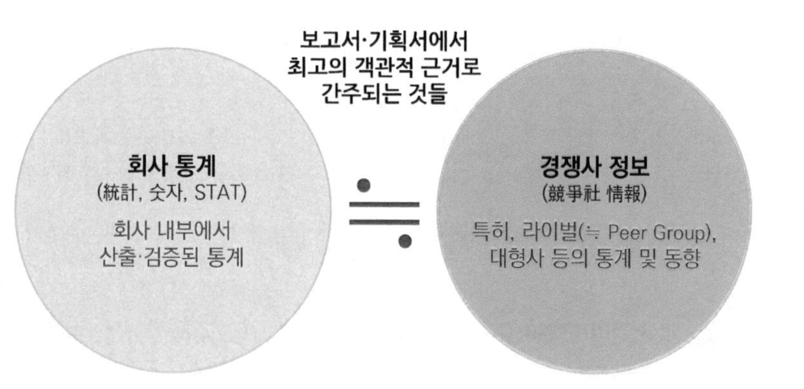

〈 경쟁사 정보 조사/분석 업무 포인트 〉

A. 윗분들에게 정보의 가치가 있는 경쟁사들은 주로 라이벌 관계(Rival, Peer group) 또는 시장을 리딩(Leading, 선도)하거나 벤치마킹(Bench-marking)이 가능한 회사들입니다. 그리고 물론, 여기에 유의미한 해외의 경쟁자들도 대상이 될 수 있을 것입니다.

B. 반드시 모든 경쟁사들의 정보를 수집해야만 의미가 있는 것은 아닙니다. 우선, 구할 수 있는 일부 경쟁사들의 정보라도 수집해 활용(자체 스터디 포함)해보시기 바랍니다.

C. 다행스럽게도, 경쟁사의 업무담당자들도 다른 회사의 정보를 필요로 합니다. 서로의 니즈(Needs)가 비슷하거나 도움이 될 수 있다면 정보 수집업무가 좀 더 수월해질 것입니다.

D. 경쟁사 정보 중, 측정 가능한 숫자(= 통계 or 지표) 자체도 중요하지만, 왜 그런 숫자가 나오게(=산출)됐는지에 대한 배경(背景, Background) 정보들도 윗분들에게는 큰 힘이 됩니다.

E. 윗분들은 주로 신문·전문지, 그리고 지인(비슷한 레벨)들을 통해 경쟁사 정보를 알게 됩니다. 그래서 여러분이 신문·전문지 등을 매일 읽고, 실무자 레벨의 경쟁사 네트워크로부터 상세 정보를 수집하게 된다면, 여러분의 정보력과 가치는 빛을 발하기 시작할 것입니다.

F. 이렇게 얻은 정보들을 꾸준하게 축적하시면, 회사 내에서 부탁을 받는 위치가 될 것이며, 동시에 회사 내·외부로부터 인사이트(Insight, 통찰력)를 갖춘 전문가 대접도 받게 될 것입니다.

Note) * 주로 경쟁사 동향. 예를 들면, 실적, 추진 전략(채널, 마케팅, 상품 등), 이벤트 및 프로모션, 신제품, 조직 개편, 사건·사고, 고위직 인사, M&A, 증자 등. ** 때로는 더 강력한 힘을 보유.
*** 물론 이는 원칙적으로 공정거래법 등 현행법의 테두리 내에서의 정보 수집 활동이어야 함.

3. 보고서 및 기획서 작성하기

라. 문서 작성하기 - 3) 실전 문서 작성 기법들 - 나) Professional Skills - (6) 안내선(Guides)

☐ **PowerPoint로 보고서나 기획서 등을 작성할 때에는 아래와 같이 '안내선**(PPT 화면 상단의 '①보기' 메뉴 중 '②안내선'을 체크하면 나타남) **기능*'을 사용하면 좀 더 규격에 맞는 문서를 작성할 수 있게 됩니다.**

- 즉, 안내선 기능을 사용하면, 모든 장표(슬라이드, 페이지)를 동일한 '틀'로 작성할 수 있게 됩니다. 그러나 이를 사용하지 않을 경우 각 페이지의 구성요소들이 들쑥날쑥해질 가능성이 높을 것입니다.
- 그리고, 현장에는 PPT의 디자인(또는 예쁘니 작업 = Tone & manner를 맞추는 작업)보다 이런 형식(틀, 서식 등)에 민감한 윗분들이 생각보다 많다는 것을 꼭 기억하시기 바랍니다.

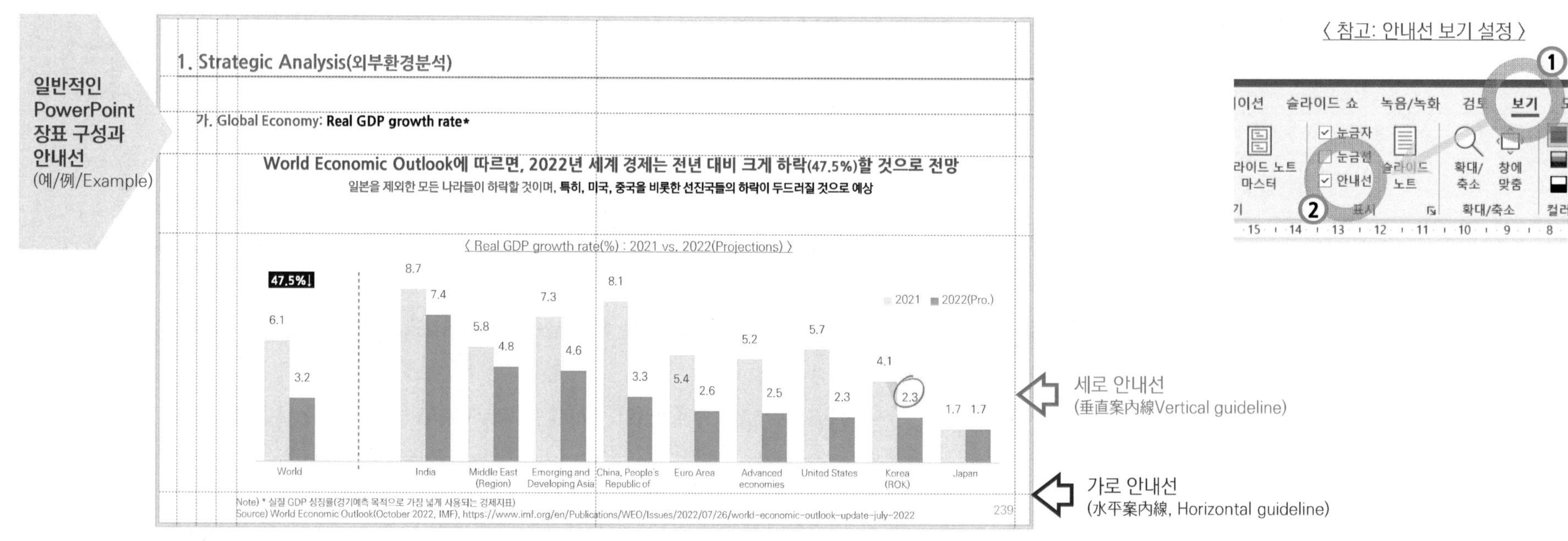

Note)* 최초 안내선은 가로 세로 한 개씩만 나타나며, 이를 복사할 때에는 Ctrl을 누른 후 복사할 안내선에 마우스 포인터(커서)를 가져가 클릭한 후 드래그(Drag)하면 됩니다.
반대로 안내선을 삭제할 때에는 해당 안내선을 마우스 포인터로 선택한 후, 해당 슬라이드 밖으로 드래그하면 됩니다.

② To be updated

라. 문서 작성하기 - 3) 실전 문서 작성 기법들 - 나) Professional Skills - (7) 레이블(Label, 라벨)

□ **보고서나 기획서 등의 문서를 만들 때 레이블**(Label, 해당 페이지에 작업 상황 등을 표시한 메모)***을 사용하는 것은 선택**(選擇)**이 아니라 필수**(必須)**입니다.**

- 왜냐하면, 동시에 여러 가지 업무를 수행해야하는 직장생활의 특성상, 개별 문서 작업을 한 번에 집중해서 끝낸다는 것은 거의 불가능하기 때문입니다.
- 그래서 문서를 작성할 때(구체적으로 각 문서의 페이지)에는 레이블을 활용해 해당 페이지에 모든 기록을 남겨 놓아야 합니다. 그래야 업무 시간을 조금이라도 더 효율적으로 사용할 수 있기 때문입니다.

〈 레이블의 활용 예시와 활용법 〉

※ PPT 슬라이드 Example

According to the IMF's World Economic Outlook,
the global economy is expected to fall significantly(47.5% ↘) in 2022 compared ...

① 헤드라인 업데이트 완료(10/04)

All but Japan are expected to fall, especially in developed countries, including the United States and China.

〈 Real GDP growth rate(%) : 2021 vs. 2022(Projections) 〉

2021 ■ 2022(Pro.)

47.5%↓

	2021	2022(Pro.)
World	6.1	3.2
India	8.7	7.4
Middle East (Region)	5.8	4.8
Emerging and Developing Asia	7.3	4.6
China, People's Republic of	8.1	3.3
Euro Area	5.4	2.6
Advanced economies	5.2	2.5
United States	5.7	2.3
Korea (ROK)	4.1	2.3
Japan	1.7	1.7

Note) * 실질 GDP 성장률(경기예측 목적으로 가장 널게 사용되는 경제지표)
Source) World Economic Outlook(October 2022, IMF)

239

A. 일반적으로 레이블은 이 페이지 오른쪽 상단에 붙여 놓은 형태(②)로 사용됩니다(왼쪽 'PPT 슬라이드 Example'의 ①도 동일).

B. 문서 작업을 할 때, 해당 슬라이드의 작업 상태 등을 레이블을 이용해 메모해두면, 개인 다이어리 등에 별도로 메모해두는 것보다, 나중에 이어서 작업할 때 훨씬 더 시간을 절약해줍니다.

C. 물론, 여러 명의 실무자들이 하나의 파일로 공동 작업을 할 때에도, 레이블은 매우 유용한 도구가 됩니다(예를 들면, 여러 사람이 참여하는 프로젝트에서, 각 슬라이드별 작성 담당자를 레이블로 특정(표시)해놓는 등).

D. 이 경우, 각 실무자가 해당 페이지에 작업 상황을 메모해두면 업무 총괄자가 전체 작업의 진행 상황을 쉽게 체크할 수 있게 됩니다.

Note) * 이를 라벨이라고 부르기도 합니다.

[참고 23] 레이블의 종류

□ **일반적으로, 레이블은 특별한 형식이 정해져 있는 것은 아닙니다.* 그래서 이를 보는 분들**(작성자 본인 포함)**이 언제라도 이의 정확한 의미를 파악할 수 있으면 족합니다.**

- 과거에는 왼쪽의 전통적인 레이블들을 주로 사용했습니다. 그러나 최근에는 실무의 다양한 상황에 맞게 레이블을 활용(이 페이지 오른쪽 상단과 같이)하고 있습니다.

〈 예시: 빈번하게 사용됐던 전통적인 레이블들* 〉

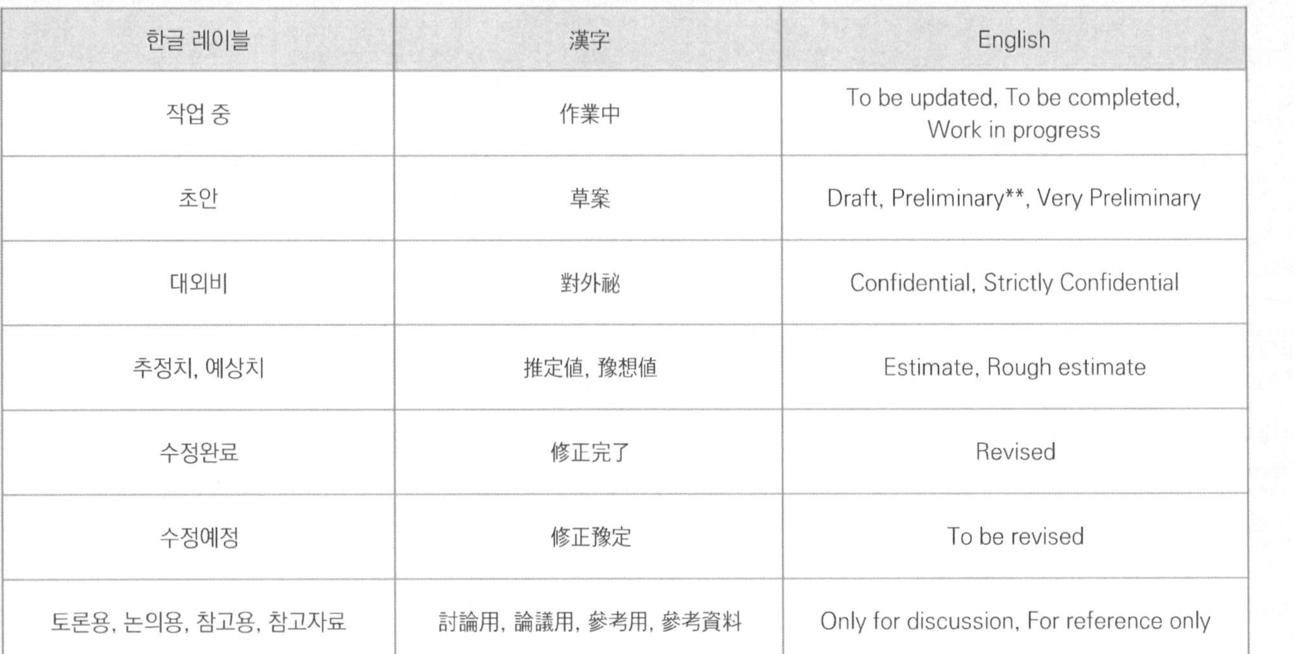

한글 레이블	漢字	English
작업 중	作業中	To be updated, To be completed, Work in progress
초안	草案	Draft, Preliminary**, Very Preliminary
대외비	對外祕	Confidential, Strictly Confidential
추정치, 예상치	推定値, 豫想値	Estimate, Rough estimate
수정완료	修正完了	Revised
수정예정	修正豫定	To be revised
토론용, 논의용, 참고용, 참고자료	討論用, 論議用, 參考用, 參考資料	Only for discussion, For reference only

〈 실무상 빈번하게 사용되는 레이블 〉

김 대리님, 11/3일까지 오타 좀 체크해주세요!

&

실무 상황별(別)
지시, 요청, 부탁, 코멘트 등*을
자연스럽게 메모(오른쪽 상단)

예를 들면, 특정 페이지에
"김 과장님 이 슬라이드의 통계 좀 10/04일까지 체크해주세요." 등

Note) * 물론, 레이블은 누가 봐도 알아 볼 수 있도록 '눈에 띄게' 붙여 두면 더 좋습니다. ** '잠정(暫定, 임시로 정함)'의 의미로도 사용

[참고 24] 레이블 사용 사례

Only for discussion

□ **각 슬라이드(= 장표, 페이지)에 붙인 레이블은 아래와 같이 제3자가 봐도 무슨 내용인지 명확하게 알 수 있게 작성해야 합니다. 왜냐하면, 어떤 상황이든 업무는 계속돼야 하기 때문입니다.**

- 예를 들면, 아래 슬라이드들 중에 레이블이 없는 것은 '작업이 완성된 것'들이며, 레이블이 붙어 있는 것은 '추가 작업(본인이 하든 타인이 하든)이 필요한 것'들입니다.
- 특히, 같은 파일을 여러 명이 공동으로 작업할 때(공용 폴더에서 하나의 파일로 작업할 때)에는 아래 ①번과 ②번과 같은 레이블로 업무 효율을 높이기도 합니다.

〈 예시: PPT로 만든 기획서의 레이블 활용 〉

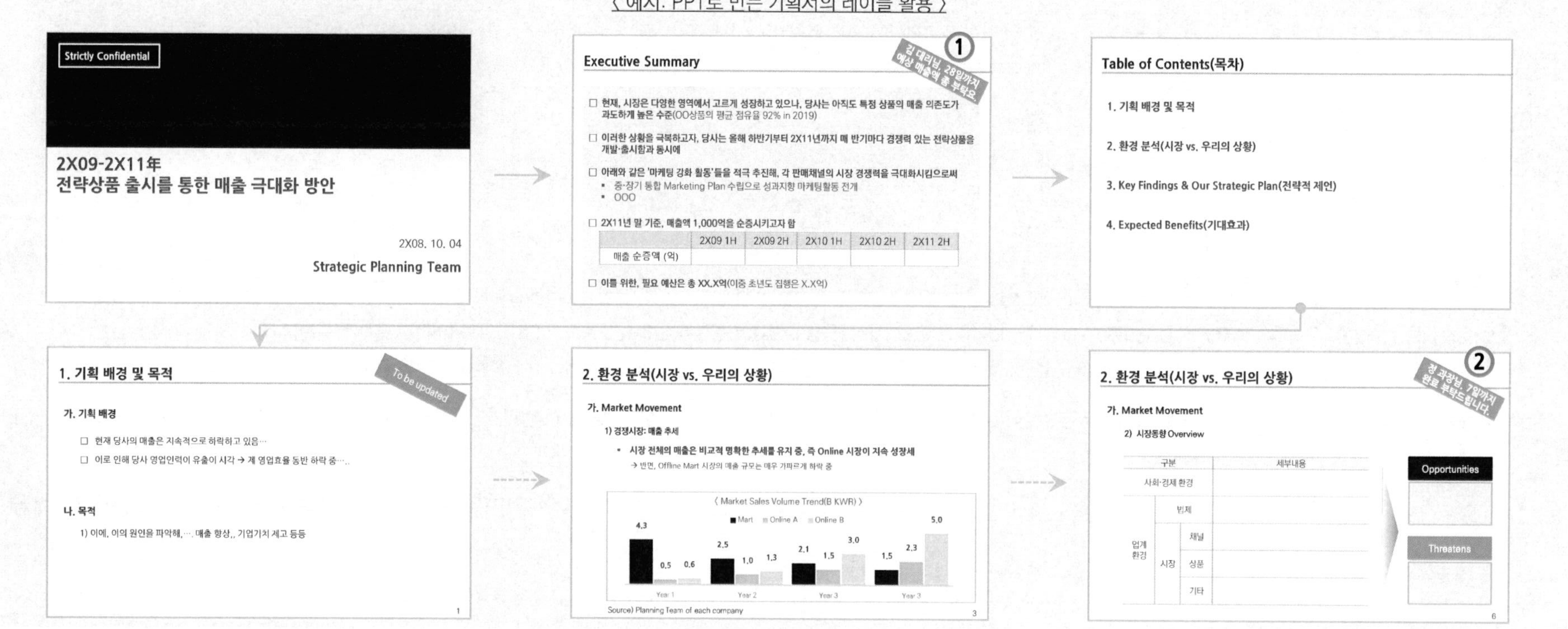

Note) 실무에서는 자유롭게 현재 상태를 메모두시는 것이 좋습니다. 왜냐하면, 메모를 레이블로 남기는 행위 자체가 중요하기 때문입니다.

라. 문서 작성하기 - 3) 실전 문서 작성 기법들 - 나) Professional Skills - (8) 마케팅 등 분석 기법들

□ **일반적으로 마케팅**(Marketing, Mktg.) **등 분석 기법들은 기획서나 전략의 스토리라인**(Storyline, 줄거리)**을 좀 더 체계적이고 논리적으로 만드는 데 도움을 주는 중요한 도구들이라고 평가됩니다.**

- 아래의 기법들은 대부분 상당히 오래된 것들이나 그렇다고 시대에 뒤떨어진 기법들이라고 평가되지는 않습니다. 왜냐하면, 실무에서는 그 가치가 이미 충분히 검증됐기 때문입니다.
- 그러나 실무에서는 아래 기법들을 이론 그대로, 융통성 없이, 활용하기 보다는 이들을 적절히 응용하거나 다른 기법들의 콘셉트(Concept)와 섞어(Mix)서 사용하는 것이 보다 일반적입니다.
- 다음 페이지부터 아래의 각 기법들을 실무적인 관점에서 보다 상세하게 설명해드리겠습니다. 즉, 교과서와는 좀 다른 시각과 용법들이 추가될 것입니다.

〈 일반적으로 마케팅 비전문가들이 실무에서 활용하는 분석 기법들 〉

구분			세부내용	비고****
SWOT			▪ SWOT 콘셉트에 따라, 조직의 내부(강점/약점)와 외부(기회/위협)환경을 분석한 후 이를 기초로 전략(SO, ST, WO, WT) 도출하는 툴	1965년 등장 이후 구체화
3Cs			▪ 조직 내·외부 환경을 분석하기 위한 툴: 자사/경쟁사(현재 & 잠재)/소비자로 분류 → Company, Competitor, Customer	1982년 등장
4Cs			▪ 3Cs에 Channel을 추가한 환경분석 툴: Company, Competitor, Customer, Channel(유통경로/흐름, 최적경로)	-
STP			▪ 시장을 세분화해 타깃을 정하고 소비자들의 의식 속에 우리 제품을 각인하기 위한 기법(Segmentation, Targeting, Positioning)	1950년대 등장
마케팅 믹스 (Mktg. Mix)	4Ps	더* 고객 지향	▪ 생산자(or 공급자) 중심의 전략 수립 도구: Product, Price, Place(유통: Where?, Channel), Promotion(홍보/판촉: How to sell?, 어떻게 알릴지?)	1960년대 등장, 이를 산업사회(Inside-Out, 즉 수요 〉 공급)**에 적합한 틀이라는 견해가 통설
	4Cs		▪ 수요자 중심: Customer Value(고객이 느끼는), Cost to Customer(기회비용), Convenience(고객편의, 유통), Communication	1993년 등장, 이를 정보사회(Outside-In, 즉 수요 〈 공급)에 적합한 틀이라는 견해가 다수
	4Es		▪ Evangelist(충성고객들의전도), Enthusiasm(마케터의열정), Experience(미리체험), Engagement or Exchange(참여)	감성사회(Both Inside & Outside)에 최적화된 마케팅 믹스라고 주장
BCG Matrix***			▪ 가로 세로 2X2의 틀에 하는 포트폴리오 분석기법: 시장성장률/시장점유율 기준으로 Star, Cash Cow, ?(Questions Mark), Dog(PET)로 구분	1968년 등장 이후 구체화
Waterfall			▪ 워터폴(폭포) 차트, '최초 값'이 어떻게 '결과 값'이 됐는지 그 과정(via positive or negative value)을 보여주는 차트	-
Fishbone Diagram			▪ 문제의 원인을 찾는 기법: 현상이나 결과에 대한 근본적인 원인과 이유를 시각적으로 분석·정리하는 기법	Cause & Effect Diagram이라고도 함
Marimekko Chart			▪ X축과 Y축 모두를 변수로 활용해, 전체 시장의 양적 특성(e.g., 매출, 점유율 등)을 한 눈에 파악할 수 있게 보여주는 그래프	

Note) * 마케팅전략이 '회사 주도'에서 '고객과 함께 만들어가는' 개념으로 변화됐다는 의미. ** Inside-Out: 마케팅전략이 회사 내부 요인에 의해 결정. 즉 수요가 공급을 견인할 때(수요 〉 공급) 활용되던 콘셉트.
*** 이를 개선한 GE/McKinsey Matrix도 사업무분의 경쟁력을 분석하는 기법이나 많은 변수가 주관적 판단에 의해 평가돼 객관성 확보가 어렵다는 등의 비판이 존재. **** 등장 연도에 대한 견해는 다를 수 있음.

[참고 25] 마케팅 분석 기법들을 활용한 마케팅전략 수립 과정

□ **마케팅 분석 기법들은 개별적·독립적으로 활용될 수도 있지만, 일반적으로 실무에서는 이들을 각 상황에 맞게 적절하게 응용**(분리, 통합 또는 일부 변경 등)**해서 사용합니다.**

- 왜냐하면, SWOT, 3Cs, STP, 4Ps, 4Cs, 4Es 등의 분석 기법들이 언제나 만능 키(萬能열쇠, Master key)의 역할을 할 수 있는 것은 아니며, 그 자체로 완벽한 것도 아니기 때문입니다.
- 그래서 각 분석 기법들은 자체적으로 공백(실무상 논리를 전개하기에 부족한 부분)이 있고, 동시에 각 분석 기법들 서로 간에는 중복된 내용(or 부분이나 Concept)들도 일부 존재합니다.
- 아래는 여러 기법들을 활용해 마케팅전략의 틀을 도시(圖示)해 본 것입니다. 각 분석 기법들 간에 분명 '차이점'도, 그리고 중복된 내용도 존재(①~③번 간, ③번과 ④번 간)합니다.
- 그래서 실무에서는 각 기법들을, 아래에 언급된 것 이외에도, 보고서나 기획서의 전체 스토리라인(Storyline, 논리의 줄거리)을 강화하기 위해 적절하게 응용하는 것입니다.

〈 여러 마케팅 분석 기법들을 활용한, 마케팅전략 수립 과정 〉

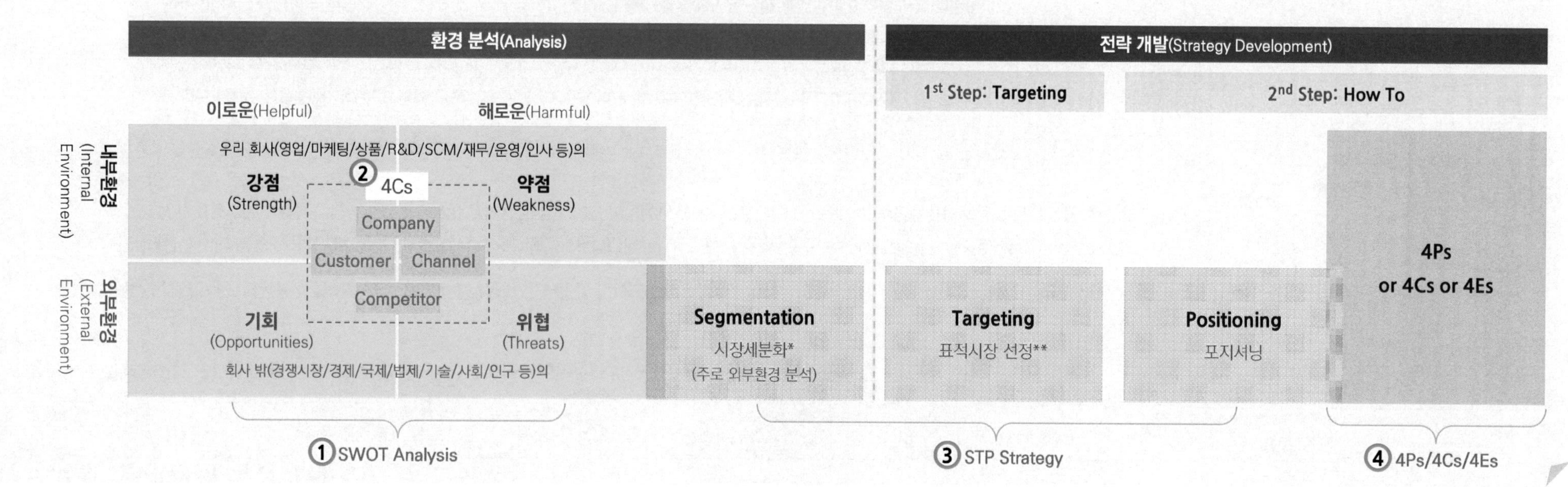

Note) * Segmentation 과정은 SWOT의 외부 환경분석 중 시장에 관한 내용입니다. ** 이 단계에서 3Cs나 4Cs 등의 Concept를 활용하기도 합니다.

3. 보고서 및 기획서 작성하기

라. 문서 작성하기 - 3) 실전 문서 작성 기법들 - 나) Professional Skills - (8) 마케팅 등 분석 기법들

□ **그러나 이런 분석 기법들을 적절**(適切, Suitable)**하게 사용하지 못하면, '어설프다'거나 'Academic**(실무와 거리가 있음, 탁상 공론)**하다'라는 말을 듣게 될 가능성이 높을 것입니다.**

- 왜냐하면, 아무리 훌륭하게 만들어진 기법이더라도, 이것들은 어디까지나 하나의 도구(Tool)나 틀(Frame)에 불과하기 때문입니다.
  즉, 이를 사용했다고 저절로 문서의 ①객관성이 담보되거나 ②스토리라인(Storyline, 논리의 흐름 or 줄거리)이 탄탄해지는 것은 아니기 때문입니다.

- 참고로, 이 분석 기법들을 사용한 후, 위와 같은 부정적인 피드백을 받게 되는 이유는 주로 아래와 같습니다.

① 우선, 이 **분석 기법들**(이 책에 언급하지 않은 분석 기법들도 포함)**을 너무 맹신하고 융통성 없이 이론 그대로 사용하는 경우**입니다.
⇒ 회사마다, 사안마다 상황은 다를 수 밖에 없습니다. 그래서, 교과서에서 배운 기법을 그대로 적용할 수 있는 상황은 그리 많지 않습니다.

② 그리고, 많은 분들이 빈번하게 실수하시는 것으로, **분석이 전반적으로 '정성적인 측면'에 과도하게 집중돼 있는 경우**입니다.
⇒ 제한된 재원으로 성과를 극대화시켜야 하는 회사는, 일반적으로, 정성 분석보다는 정량 분석(定量分析, 量的分析, Quantitative analysis)을 훨씬 더 객관적이라고 판단합니다.
⇒ 그래서, 기획서 등의 주요 논리는 이왕이면 정량 분석(定量分析, 구체적으로 객관성과 신뢰성이 담보된 '통계*')을 통해 측정·검증될 수 있어야 합니다.
⇒ 그렇지 않으면, 현실적인 객관주의자들(주로 CFO 등)의 날 선 공격을 마주하게 될 것입니다.

③ 그리고 **이 분석 기법들을 통해, 현실적이고 실행 가능한, 제대로 된 대안을 찾지 못했을 경우입니다.**
⇒ 일반적으로, 보고서나 기획서 등은 결국 제대로 된 대안을 찾기 위해 작성하는 것입니다. 그래서 그게 미흡하다면 그저 미완(未完)의 문서가 될 뿐입니다.
⇒ 결국, 아무리 좋은 기법을 사용했다고 하더라도, 제대로 된 결론(특히, 실행 가능성이 낮은)이 없다면 작성자나 문서 '모두' 가치가 떨어질 수 밖에 없습니다.

※ 그러나 만약, 분석이라도 제대로 돼 있다면 최소한 시간 낭비를 했다는 말은 듣지 않을 수도 있습니다. 왜냐하면, 그 분석을 통해 결국 누군가(주로 상사님들)가 대안을 찾게 수도 있기 때문입니다.

Note) * 제가 다른 주제에서도 말씀 드린 바와 같이, 가장 신뢰할 수 있는 통계는 적절한 절차를 통해 산출된 회사의 자체 통계입니다.

[참고 26] 마케팅 등 분석 기법 - SWOT Analysis Concept(1/3)

□ **SWOT(스왓 분석)은 '65년에 탄생된 '마케팅 전략 수립 기법(Tool, Frame)'이지만, 아직까지 실무에서 꾸준하게 사랑을 받고 있습니다. 왜냐하면, 누구나 쉽게 '이해'하고 '사용'할 수 있기 때문입니다.**

- SWOT 分析(분석, Analysis)은 회사(or 조직)* 내·외부의 여러 복잡한 상황을, 아래와 같은 단순한 2X2(Two by Tow)의 4개의 사분면을 통해, 한 눈에 파악할 수 있게 도와줍니다.
- SWOT 分析은 내·외부 환경을 크게 네 가지 Factors(요소)로 구분: 강점(强點, Strengths, 제2사분면), 약점(弱點, Weaknesses, 제1사분면), 기회(機會, Opportunities, 제3사분면), 그리고 위협(威脅, Threats, 제4사분면)
  - 이들 중 강점(제2사분면)과 약점(제1사분면)이 내부 환경에 대한, 그리고 기회(제3사분면)와 위협(제4사분면)이 외부 환경에 대한 요소들입니다.
  - 그리고 강점(제2사분면)과 기회(제3사분면)가 회사(or 조직)의 목적 달성에 도움이 되는, 약점(제1사분면)과 위협(제4사분면)이 목적 달성에 도움이 되지 않는 요소들입니다.
- 일반적으로, 이 기법은 다른 분석 기법들을 담는 큰 틀(테두리)이나, 스토리라인(Storyline, 논리의 흐름)을 연결해주는 교두보(橋頭堡) 역할을 하기 때문에 실무에서 빈번하게 사용됩니다.

〈 SWOT 분석(Step 01)의 기본 Concept 〉

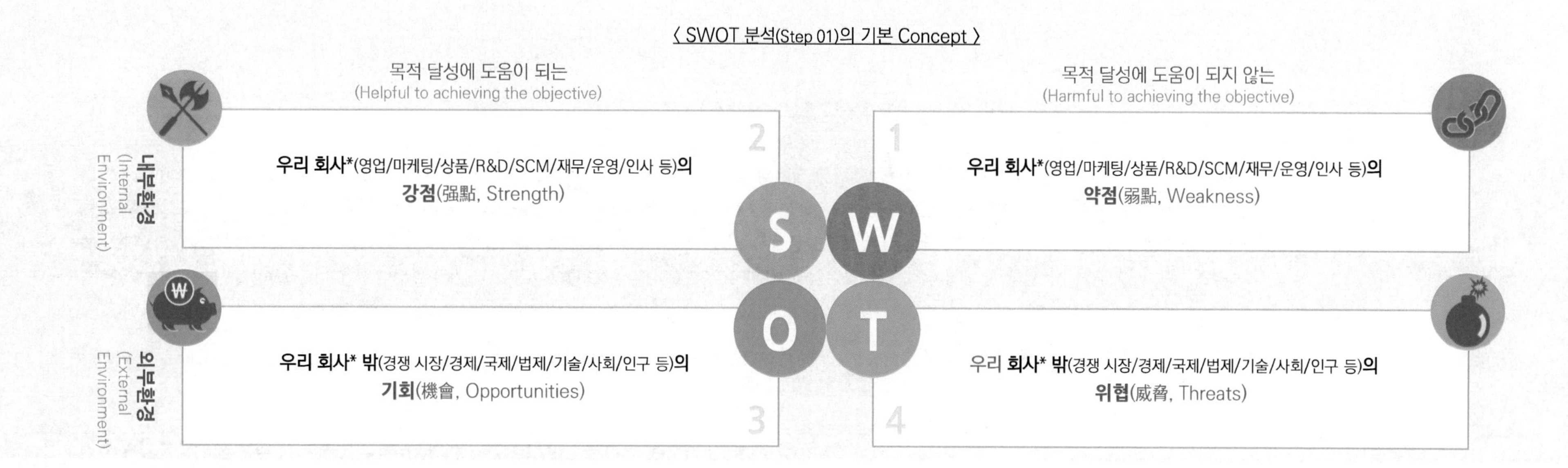

Note) * 이를 회사나 사업부, 프로젝트 등으로 다양하게 변경해 활용할 수 있습니다.

[참고 26] 마케팅 등 분석 기법 - SWOT Analysis Concept(2/3)

□ **즉, 이론적으로, SWOT 분석은 기업**(또는 조직이나 사업 등)**의 내·외부 환경을 분석하고 이를 토대로 최적**(最適)***의 전략을 만들어내는 것을 목적으로 만들어진 Strategic Framework**(틀, 프레임워크)**입니다.**

- 이론상 SWOT Analysis의 프로세스는 크게 두 단계로 나눠집니다. 우선, 'Step 01'에서는 기업의 내·외부 환경을 SWOT의 콘셉트(강점, 약점, 기회, 위협)를 활용해 분석을 합니다. 구체적으로, 회사 내부(內部, Internal)의 강점(S)과 약점(W), 그리고 회사 외부(外部, External)의 기회(O)와 위협(T) 요소(Factor)들을 각각 분석한 후 정리(Listing)합니다.
- 이후 'Step 02'에서는 이렇게 확인한 정보들(Key Findings)을 활용해 4가지 대응전략(또는 대응방안)들을 도출합니다. 구체적으로, 4가지 대응전략이란 'ⓐSO전략(회사의 강점과 기회를 최대한 활용하는 전략)', 'ⓑWO전략(약점을 보완하고 기회를 최대한 활용하는 전략)', 'ⓒST전략(강점을 활용해 위협을 극복하거나 최소화하는 전략)', 'ⓓWT전략(약점을 보완하고 위협을 최소화하는 전략)'입니다.
- 그러나 실무에서는 위와 같이, 이론적으로, 접근하면 너무 아카데믹(too academic)하고 복잡하다는 피드백을 받게 될 가능성이 높습니다.**

〈 SWOT Analysis를 활용한 전략 도출 과정*** 〉

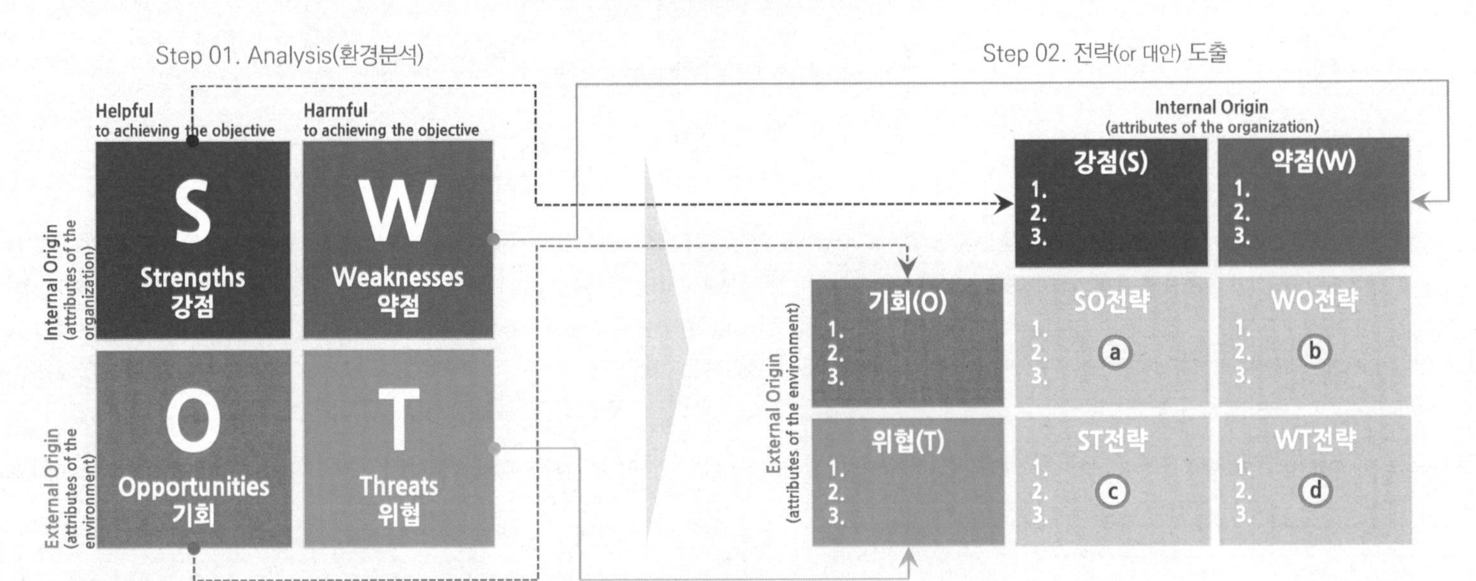

Note) * 회사 상황에 가장 적당하거나 적합한. ** 이를 극복할 수 있는 대안은 뒤에 다시 설명 드리겠습니다. *** 위 자료는 제가 운영하는 블로그에서 PowerPoint로 다운로드하실 수 있습니다.

[참고 26] 마케팅 등 분석 기법 - SWOT Analysis Concept(3/3)

□ **그러나, SWOT이 아무리 논리적이고 인기있는 기법이라도, 이를 적절**(適切, Suitable)**하게 사용하지 못한다면 당연히 보고서나 기획서 등의 품질**(品質, Quality)**은 크게 하락할 수밖에 없습니다.**

- 아래에서는 SWOT 분석의 품질이 낮아지는 주된 이유를 몇 가지만 나열해보겠습니다.

① 우선, **분석하거나 인지한 하나의 팩트를, 속성이 전혀 다른 요소**(Factor: S, W, O, T)**로 분류**하는 것입니다. .

⇒ 예를 들면, 회사 내부의 '강점(Strengths)'을 '회사의 외부환경' 요소인 '기회(Opportunities)'로 분류하는 것입니다. 이것은 실무자들이 가장 많이 하는 실수입니다.

⇒ 이런 실수를 하게 되면, '퇴고를 하지 않았다'거나, '분석능력이 좋지 못하다'거나, 아니면 'SWOT을 제대로 이해하지 못했다'는 등의 인상을 남기게 됩니다.

② 둘째, 각 요소(Factor: S, W, O, T)에 **기입된 내용들이 대부분 '정성적 요소'로 채워진 경우**입니다.

⇒ 정성 분석(定性分析, 質的分析, Qualitative analysis)은 정량 분석보다 객관성이 약할 수밖에 없습니다. 왜냐하면, 정성 분석은 감(感)으로도 할 수 있기 때문입니다.

⇒ 그러나, 이런 분석 자료들로는 의사결정에 관여하는 모든 분들의 공감이나 동의를 얻어내지 못할 가능성이 상당히 높습니다.

⇒ 왜냐하면, 회사에는 정량 분석을 객관적이지 않은 말장난이라고 생각하시는 분들이 생각보다 많이 계시기 때문입니다.

⇒ 회사의 재원을 활용하기 위해서는, 객관적인 분석을 근거로 만들어진 논리라는 공감이 필요합니다.

⇒ 그리고 물론 이의 성과 또한 객관적으로 측정될 수 있어야 할 것입니다.

③ 셋째, **각 요소**(S, W, O, T)**에 기입된 내용들의 Quality가 낮은**(고민의 흔적이 없이 가벼워 보이는) **경우**입니다.

⇒ 'Step 01. Analysis(환경분석)'의 분석 수준이나, 'Step 02. 전략(or 대안) 도출'의 수준이 낮은 경우입니다. 이는 세부내용을 보지 않고 요약본(1~2 페이지)만 봐도 판단이 가능합니다.

⇒ 일반적으로, 분석의 품질을 높이기 위해서는 다양한 시각이나 분야의 내용이 포함돼야 합니다. 예를 들면, (a)분석을 하거나 대안을 마련할 때, 기획자의 시각을 뛰어 넘어 다양한 이해관계자들(각 팀의 입장, 소비자, 당국, 경쟁사 등)의 의견이나 관점을 반영하거나, (b)상품 마케팅과 관련하여 S와 W를 분석할 때, 상품 개발과 마케팅 활동에 대해서만 기술하는 것이 아니라, 제휴, 시스템, 교육 프로그램, 고객서비스, CRM, 배송, 상품 개발 인력, 상품 개발 프로세스, 영업인력 채용, 영업인력 육성, 성과급 등 보상체계, 마케팅 예산 등, 매출 향상과 직·간접으로 관련된 다양한 항목들도 함께 고민해 기술하는 것입니다.

⇒ 누구나 쉽게 생각할 수 있는 것들만 적어 놓은 경우에도 제대로 된 평가를 받을 기회조차 얻지 못할 수 있습니다.

⇒ 쉽지 않겠지만, 실무자는 언제나 윗분들에게 자신이 한 고민의 깊이를 보여줘야 합니다.

[참고 27] 기획서의 틀/목차 vs. SWOT Analysis

□ **SWOT 분석을 기획서 작성 과정에 대입해보면, 'Step 01. Analysis(분석)'은 '본론' 부분, 그리고 'Step 02. 전략 도출'은 '결론' 부분에 해당합니다.**

- 물론, 모든 기획서를 작성할 때 SWOT 분석을 수행하는 것은 아니며, 상황에 적합하게 활용하시기 바랍니다. 그리고 아래의 서론, 본론, 결론은 여러분의 이해를 돕기 위해 맨 위에 붙인 것입니다.

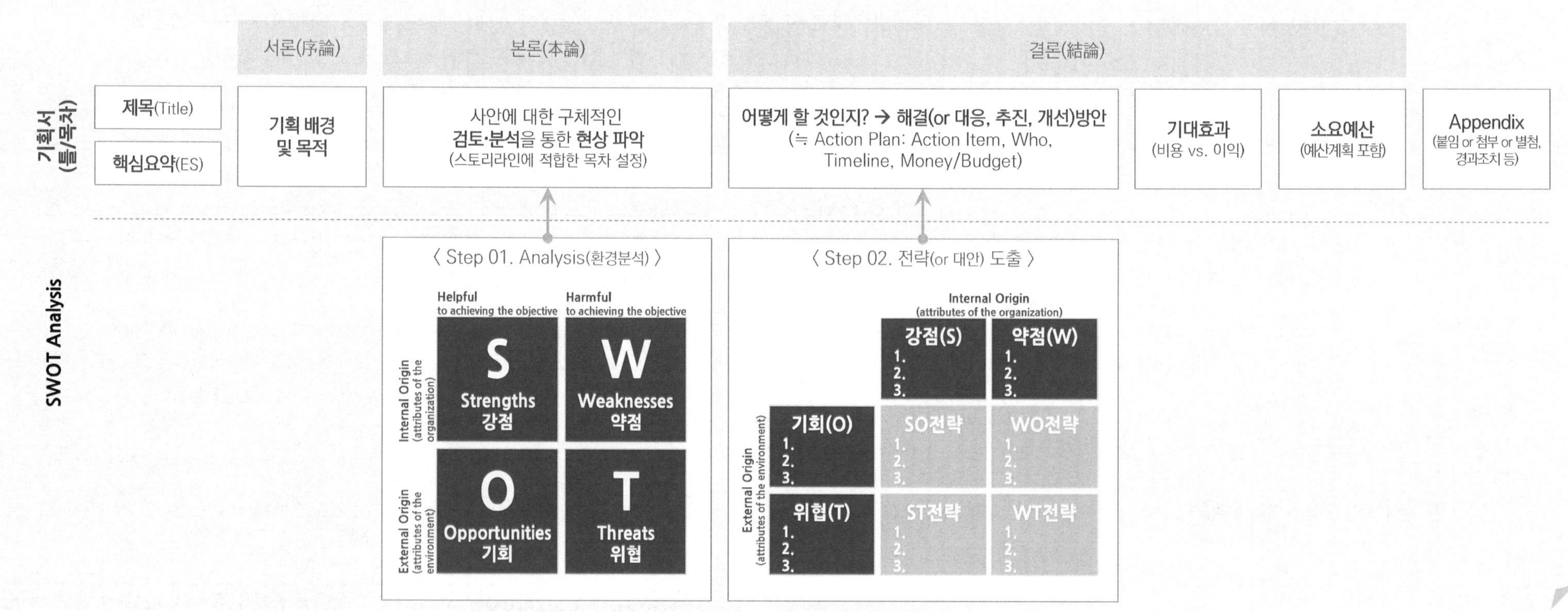

Note) SWOT 분석은 내·외부의 환경분석이 필요한 기획서나 전략(Strategy)을 만들(Development) 때 주로 사용됩니다. 기획서 종류의 구분은 Chapter 2를 참고하세요.

[참고 28] SWOT Analysis 응용 사례

☐ **앞에서 말씀드린 바와 같이, 저는 환경분석이 필요한 기획서나 전략을 수립할 때 SWOT 분석을 이론(理論)대로 사용하기보다는 이를 아래와 같이 응용해서 사용합니다.**

- 우선, 저는 '강점'과 '약점'이라는 용어보다는, 계속기업(繼續企業, going concern)의 특성상, '잘한 점', '부족한 점'이라는 용어를 더 자주 사용합니다.
  왜냐하면, 대부분의 기획서나 전략에서는 당기(當期, Current period)의 성과를 전기(前期, Previous period)와 비교하기 때문입니다.
- 그리고 환경분석을 통해 확인한 사항들(①)을, '②관련 키워드'별로 묶고 '③전략적 키워드(Strategic Keyword)'들 도출한 후 '④Action Plan(액션플랜, 방안, 추진과제, Initiative 등으로 불림)을 수립합니다.
  경험상 이 방법은, 오리지널 이론보다, 더 쉽게 전략의 내용을 커뮤니케이션하고 실행할 수 있게 도와줍니다. **보다 자세한 내용은 제가 집필한 전략 수립 관련 책을 참고**하시기 바랍니다.

〈 SWOT Analysis의 응용: 전략 수준에 가까운 기획서 작성 Process*** 〉

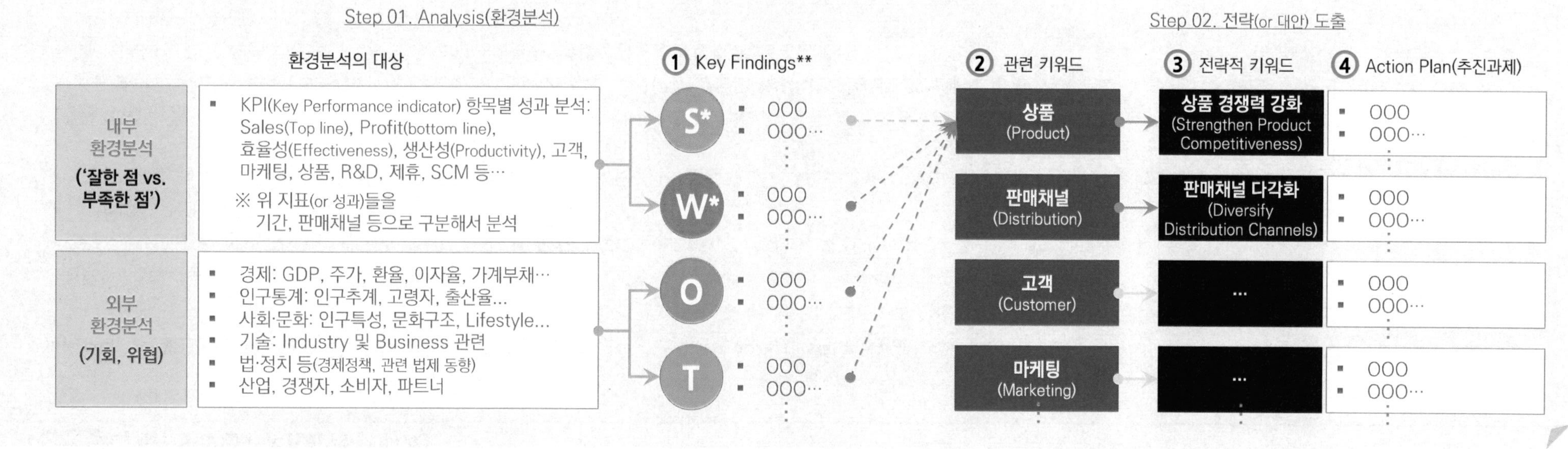

Note) * 이해 편의를 위해 그냥 'S'와 'W'로 표시했습니다. ** 환경분석을 통해 확인(or 발견)한 유의미한 것(내용)들.
*** 제가 만든 전략 수립 관련 별도의 책에서도 말씀드렸지만, 일반적으로 전략(戰略, Strategy)은 기획서(企劃書, Plan)를 여러 개 묶은 것이기 때문입니다. 물론, 이것은 제 사견(私見)입니다.

[실전연습 14] SWOT Analysis(1/4)

□ **지금부터, 실제 발생한 상황이라고 가정하시고 다음 페이지에 있는 'SWOT 분석 틀'을 이용해 회사의 내·외부 환경을 분석해보세요.**

[상황]

- 당신은 미디어 그룹(1개의 TV채널, 1개의 라디오채널, 일간지와 월간지, 그리고 레스토랑 체인 50개 보유)의 전략팀에서 근무하는 경력 5년 차 대리입니다.
- 부장님께서 당신을 갑자기 호출하셨습니다. "O 대리, 잠시 이야기 좀 합니다."
- 그리고 당신에게 다음과 같이 말씀하셨습니다. "자네도 잘 알겠지만, 우리 회사 신문 사업부가 지금 너무 어렵네, 일단 대안을 마련하기 위해 먼저 자네가 분석을 진행해주게."

[추가 정보]

- 모든 것이 오프라인에서 온라인으로 빠르게 대체되는 중, 온라인 매체 급증, 그래서 지면 신문에 대한 수요는 기성세대(60+)에서만 발생
- 회사의 재무상태는 악화 중, 이는 최근 지속적으로 하락하는 신문사업부(월간지 포함)의 매출 하락이 주인(主因)
- 사업부별 매출 점유율(%)

구분	TV	라디오	신문	레스토랑 체인	연간 매출	Profit Margin
20X1	35	20	40	5	200억	20%
20X2	50	30	12	8	150억	10%

- 신문사업부의 시장점유율(Market Share, M/S, %)

기간	당사	경쟁사 A	경쟁사 B	경쟁사 C	경쟁사 기타*
20X1	3.5	26.0	35.0	19.0	16.5
20X2	1.1	28.0	40.0	22.0	8.9

- 기타 상황
  - 디자이너 해고 후 외주 → 디자인 품질 하락
  - 경력 기자 대량 이탈, 신입·인턴 기자 중심 → 조직 경쟁력 약화, 기사 절대량 부족, 경력자 채용 어려움
  - 중립성이 훼손된 편집국, 낙후된 Web(PC, 모바일) & 관리 부재 → 우량 광고 급감 → 채산성 급감

Note) * 이는 주로 영세한 온라인 매체들이며, 이들의 시장 유입 및 유출이 상당히 역동적으로 이루어지고 있음

[실전연습 14] SWOT Analysis(2/4)

□ 아래의 SWOT 양식을 이용해 각 요소(Factors)들을 채워보세요.

	목적 달성에 도움이 되는 (Helpful to achieving the objective)	목적 달성에 도움이 되지 않는 (Harmful to achieving the objective)
내부환경 (Internal Environment)	S: 우리 회사나 조직(영업/마케팅/상품/R&D/SCM/재무/운영/인사 등)의 **강점**(强點, Strength)	W: 우리 회사나 조직(영업/마케팅/상품/R&D/SCM/재무/운영/인사 등)의 **약점**(弱點, Weakness)
외부환경 (External Environment)	O: 우리 회사나 조직 밖(경쟁 시장/경제/국제/법제/기술/사회/인구 등)의 **기회**(機會, Opportunities)	T: 우리 회사나 조직 밖(경쟁 시장/경제/국제/법제/기술/사회/인구 등)의 **위협**(威脅, Threats)

Note) 위 자료는 제가 운영하는 블로그에서 PowerPoint로 다운로드하실 수 있습니다.

[실전연습 14] SWOT Analysis(3/4)

□ 각 요소(Factor, SWOT)들과 이에 해당하는 전략들(SO, WO, ST, WT)을 채워볼 수 있는 양식입니다.

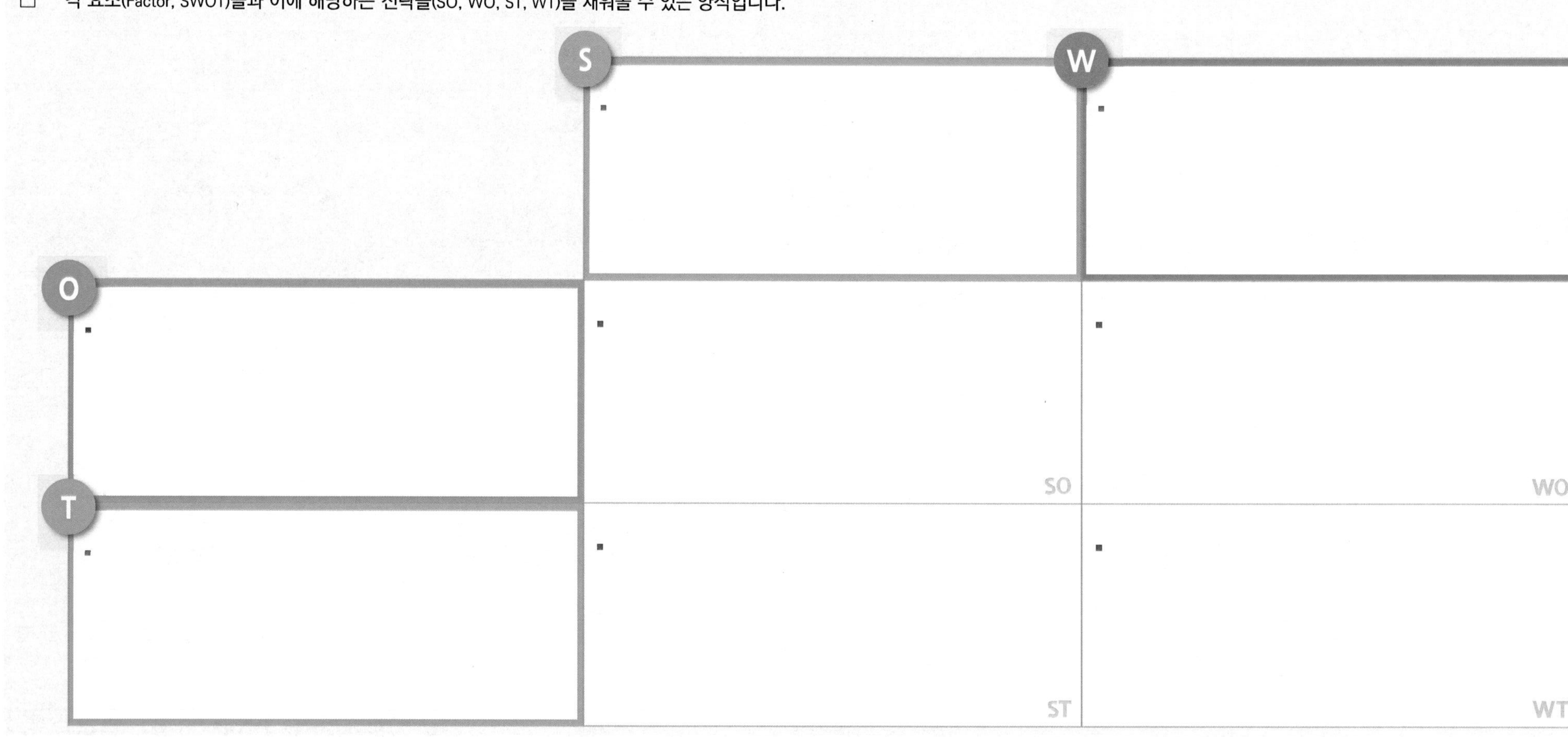

Note) SO전략(회사의 강점과 기회를 최대한 활용하는 전략), WO전략(약점을 보완하고 기회를 최대한 활용하는 전략), ST전략(강점으로 위협을 최소화하는 전략), WT전략(약점을 보완하고 위협을 최소화하는 전략).
※ 위 템플릿은 네이버 블로그 goodactions에서 PowerPoint로 다운로드 받으실 수 있습니다.

[실전연습 14] SWOT Analysis(4/4)

□ 아래의 응용 양식을 활용해 각 요소(Factor, SWOT)들과 전략적 키워드(Strategic Keyword), 그리고 Action Plan을 채워보세요.

	내·외부 환경분석	관련 키워드*	전략적 키워드**	Action Plan(액션플랜, 방안, 추진과제 등)
잘한 점	▪			▪
부족한 점	▪			▪
기회	▪			▪
위협	▪			▪

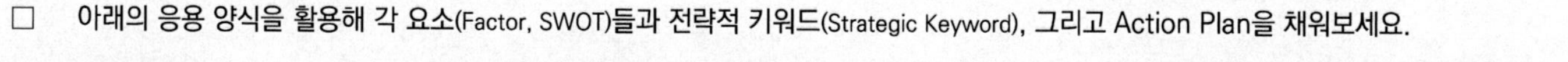

Note) * 이를 Strategic Keyword라고도 합니다. 이는 내·외부 환경분석을 통해 발견한 꼭지들(Key Findings)을 관련성이 높은 주제어(Keyword)로 묶어주는 작업입니다.
예를 들면, 실무에서는 이 키워드를 '상품(or 제품, 서비스)', '마케팅', '채널', '고객서비스', 'IT', '인프라' 등으로 상황에 맞게 설정합니다. ** 관련 키워드를 통해 도출한 방향성이 있는 키워드, 이를 '전략과제'라고도 함.

[참고 29] 마케팅 등 분석 기법 - 3Cs/4Cs

☐ **3Cs**(Company, Competitor, Customer)**도, 전략 수립 시, 회사**(또는 조직)**의 내·외부 환경을 분석하는 기법입니다. 그리고 3Cs에 'Channel**(채널, 유통, 소통)**'을 추가한 것이 바로 '4Cs'입니다.**

- 채널(Channel)*은 전통적인 이론이나 사전상의 의미에 집착하시지 말고 최근 트렌드를 고려해 융통성 있게 해석하시는 것이 좋습니다. 왜냐하면, 단어의 뜻도 계속 변화하기 때문입니다.
- 3Cs나 4Cs를 'STP 기법'의 '도구(시장세분화 이후 진입할 표적시장을 선정하기 위해 사용되는 기법)'정도로 이해하시는 분들도 계시지만, 실무에서는 이를 STP와 무관하게 사용하는 경우도 적지 않습니다.
- 이 기법은 앞에서 설명 드린 바와 같이 SWOT 분석과 겹치는 부분들이 존재하며, 보통 다른 분석 기법들(e.g., 4Ps, 4Cs, 4Es, STP 등)과 함께 스토리라인을 만듭니다.

〈 3Cs vs. 4Cs〉

3Cs	4Cs
Company(자사 ≒ 당사) 시장 전략(포지셔닝 등), 경쟁력(브랜드, 충성도, 품질, 인력, 기술, 마케팅, 서비스, 영업, 생산, SC 등), 재무 상태 등	Company(자사 ≒ 당사) 시장 전략(포지셔닝 등), 경쟁력(브랜드, 충성도, 품질, 인력, 기술, 마케팅, 서비스, 영업, 생산, SC 등), 재무 상태 등
Competitor(경쟁사, 경쟁시장) 경쟁시장 범위(상품, 서비스), 경쟁자 수, 경쟁사(전략·강약점), 진입장벽, 기술력, 브랜드 인지도 등	Competitor(경쟁사, 경쟁시장) 경쟁시장 범위(상품, 서비스), 경쟁자 수, 경쟁사(전략·강약점), 진입장벽, 기술력, 브랜드 인지도 등
Customer(소비자, 고객) 시장 특징(상품, 규모, 성장률, 수요, 가격, 관여도, 트렌드 등), 고객 속성(연령, 성, 지역, 인종, 소득, 구매 방식 등)…	Customer(소비자, 고객) 시장 특징(상품, 규모, 성장률, 수요, 가격, 관여도, 트렌드 등), 고객 속성(연령, 성, 지역, 인종, 소득, 구매 방식 등)…
	Channel(채널, 유통, 소통) 판매, 유통(원자재 Input, 생산, 판매, 배송 등), 재고관리, A/S, 고객 및 파트너의 소통 창구 등

※ **STP 절차에서의 3Cs & 4Cs**

① **시장세분화**(Segmentation)

② **표적시장**(Target) **선정**
- 3Cs or 4Cs 분석 후,
- 각각의 항목들을 객관적으로 평가하고,
- 이 평가에 근거해 표적시장을 선정

Note) * 물론, 이 단어 뿐만 아니라 다른 단어들도 마찬가지입니다.
참고로, 구글에서 3Cs 또는 4Cs model로 검색하시면 더 상세한 자료를 확인하실 수 있습니다. 그리고 3Cs와 4Cs의 s는 복수를 의미입니다.

[참고 30] 마케팅 등 분석 기법 - STP(Segmentation Targeting Positioning)

☐ **STP**(에스티피, Segmentation Targeting Positioning)**는 '타깃 시장**(= 목표시장 = Target Market)**'을 설정하고 이를 효과적으로 공략할 '마케팅전략'을 수립하는 기법입니다.**

- 간단하게 요약하자면, STP 기법은 우선 시장을 세분화하고(Step 1. Segmentation), 이 세분화된 시장에서 목표시장을 설정한 후(Step 2. Targeting), 이 목표시장을 공략하는 것(Step 3. Positioning)입니다.
- 그러나 반드시 이 순서대로 실무를 진행해야 하는 것은 아닙니다. 그래서 타깃팅(Targeting)을 먼저하고 시장을 세분화(Market Segmentation)를 이후에 진행하기도 합니다.
- 그리고 마케팅전략을 수립(Development)할 때에는 STP와 다른 기법들(SWOT, 3Cs, 4Cs, 4Ps 등)을 적절히 Mix하는 것이 더 일반적입니다(예를 들면, 포지셔닝 전략은 주로 4Ps 등의 마케팅 믹스를 통해 구체화됩니다).
  물론 이 기법도 다른 기법들과 마찬가지로, 정성분석보다는 정량 분석(定量分析, Quantitative analysis)을 중심으로 논리를 전개해야 더 객관적이라는 평가를 받게 됩니다.

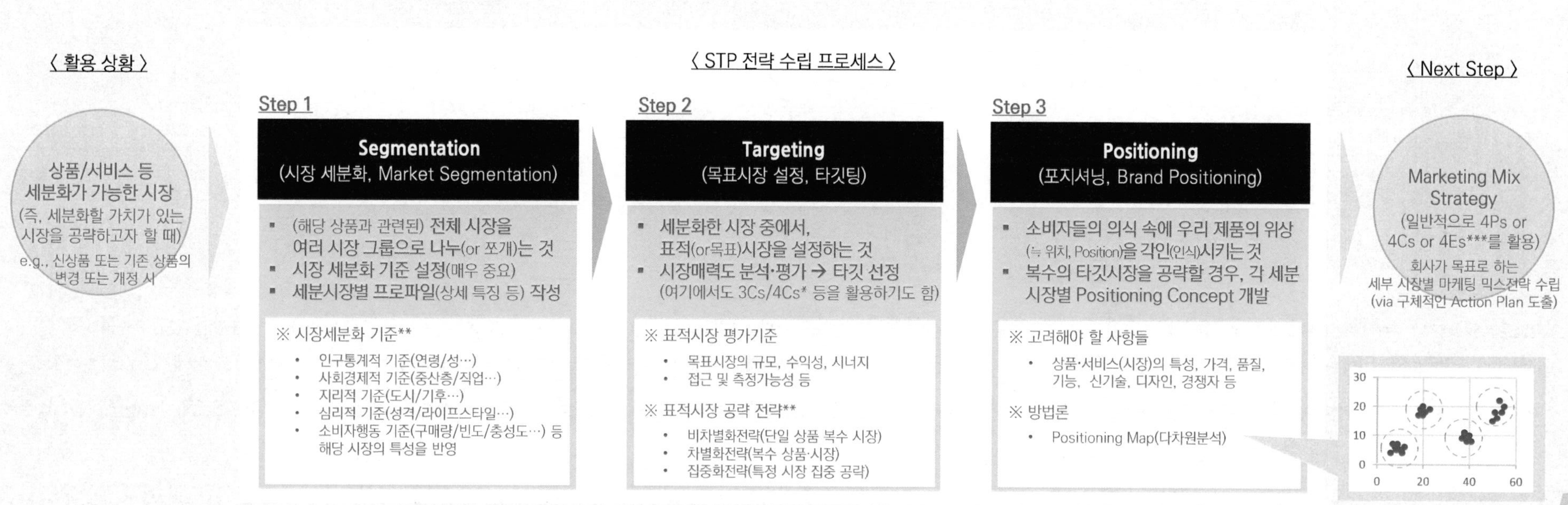

〈 활용 상황 〉
상품/서비스 등
세분화가 가능한 시장
(즉, 세분화할 가치가 있는 시장을 공략하고자 할 때)
e.g., 신상품 또는 기존 상품의 변경 또는 개정 시
〈 STP 전략 수립 프로세스 〉
Step 1
Segmentation
(시장 세분화, Market Segmentation)
▪ (해당 상품과 관련된) 전체 시장을 여러 시장 그룹으로 나누(or 쪼개)는 것
▪ 시장 세분화 기준 설정(매우 중요)
▪ 세분시장별 프로파일(상세 특징 등) 작성
※ 시장세분화 기준**
• 인구통계적 기준(연령/성…)
• 사회경제적 기준(중산층/직업…)
• 지리적 기준(도시/기후…)
• 심리적 기준(성격/라이프스타일…)
• 소비자행동 기준(구매량/빈도/충성도…) 등 해당 시장의 특성을 반영
Step 2
Targeting
(목표시장 설정, 타깃팅)
▪ 세분화한 시장 중에서, 표적(or목표)시장을 설정하는 것
▪ 시장매력도 분석·평가 → 타깃 선정 (여기에서도 3Cs/4Cs* 등을 활용하기도 함)
※ 표적시장 평가기준
• 목표시장의 규모, 수익성, 시너지
• 접근 및 측정가능성 등
※ 표적시장 공략 전략**
• 비차별화전략(단일 상품 복수 시장)
• 차별화전략(복수 상품·시장)
• 집중화전략(특정 시장 집중 공략)
Step 3
Positioning
(포지셔닝, Brand Positioning)
▪ 소비자들의 의식 속에 우리 제품의 위상(≒ 위치, Position)을 각인(인식)시키는 것
▪ 복수의 타깃시장을 공략할 경우, 각 세분 시장별 Positioning Concept 개발
※ 고려해야 할 사항들
• 상품·서비스(시장)의 특성, 가격, 품질, 기능, 신기술, 디자인, 경쟁자 등
※ 방법론
• Positioning Map(다차원분석)
30
20
10
0
0
20
40
60
〈 Next Step 〉
Marketing Mix Strategy
(일반적으로 4Ps or 4Cs or 4Es***를 활용)
회사가 목표로 하는
세부 시장별 마케팅 믹스전략 수립
(via 구체적인 Action Plan 도출)

Note) * 시장 현황 분석: 자사/경쟁사(현재 & 잠재)/소비자로 분류 → Company, Competitor, Customer, ** 조금 더 상세한 설명은 다음 페이지 참고.
*** 4Ps(Product, Price, Place, Promotion), 4Cs(Customer Value, Cost to Customer, Convenience, Communication), 4Es(Evangelist, Enthusiasm, Experience, Engagement/Exchange).

[참고 30] 마케팅 등 분석 기법 - STP(Segmentation Targeting Positioning)

☐ **실무적으로, STP에서 가장 중요한 단계는 Segmentation(시장 세분화)입니다. 왜냐하면 제대로 된 시장 세분화 없이 Targeting과 Positioning이 유의미해질 수는 없기 때문입니다.**

- 그래서 우선, 시장 세분화를 할 때에는 단순히 아래의 기준(A)을 형식적으로 적용하기보다는, 해당 시장의 특성, 소비자들의 인식, 그리고 자사의 상황 등을 고려해 최적의 기준들을 찾아내야 합니다.
- 시장을 세분화했다면, 각 세분 시장별 특징 등을 상세하게 정리(프로파일링, Profiling)합니다. 이후 이 자료들을 토대로 '표적시장(들)을 선정'하고 각 시장들에 대한 포니셔닝 맵(Positioning Map = Strategy = 공략 방법, 개괄적인 내용은 'B. 표적시장 공략 전략' 참고)을 완성합니다.

A. 시장세분화 기준 例示(Step 1. Segmentation)

기준	주로 사용하는 기준들(例示, Example)
인구통계적 (Demographic)	▪ 연령, 성, 기혼/미혼, 인종, 가족구성원 수 등
사회경제적 (Socioeconomic)	▪ 소득, 자산구조, 계층, 직업, 교육 수준 등
지리적 (Geographic)	▪ 국가, 도심/지방, 교통, 밀도, 내륙/도서, 기후 등
심리적 (Psychographic)	▪ 성격, 위험 선호, 가치관, Lifestyle, 취미 등
소비자행동 (Behavioral)	▪ 충성도, 사용빈도, 사용목적(기능/Benefits) 등

※ 위 예시는 상품, 서비스 그리고 비즈니스 특성에 따라 달라질 수 있습니다.

B. 표적시장 공략 전략(Step 2. Targeting)

Strategy	특징(Features)	장단(Pros & Cons)
비차별화 전략 (Un-differentiated Approach)	▪ 주로, 단일 상품으로 복수의 세분시장 공략 상품(1)	▪ 소비자 기호 무시 → 신시장 창출 어려움 ▪ 규모의 경제 달성 시 원가 우위 확보 가능 ▪ 생필품에 유리 ▪ 업무 경감 → Admin. 비용 감소
차별화 전략 (Differentiated Approach)	▪ 주로, 복수 상품으로 복수의 세분시장 공략 ▪ Portfolio 이론을 가장 잘 적용한 전략 상품(1) 상품(2) 상품(3)	▪ 소비자들의 다양한 니즈에 대한 대응력 향상 ▪ Risk 분산 가능(One Product Dependency 최소화) ▪ 특히, 꾸준한 차별화 노력 필요(시장은 지속적으로 변하기 때문) ▪ 업무 부담 증가 → Admin. 비용 증가 → 수익률 하락
집중화 전략 (Concentrated Approach)	▪ 주로, 하나의 상품으로 특정 세분시장만 집중 공략 ▪ Market Test로 활용 가능 상품(1)	▪ 다른 전략보다 상대적으로 적은 비용으로 추진 가능 ▪ 집중화로 디테일한 전문성 축적 가능 ▪ 높은 리스크(High Risk)

Note) * 특히, 위의 시장세분화 기준(A)은 예시에 불과합니다. 실무에서는 다양한 기준을 활용해 시장을 세분화합니다.

[참고 31] 마케팅 등 분석 기법 - 4Ps/4Cs/4Es

☐ **마케팅 믹스**(Marketing Mix)**라 일컬어지는 4Ps, 4Cs, 4Es는 일종의 '마케팅 전략'의 '방향**(方向, Direction)**'이나 '포지션**(Position ≒ Concept ≒ Color)**'을 만드는 구성 요소**(Factor)**들입니다.**

- 일부 마케팅 전문가들은 "마케팅 믹스가 시대의 변화에 발맞춰, 아래와 같이, '공급자(상품 및 채널) 중심'에서 '수요자(고객) 중심'으로 변화했다"며 이제는 4Ps 대신 4Es를 사용해야 할 것처럼 주장합니다.
- 그러나 아직도 많은 회사들이 전략 수립 시, 4Cs나 4Es보다는 4Ps Concept를 좀 더 선호하는 듯합니다. 왜냐하면, 4Ps가 다른 것들보다 좀 더 직관적이고 이해하기 쉽기 때문입니다.
- 그래서 실무에서는 4Ps와 같은 직관적인 용어들로 Marketing Mix를 구성합니다. 그리고 이를 SWOT, 3Cs, 4Cs, STP 등의 개념들과 함께 활용해 마케팅전략을 수립합니다.

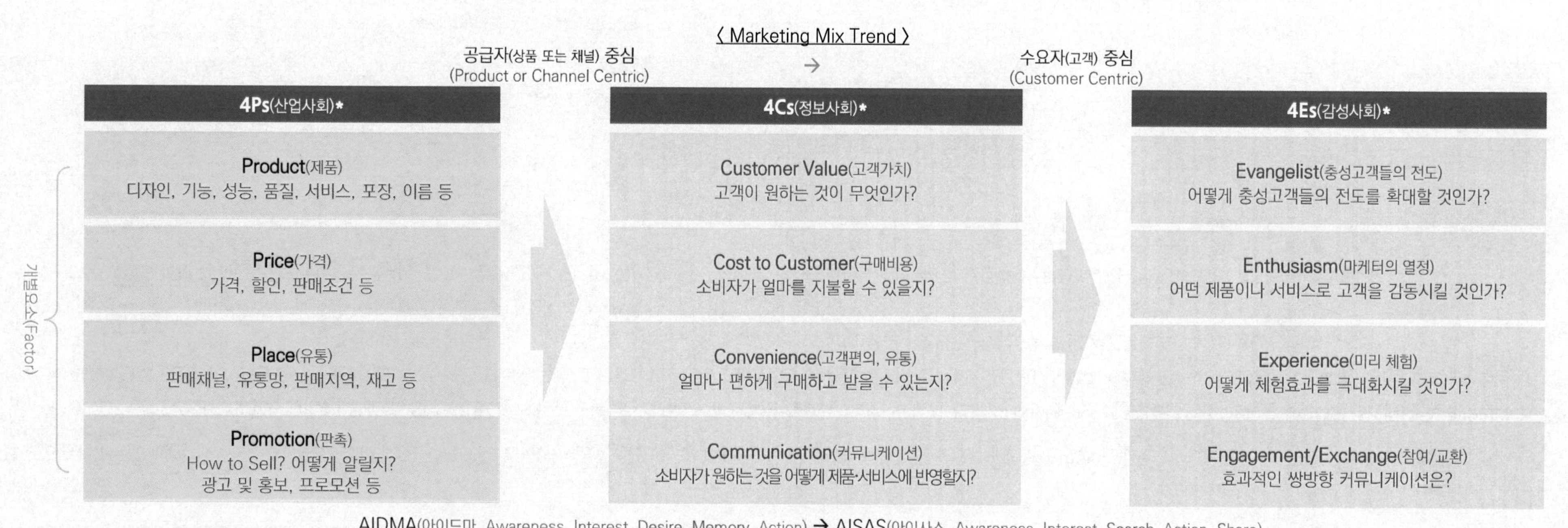

〈 Marketing Mix Trend 〉
공급자(상품 또는 채널) 중심 (Product or Channel Centric)
→
수요자(고객) 중심 (Customer Centric)
개별요소(Factor)
4Ps(산업사회)*
Product(제품)
디자인, 기능, 성능, 품질, 서비스, 포장, 이름 등
Price(가격)
가격, 할인, 판매조건 등
Place(유통)
판매채널, 유통망, 판매지역, 재고 등
Promotion(판촉)
How to Sell? 어떻게 알릴지?
광고 및 홍보, 프로모션 등
4Cs(정보사회)*
Customer Value(고객가치)
고객이 원하는 것이 무엇인가?
Cost to Customer(구매비용)
소비자가 얼마를 지불할 수 있을지?
Convenience(고객편의, 유통)
얼마나 편하게 구매하고 받을 수 있는지?
Communication(커뮤니케이션)
소비자가 원하는 것을 어떻게 제품·서비스에 반영할지?
4Es(감성사회)*
Evangelist(충성고객들의 전도)
어떻게 충성고객들의 전도를 확대할 것인가?
Enthusiasm(마케터의 열정)
어떤 제품이나 서비스로 고객을 감동시킬 것인가?
Experience(미리 체험)
어떻게 체험효과를 극대화시킬 것인가?
Engagement/Exchange(참여/교환)
효과적인 쌍방향 커뮤니케이션은?
AIDMA(아이드마, Awareness, Interest, Desire, Memory, Action) → AISAS(아이사스, Awareness, Interest, Search, Action, Share)

Note) * 위 구분은 일반적으로 시장에서 일컬어지는 구분이며, 4Ps는 4Cs를 대체하거나, 각 C가 각 P를 대체하는 것이 아니라는 견해도 있습니다.
'어떤 것이 옳은 것인가'보다는 위의 내용이나 Concept들을 '어떻게 더 잘 응용할 것인가'로 보다 융통성 있게 접근해보시기 바랍니다.

[참고 32] 마케팅 등 분석 기법 - BCG Matrix(1/3)

☐ **BCG Matrix**(비씨지 매트릭스, Boston Consulting Group Matrix or Growth-Share Matrix)**는 실무에서 매우 인기 있는 비즈니스 포트폴리오 분석 기법**(Business Portfolio Management Framework)**입니다.**

- SWOT처럼 단순한 2X2(Two by Two) 형태로 만들어진, BCG Matrix는 복잡한 숫자(≒ 통계 or 지표)*들을 이해하기 쉽게 시각화하기 때문에 어떤 배경을 가진 분이라도 쉽게 이해할 수 있는 분석 기법입니다.
- 구체적으로, BCG Matrix는 시장점유율(X축)*과 시장성장률(Y축)*의 높고 낮음을 기준으로 구분한 4개의 사분면에, 각 사업부(Business Unit)**를 배치한 틀(Framework)입니다. 아래의 그림으로 예를 들면, ①번의 각 사업부별 전년 대비 '매출 성장률'과 ②번의 각 사업부별 회사 내에서의 '점유율'을 기준(통상 평균값이나 중간값)으로 사분면을 구분한 후*** 각 사업부를 포지셔닝(배치 ≒ 뿌려주는)하는 것입니다. 그러면 아래와 같이 각 사업부의 점유율, 성장률, 그리고 매출 규모(원의 크기)를 한 눈에 '쉽게' 파악할 수 있게 됩니다.
- 그리고 이를 통해 각 사업부문의 현상(Positioning)을 파악한 후, 전사 단위의 리소스(Resource)를 적절하게 배분할 수 있는, 각 사업부별 전략(Strategic Positioning)을 수립하는 것입니다.

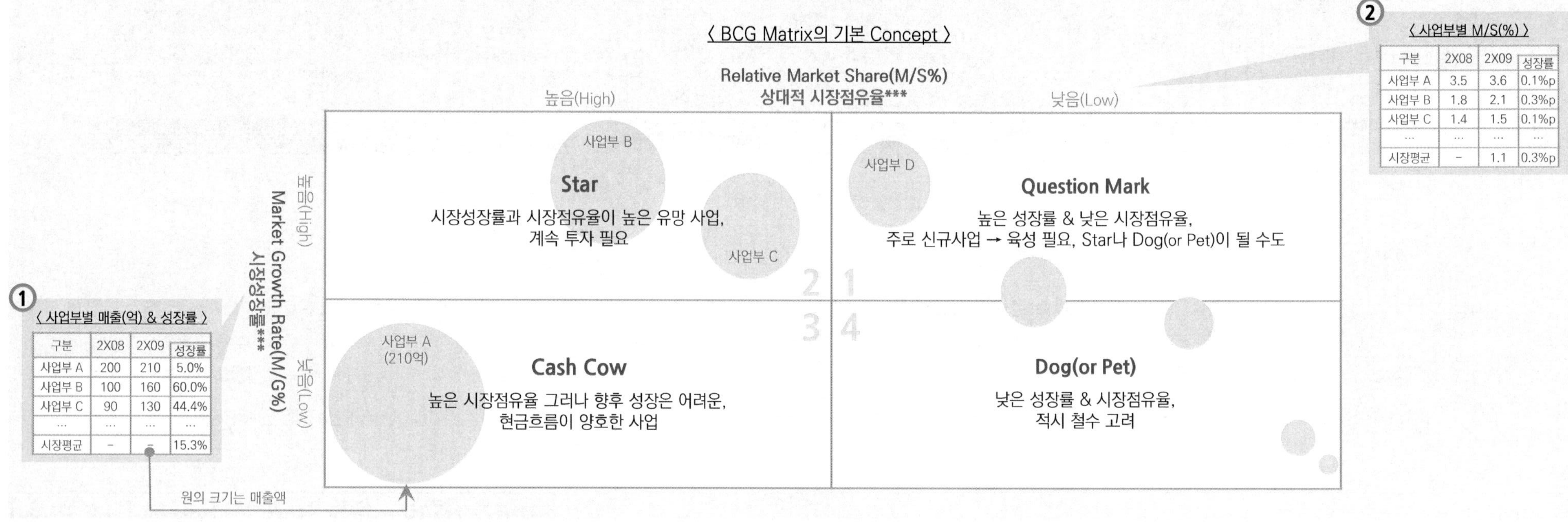

① 〈 사업부별 매출(억) & 성장률 〉

구분	2X08	2X09	성장률
사업부 A	200	210	5.0%
사업부 B	100	160	60.0%
사업부 C	90	130	44.4%
…	…	…	…
시장평균	-	-	15.3%

② 〈 사업부별 M/S(%) 〉

구분	2X08	2X09	성장률
사업부 A	3.5	3.6	0.1%p
사업부 B	1.8	2.1	0.3%p
사업부 C	1.4	1.5	0.1%p
…	…	…	…
시장평균	-	1.1	0.3%p

Note) * 예를 들면, 각 사업부, 상품, 또는 경쟁자 등을 비교하기 위해 만든 통계들. ** 또는 사업부문. *** 시장점유율과 시장성장률이 시장(Market)에서의 점유율과 성장률만을 의미하는 것이 아님.
Source) https://www.bcg.com/about/our-history/growth-share-matrix.aspx

[참고 32] 마케팅 등 분석 기법 - BCG Matrix(2/3)

☐ **물론 실무에서는 BCG Matrix의 틀**(Framework)**은 유지한 채 X축과 Y축을 다른 변수**(또는 지표 등)**로 변경해서 사용하는 것이 보다 일반적입니다. 즉, 이를 원칙대로가 아닌 조금 응용해서 활용하는 것입니다.**

- 원칙대로라면 시장의 데이터를 활용하는 것이 좋겠지만, 시장 데이터는 언제나 쉽게 이용할 수 있는(利用可能, Available) 것이 아니기 때문입니다.
- 그래서 아래 ①번과 같이, '회사의 내부 Data(앞 페이지의 사례)'만으로 Matrix를 구성*하거나, 확보 가능한 '시장 데이터(예를 들면, 두세 개 경쟁사들의 데이터만 활용)'만을 사용하는 것입니다.
- 물론, 분석 목적에 맞게 변수들을 변경해서 활용하는 것도 가능합니다. 구체적으로 ②번과 같이, 원래 BCG Matrix의 변수였던 '시장성장률', '시장점유률', 그리고 '사업부(Business Unit)'를 '수익률', '상품'으로 변경해서 활용하는 것입니다.

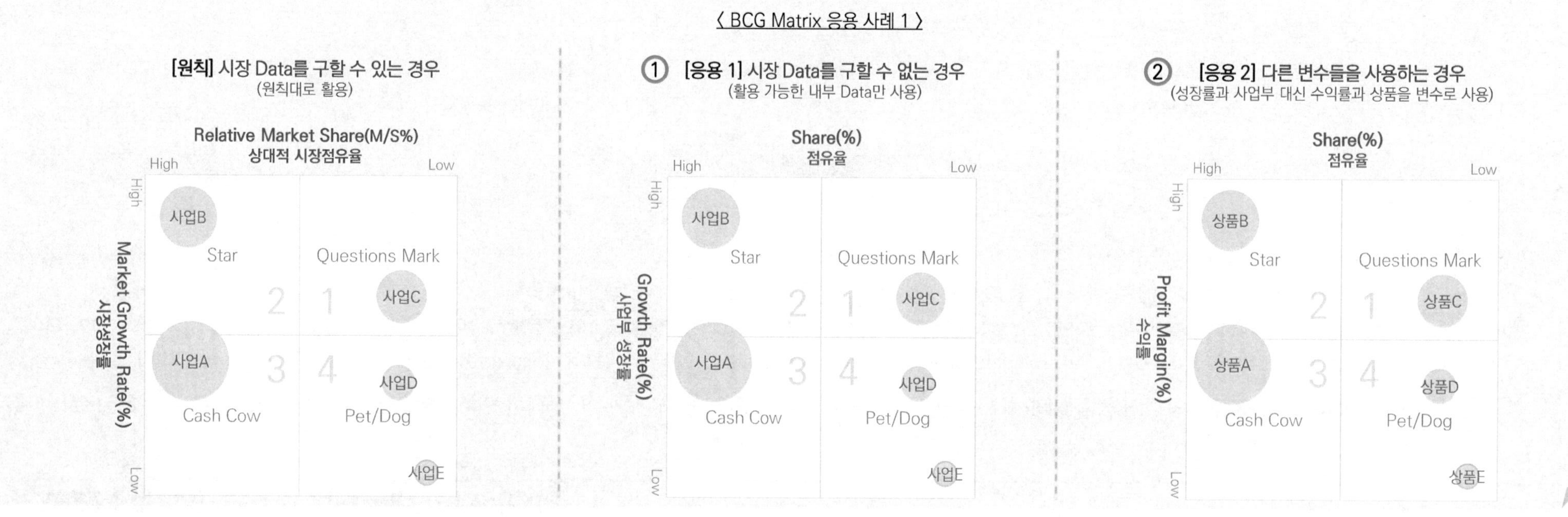

Note) * 일반적으로, 활용 가능한 데이터만으로 평균 값 등을 산출해 사분면을 나눔(≒ 구획).

[참고 32] 마케팅 등 분석 기법 - BCG Matrix(3/3)

□ **나아가 아래와 같이, BCG Matrix 틀에 동적인 흐름**(≒ 방향성, 전략 방향 = Strategic Direction 등)**을 반영하면, 윗분들**(특히, 고위 임원)**에게 기대 이상의 칭찬을 받게 될 가능성이 높습니다.**

- 왜냐하면, 윗분들은 이렇게 이해하기 쉽고 직관적인 커뮤니케이션을 선호하기 때문입니다. 즉, 백 마디 말이나 글보다는 이렇게 시각화된 Diagram 하나가 더 효과적이라는 것을 알고 계시기 때문입니다.
- BCG Matrix를 사용한 '동적인 흐름'은 일반적으로 아래의 사례들과 같이 '현재(AS IS)'와 '미래(TO BE)'의 형태로 도시(圖示)되며, 두 시점도 모두 구체적으로 특정(e.g., '2023. 3Q' 등)됩니다.
- 주의할 점은, 동적인 흐름은 아래와 같이 동일한 페이지(슬라이드 ≒ 장표) 내(內)에서 보여드려야 한다는 것입니다. 왜냐하면, 여러 장으로 나눠서 보여드리면, 눈에 잘 안 들어오기 때문입니다.

〈 BCG Matrix 응용 사례 2 〉

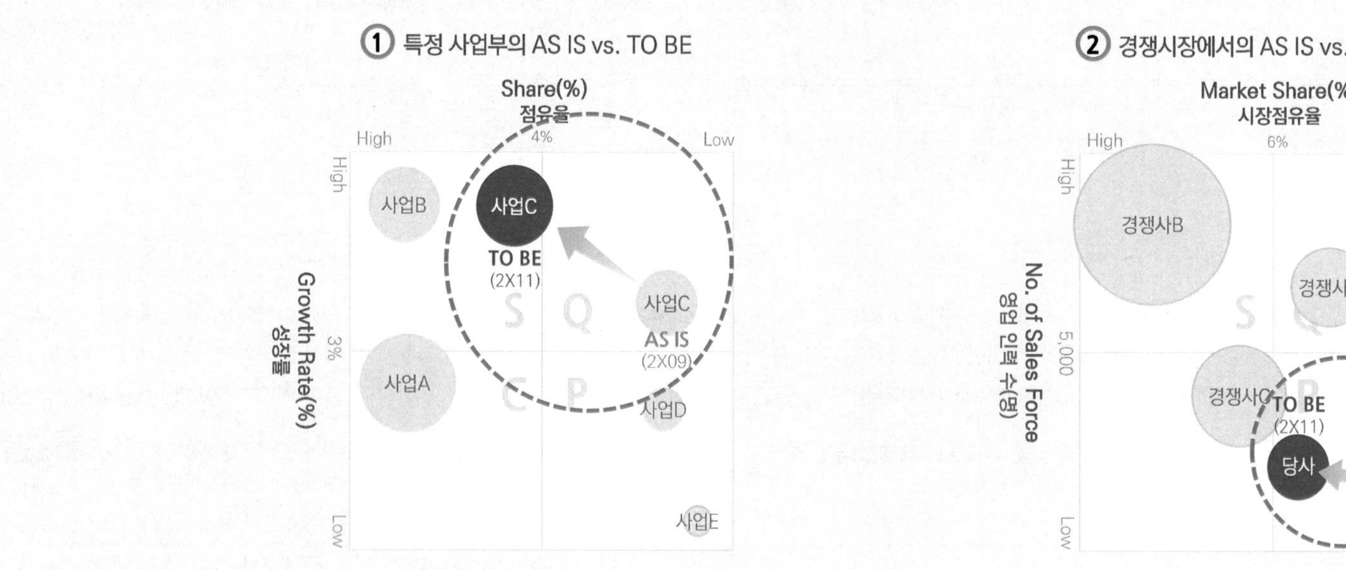

Note) * 일반적으로, 위 다이어그램의 '원의 크기'는 매출 규모이며, 각 사분면은 각 지표들의 평균 값 등으로 나눔(≒ 구획).

[참고 33] 마케팅 등 분석 기법 - Waterfall(1/5)

☐ **워터폴(폭포) 차트는 단순하지만 고위임원(특히, CFO)님들이 특히 선호하는 차트입니다. 그래서 보고서는 물론 기획서나 전략을 작성할 때에도 이를 활용하시면 분명 크게 도움이 될 것입니다.**

- Waterfall Chart는 정말 이해하기 쉬운 그래프입니다, 아래 '②'를 보면 아시겠지만, 왼쪽의 회색 막대들이 더해져(물론 마이너스 값이 포함될 수도 있음) 오른쪽의 합계(파랑색)가 되는 것입니다.
- 이 차트는 주로 '비용', '매출', '마진율' 등을 특정 항목(or 활동 등)별로 구분한 후 합계*를 오른쪽에 보여주는 가로형이 주로 사용되지만 세로형도 종종 사용됩니다.
- 실무에서 워터폴 차트는 크게 세 가지 형태로 활용됩니다. 각 형태에 대해서는 다음 페이지부터 한 가지씩 설명해드리겠습니다.

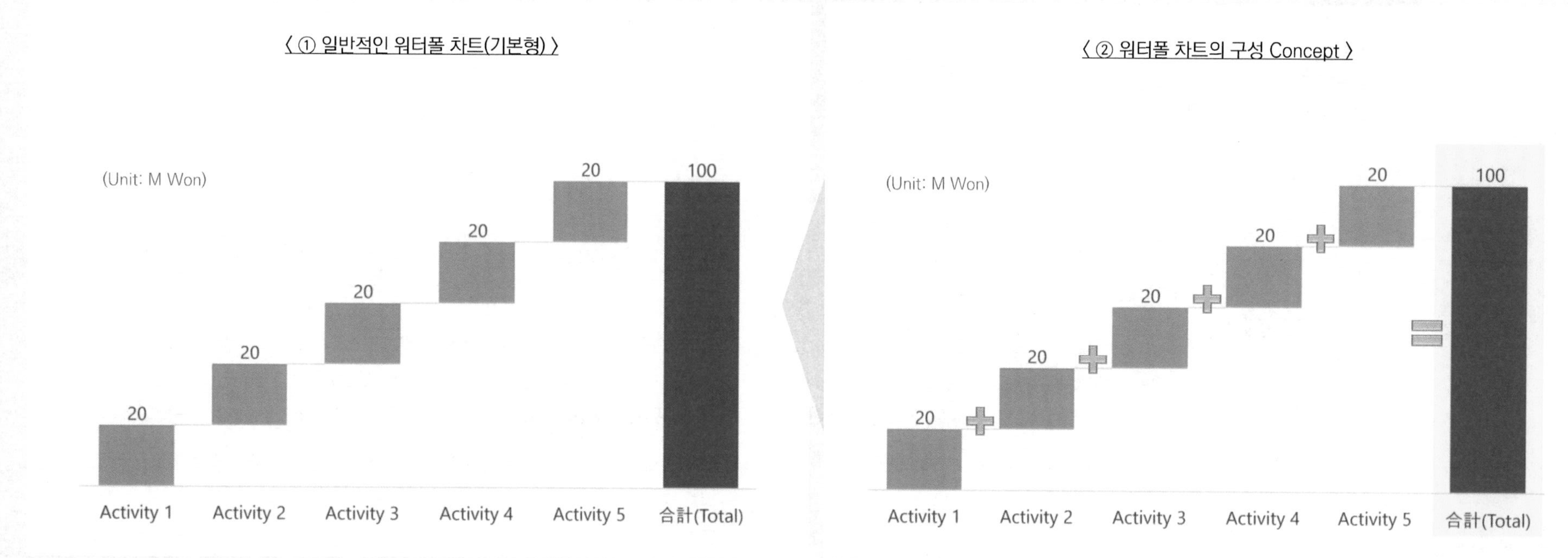

Note) * 위 차트를 예상비용이라고 가정한다면, Activity 1~5까지 각 2천만 원씩 비용을 지출하면 총 1억 원이 소요된다는 의미. ** 단위: 백만 원

[참고 33] 마케팅 등 분석 기법 - Waterfall(2/5)

□ **우선, 첫 번째 형태는 아래와 같이 '단독으로 사용되는 워터폴'이며, 보시면 아시겠지만 이것은 '①번**(초기 = 기초) **값'에서 '②번**(결과 값 = 계획) **값'이 도출되는 과정을 순서대로 보여주는 형태입니다.**

- 구체적으로 아래는 '2X08년 말'에 보유한 '현금 70백만 원'을, 1년 뒤인 2X09년 말에는 '100백만 원'으로 만들겠다는 계획(Plan)을 워터폴 차트를 이용해 도시(圖示)한 것입니다.
- 이런 형태의 워터폴 차트는 주로 사업계획(Business Plan)이나 기획서에서 자주 사용되며 2~3개 연도를 연이어 보여주는 형태로도 활용됩니다(뒤 페이지 참고).
- 아래의 워터폴 차트는 매우 단순하지만, 이를 윗분들에게 표(Table)로 보고 드리는 것보다는 훨씬 더 쉽게 원하는 메시지를 전달할 수 있을 것입니다.

〈 예시: 현금 보유계획 2X08 vs. 2X09 〉

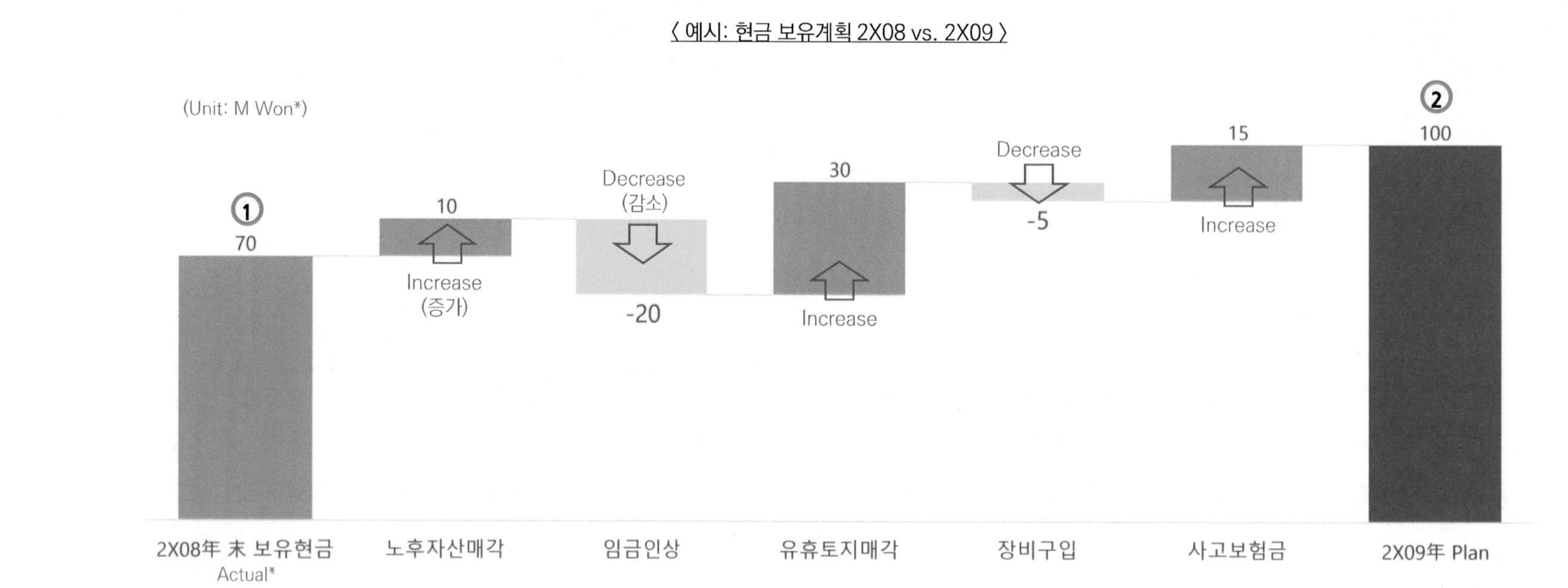

Note) * Actual은 실제 확정(≒ 정산)된 금액 정도로 해석. ** 단위: 백만 원.

[참고 33] 마케팅 등 분석 기법 - Waterfall(3/5)

□ **아래는 연속하는 2개 연도의 목표를 워터폴로 도시(圖示)한 차트입니다. 이는 단순히 하나의 연도만으로 그린 워터폴보다는 좀 더 장기적이고 동적(동향, 動向, Movement)인 메시지를 전달할 수 있게 해줍니다.**

- 구체적으로 아래의 차트는 '2X08년 말(①)'에 실제 보유한 현금 75백만 원을, 1년 뒤인 2X09년 말(②)에는 100백만 원으로, 그리고 그 일년 뒤인 2X10년 말(③)에는 125백만 원으로 만들겠다는 계획(Plan)입니다.
- 중장기 사업계획을 수립할 경우, 특히 재무부문에서 아래와 같은 워터폴 차트를 빈번하게 활용합니다.

〈 예시: 자금 보유계획 20X8 ~ 20X0 〉

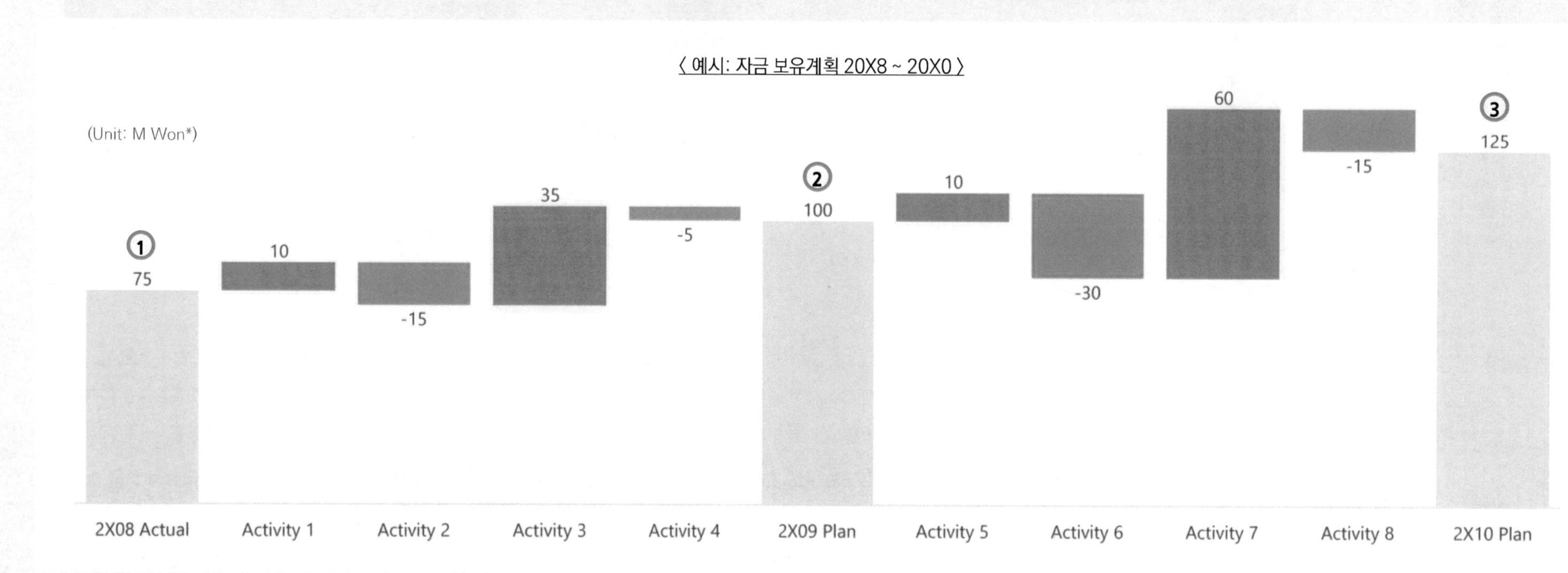

Note) * Actual은 실제 확정된 금액 정도로 해석. ** 단위: 백만 원.

[참고 33] 마케팅 등 분석 기법 - Waterfall(4/5)

□ **그리고 두 번째 형태는 아래와 같이 '두 개'의 워터폴 차트를 바로 옆에 매칭해서 보여주는 것입니다. 일반적으로 이런 경우에는 '비용(Cost)'과 '기대효과(Benefit)'를 보여 줍니다.**

- 구체적으로, 아래의 워터폴 차트를 설명드리면, (왼쪽) ⓐ'보상강화' 활동에 120百万(백만 원)의 비용을 투입할 경우, (오른쪽) ⓑ900百万의 매출이 순증될 것이라는 의미입니다.
- 그리고 'APP개발', '신규제휴', '광고홍보', '고객이벤트'도 동일한 논리로 구성되며, 그래서 결국 총 ⓒ850百万의 비용을 지출하면, 총 ⓓ3,800百万의 매출이 순증될 것이라는 의미입니다.
- 실무적으로, 이 형태는 기획서의 '기대효과(Expected Benefits)' 부분을 작성할 때 '①각 활동별 예상 비용'과 이 비용을 집행할 경우 '②각 활동별로 예상되는 매출 증가(순증 = 기여)액'을 보여줄 때 활용됩니다.

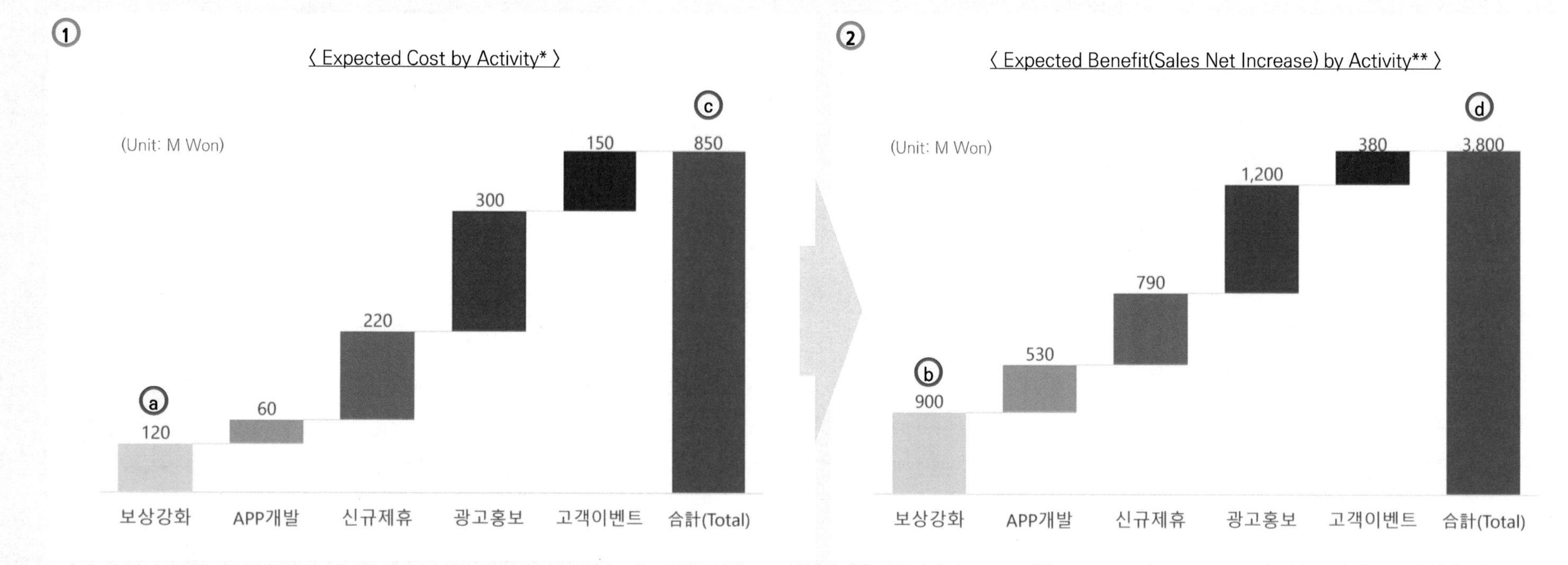

Note) * 활동별 예상 비용. ** 활동별 예상 기대효과(매출 순증액).

[참고 33] 마케팅 등 분석 기법 - Waterfall(5/5)

□ **마지막으로 세 번째 형태는, 아래와 같이 왼쪽 그래프의 마지막 막대**(①의 ⓐ)**'만'을 세분해서**(쪼개서, Breakdown) **오른쪽에 별도의 워터폴 차트로 보여주는 것입니다.**

- 즉, 아래 ①번의 그래프(2X09년부터 2X13년까지의 매출) 중 마지막 연도인 '2X13년도의 매출(ⓐ)'을 '②번의 워터폴 차트'를 통해 세분해서 보여주는 것입니다.
- 구체적으로, 2X13년도의 매출 중 '900百万(백만, 회색 막대)'는 'Base(기초체력)'로서 회사가 적극적인 추가 활동을 하지 않아도, 즉 크게 노력하지 않아도, 달성할 수 있는 매출 수준이고, 나머지 '1,900百万(백만, 주황색 막대)'은 '보상개선', '제휴강화', '전략상품', '조직개편' 활동을 추진해서 달성한다는 의미입니다. 물론 그래서 ⓐ와 ⓑ의 값이 동일합니다.

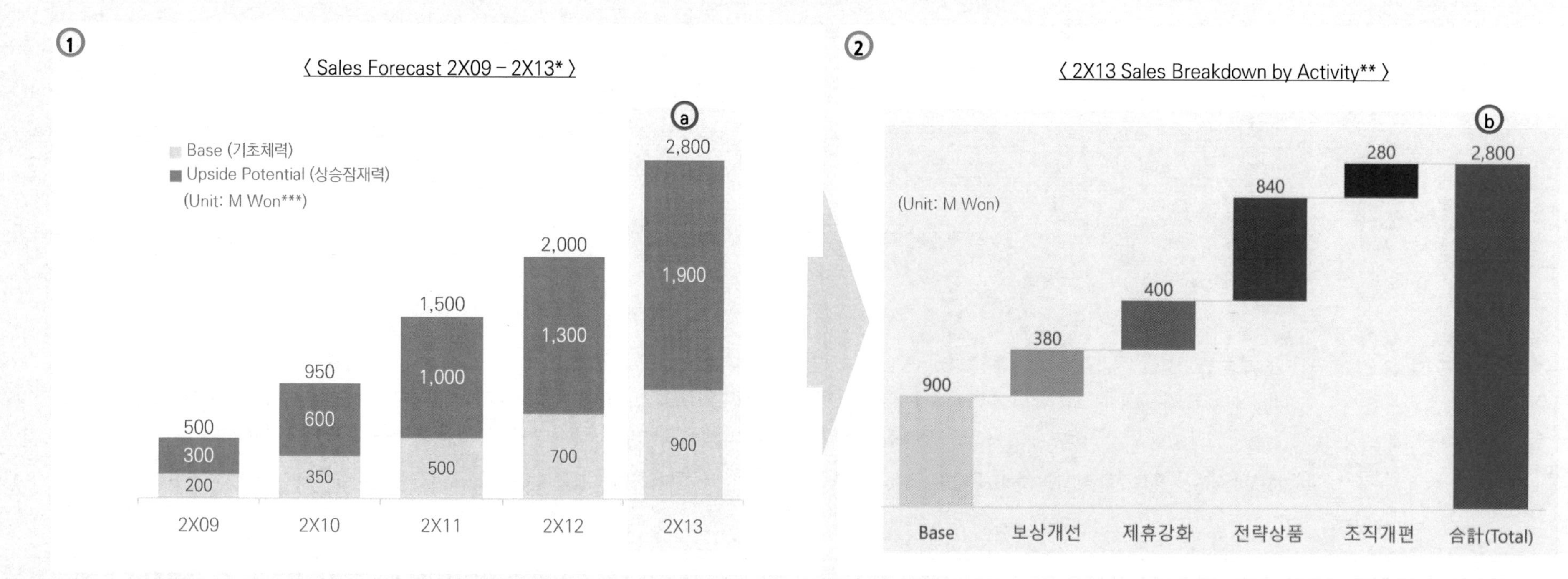

Note) * 2X09 – 2X13년 예상 매출.   ** 2X13년 활동별 예상 매출.   *** 단위: 백만 원.

[참고 34] 마케팅 등 분석 기법 - Fishbone(Cause & Effect) Diagram

☐ **Fishbone**(피쉬본, 또는 Cause & Effect) **Diagram은 어떤 '문제*'나 '결과'의 다양한 원인**(Possible Causes)**들을 찾아 한 장의 장표**(=슬라이드)**로 정리해볼 수 있는 기법입니다.**

- 일반적으로, 이 다이어그램(Diagram)은 다음과 같은 순서로(Step 01 → 02 → 03, 또는 01 → 03 → 02) 작성됩니다.
- 상황에 따라, 이것을 브레인스토밍(Brainstorming) 목적으로 가볍게 사용하기도 하고, 보고 자료에 포함시켜 스토리라인(논리)를 전개하기도 합니다. 문제는 퀄리티입니다.
- 이와 유사한 기능을 하는 기법으로는 'Logic Tree'나 '5 Whys'도 있습니다. 그러나 Fishbone은 다른 기법들과 달리 정보를 좀 더 체계화시켜서 1장의 장표로 보여준다는 장점을 가지고 있습니다.

〈 Fishbone Diagram의 기본 Concept 〉

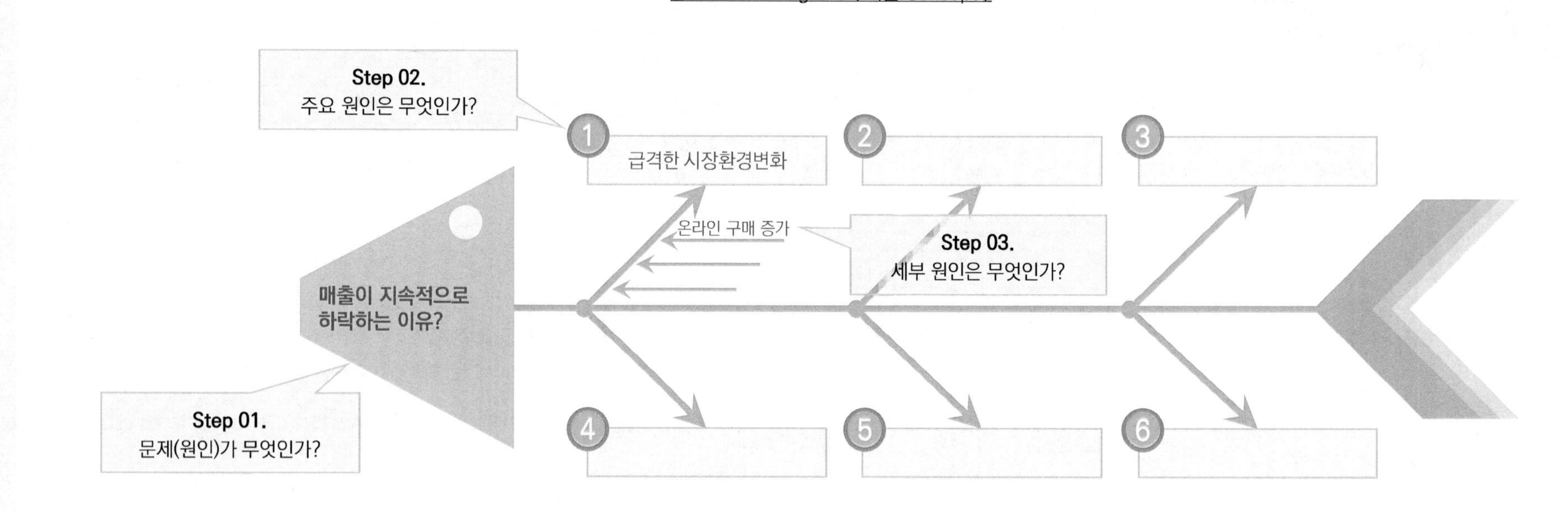

Note) * Imperfections, Variations, Defects, or Failures.

[실전연습 15] Fishbone(Cause & Effect) Diagram

[상황] 최근, 매출이 지속적으로 하락하고 있습니다. 아래의 Fishbone Diagram을 활용해 문제의 원인을 다양하게 찾아보시기 바랍니다.

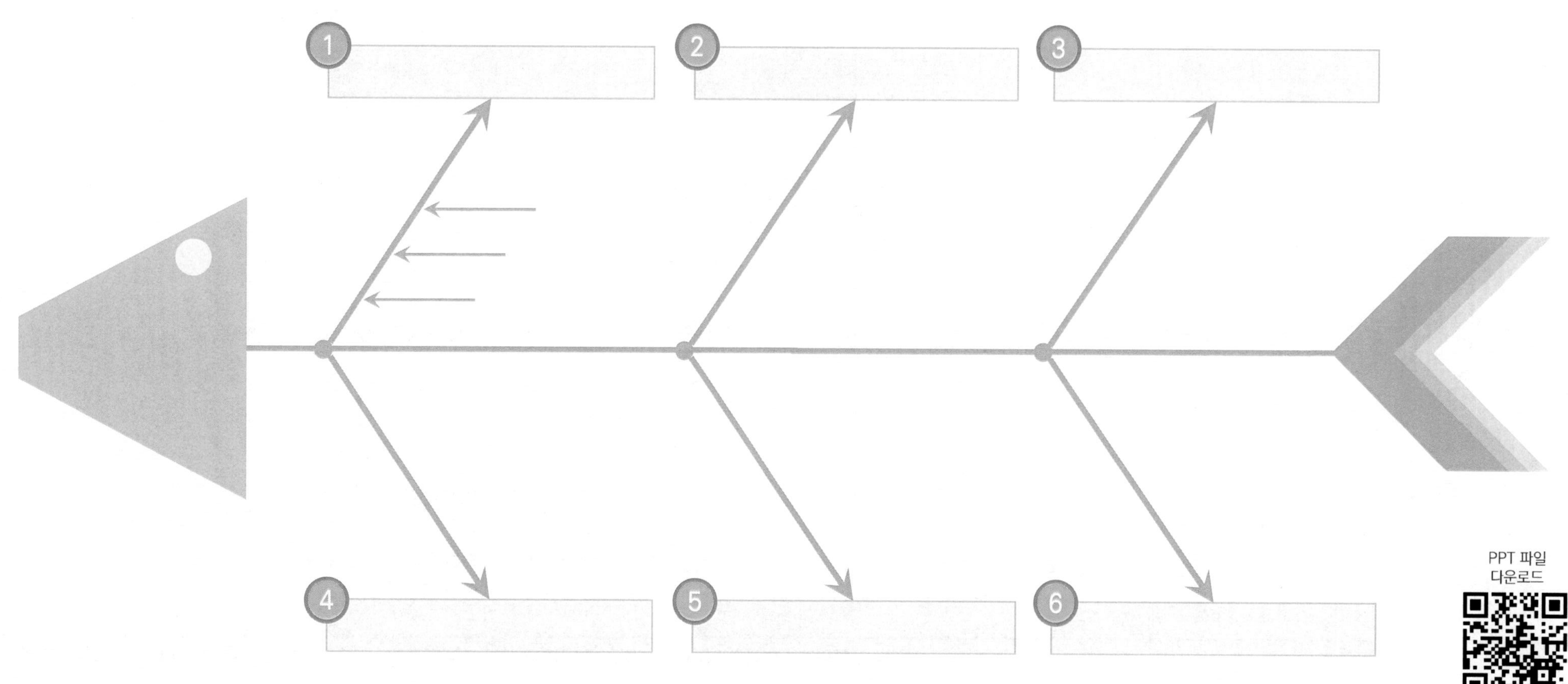

PPT 파일
다운로드

[참고 35] 마케팅 등 분석 기법 - MECE(미씨, Mutually Exclusive Collectively Exhaustive)

□ MECE(미씨, Mutually Exclusive Collectively Exhaustive)**는 어떤 사안을 분석할 때, '서로 중복 없이 전체를 포함'한다는 '사고 방식'을 반영한 기법입니다.**

- 사실 이 용어를 모르는 분들도 분석할 때 당연히 고려하는 '분석의 기본원칙'이라고도 할 수 있는 Concept이며, 이는 Logic Tree(뒤 페이지 참고)와 관련된 용어이기도 합니다.
- 예를 들면, 고객을 분석할 때 아래의 '사례 02'와 같이 '내방 고객'과 '20대 여성 고객'만 분석한다면 전체 고객을 분석하지 못할 뿐만 아니라(①누락) 같은 고객을 중복(②)해서 분석할 수 있다는 의미입니다. 당연한 말이지만, 누락과 중복이 내재된 분석은 공격의 대상이 될 뿐입니다.

〈 사례 01. SNS Marketing을 검토할 때 〉

아래와 같이 검토한다면,

페북 & 인스타 / 블로그

유튜브, 카톡, 트위터 등이 누락됨

즉, 이를 다시 표현하면

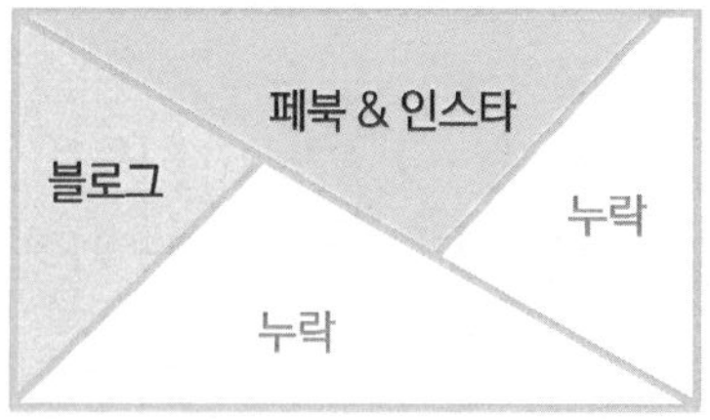

블로그 / 페북 & 인스타 / 누락 / 누락

〈 사례 02. 소매점에서 고객을 분석할 때 〉

아래와 같이 분석한다면,

Walk-in Customers (내방 고객) / 20대 여성 고객

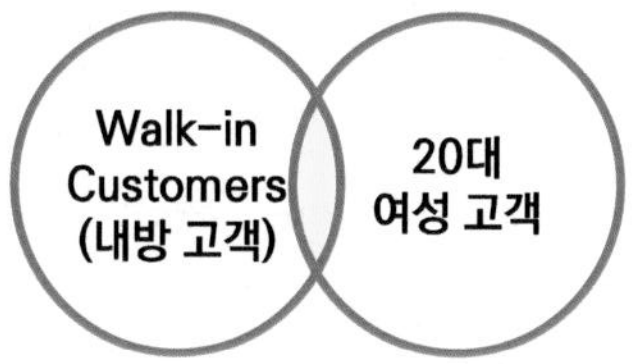

중복 및 누락이 모두 발생

즉, 이를 다시 표현하면

Walk-in Customers / ② 중복 / 20대 여성고객 / ① 누락

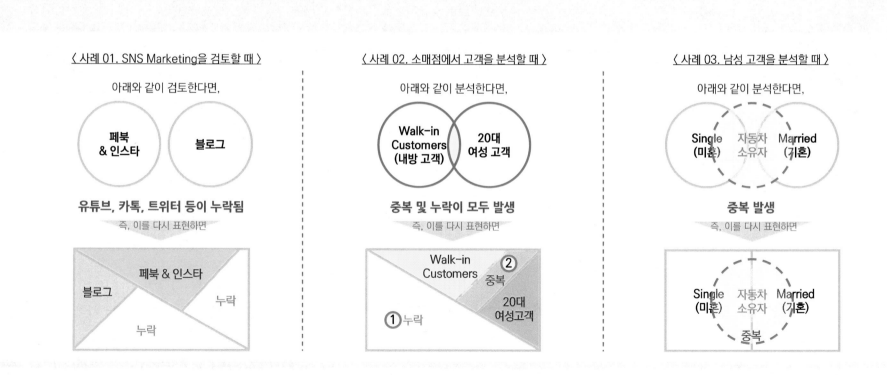

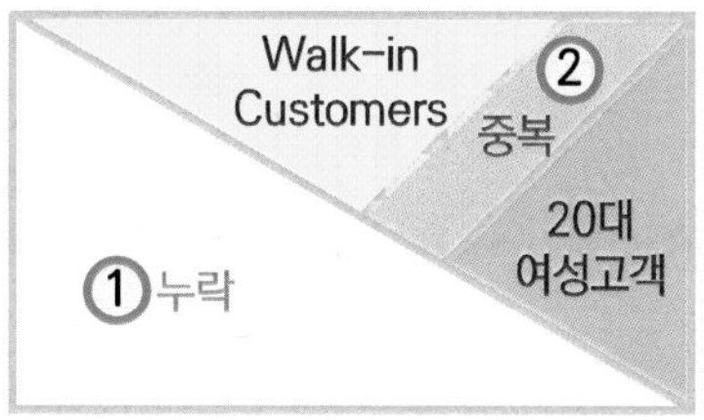

〈 사례 03. 남성 고객을 분석할 때 〉

아래와 같이 분석한다면,

Single (미혼) / 자동차 소유자 / Married (기혼)

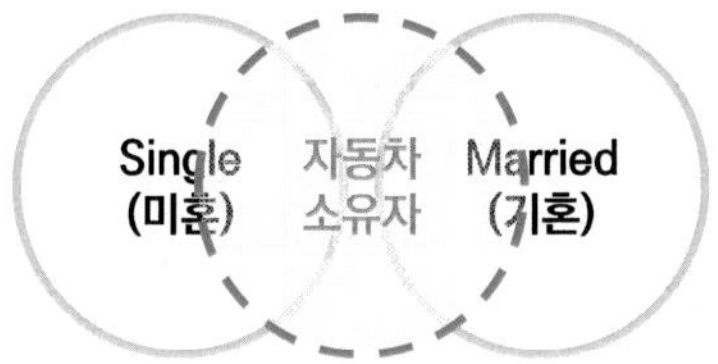

중복 발생

즉, 이를 다시 표현하면

Single (미혼) / 자동차 소유자 / Married (기혼) / 중복

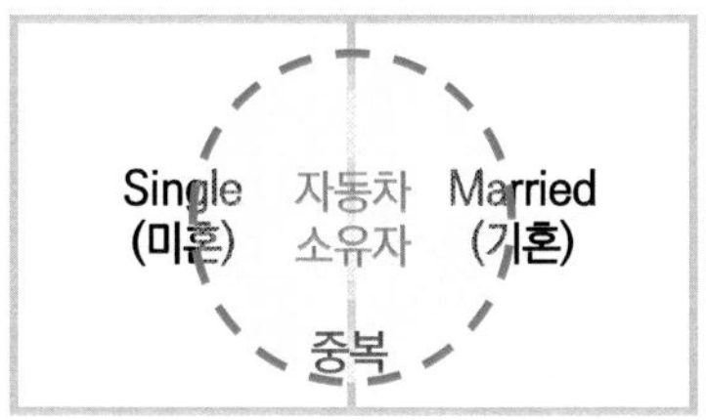

Source) 맥킨지 컨설팅

[참고 36] 마케팅 등 분석 기법 - Logic Tree

□ **Logic Tree**(로직트리, 맥킨지 컨설팅)**는, MECE**(미씨)***의 사고 방식을 적용해, 문제나 결과의 원인을 세부적**(상위 원인과 하위 원인)**으로 파고드는**(분해하는) **분석 기법입니다.**

- 이의 종류에는 'Why Tree(원인 분석)', 'How Tree(해결방안 모색)', 그리고 'What Tree(구성요소 발견)'가 있으며, 아래는 이것들 중 가장 빈번하게 사용되는 'Why Tree'의 한 예입니다.
- 실무적으로 이 기법은 브레인스토밍(Brainstorming)과 잘 어울립니다. 그러나 이를 그대로 보고 자료로 활용하기는 어렵습니다. 왜냐하면, 다소 복잡하게 보여지기 때문입니다.
- Logic Tree는 Fishbone(Cause & Effect)이나 '5 Whys'와 유사한 기능을 하는 기법입니다.

〈 Logic Tree 중 Why Tree의 기본 Concept 〉

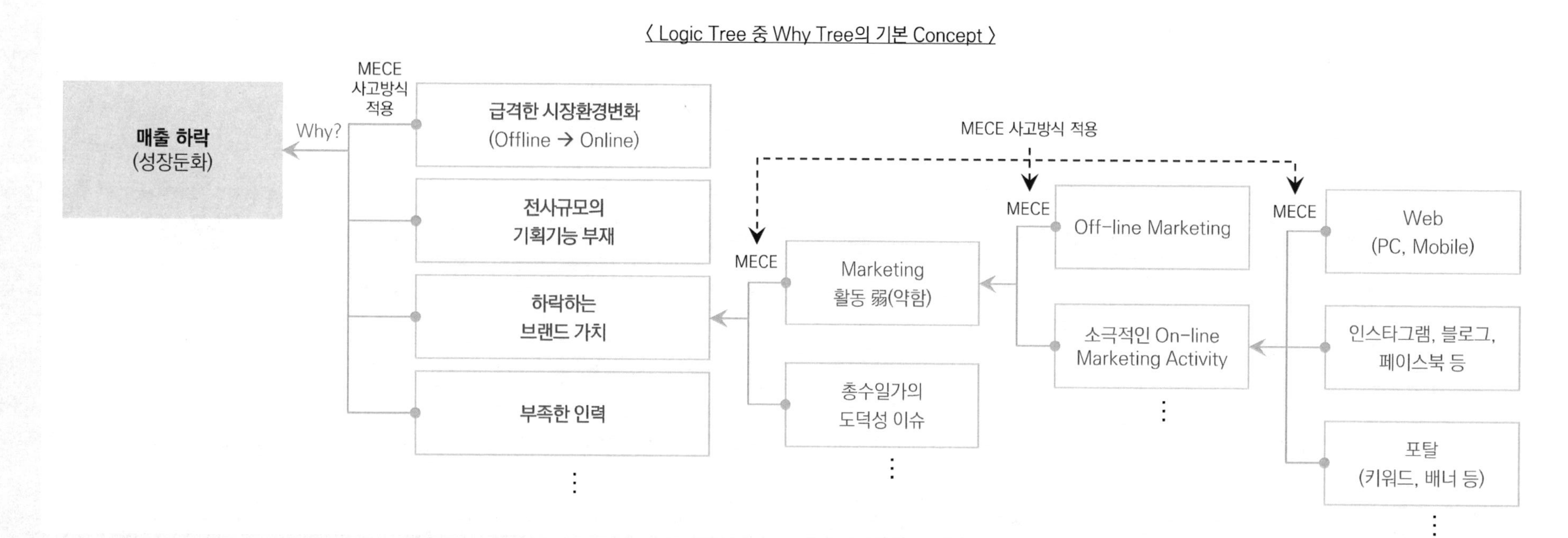

Note) * '서로 중복 없이 전체를 포함'하는 사고방식, 보다 상세한 내용은 이전 페이지 참고

[참고 37] 마케팅 등 분석 기법 - 5 Why

□ '5 Why'는 문제가 발생했을 때, 우선 ①해당 문제를 명확하게 정의하고 이에 대해 ②연속으로 5번 "Why(왜?)"를 질문해서 문제의 근본 원인(5th Why)를 찾아내는 기법입니다.

②	① 문제 정의(Problem Definition)	책임자/관련자	비고
	문제(Problem)		
1st Why Why did this happen? 왜 이런 일이 발생했는가?	1.		
2nd Why Why did this happen? 왜 이런 일이 발생했는가?	2.		
3rd Why Why did this happen? 왜 이런 일이 발생했는가?	3.		
4th Why Why did this happen? 왜 이런 일이 발생했는가?	4.		
5th Why* Why did this happen? 왜 이런 일이 발생했는가?	5.		

Note) * Root cause(근본원인)

[참고 38] 마케팅 등 분석 기법 - 시장을 한 눈에 Marimekko Chart

□ **메코 차트**(Mekko Chart)**는, 아래와 같이 X축과 Y축 모두를 변수로 활용해, 전체 시장의 양적 특성**(시장의 전체 및 구성 요소별 규모, 그리고 이의 점유율)**을 한 눈에 파악할 수 있게 도와주는 그래프입니다.**

- 그러나 이 차트는 엑셀의 그래프 기능으로는 구현하기 어렵습니다. 그래서 실무상 빈번하게 사용되는 것은 아닙니다만, 고위 임원들 중에 이를 원하는 분(e.g., 컨설팅 출신)들도 적지 않습니다.
- 그리고 메코 차트는 크게 두 가지 형태(하나는 아래, 그리고 다른 하나는 뒤 페이지 차트 참고)가 있으며, 외형상의 차이로 인해 그 활용 목적도 서로 다릅니다.

〈 글로벌 OOO 시장 규모(단위: 십억) 〉

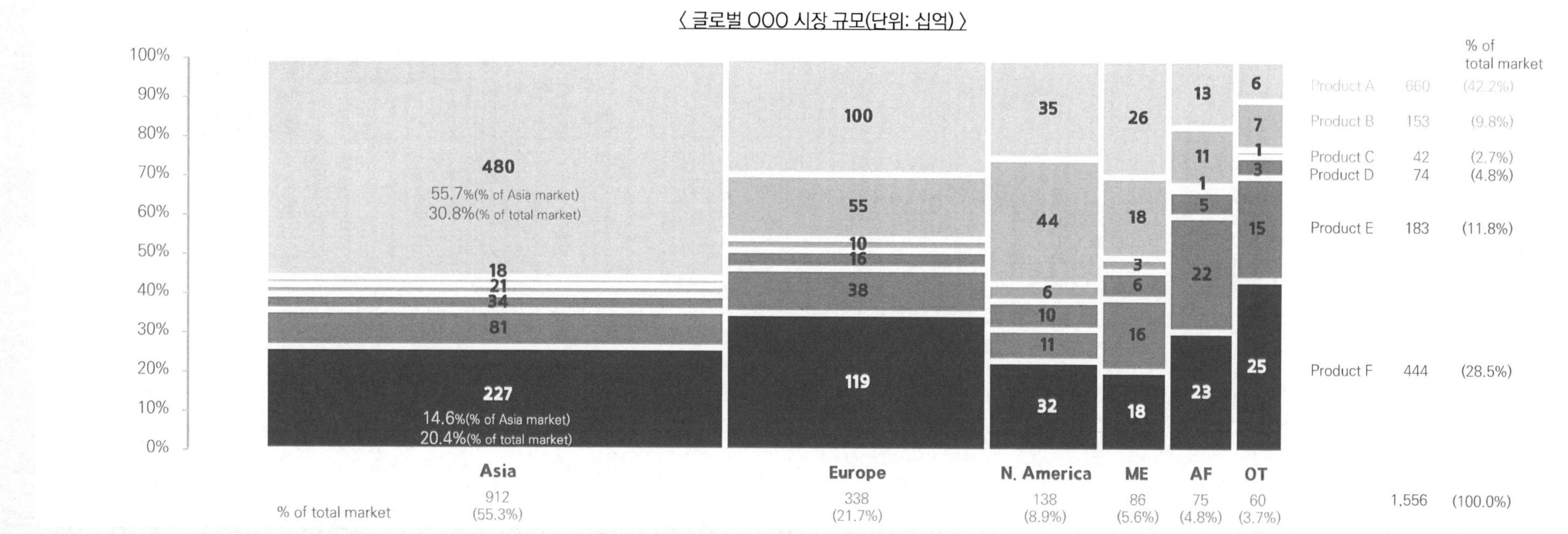

Note) 위 차트는 가상의 데이터로 구성한 것임.

[참고 38] 마케팅 등 분석 기법 - 시장을 한 눈에 Marimekko Chart

□ **비록, X축과 Y축 모두를 변수로 활용한다는 점은 동일하지만, 앞에 소개한 메코 차트(Mekko Chart)와는 확연하게 다른, 단순한 막대 그래프와 유사한 '심플한 형태의 Mekko 차트'도 종종 활용됩니다.**

- 물론, 이 차트도 앞의 차트와 마찬가지로 아직까지 엑셀 그래프 기능으로 구현하기 어렵습니다. 그래서 실무에서는 이를 다이어그램으로 직접 그려서 사용하기도 합니다.

〈 국가별 OOO 성장률(단위: %, 십억) 〉

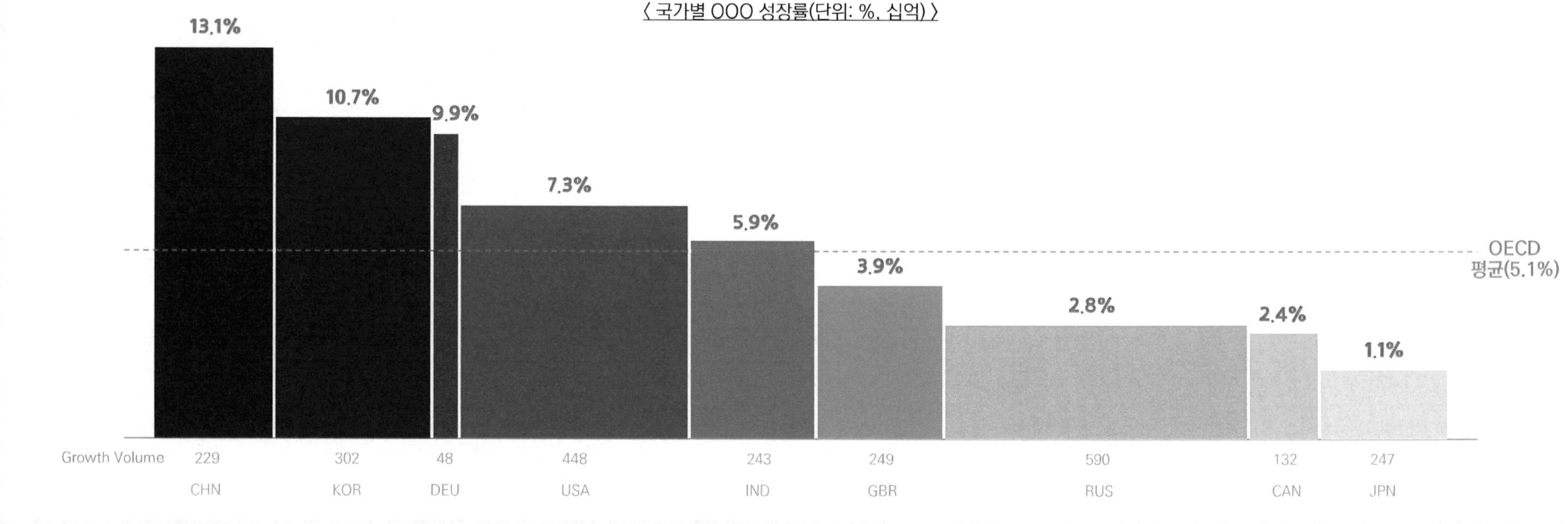

Note) 위 차트는 가상의 데이터로 구성한 것임.

라. 문서 작성하기 – 3) 실전 문서 작성 기법들 – 나) Professional Skills – (9) 단계별 접근법(段階別 接近法, Step-by-step Approach)

□ **일반적으로, 기획서에서 방안**(주로 '과제'나 '목표')**을 수립**(≒ 개발 or 만듦)**할 때, 아래와 같이 단계**(段階 ≒ Phase, Stage, Step)**별 접근법**(또는 단계별 추진계획)**을 사용하는 것이 좀 더 효과적일 때가 많습니다.**

- 왜냐하면, 중간 단계의 과제나 목표를 통해 해당 과제나 목표의 실현 가능성(즉 현실적인 과제나 목표인가)을 가늠할 수 있게 되고 나아가 수립된 과제와 목표의 '중간 과정 관리'도 가능해지기 때문입니다.
- 단계별 접근법은 주로 장기(長期, Long-term) 과제나 목표를 수립할 때에만 활용된다고 생각하시는 분들이 많으나, 단기(短期, Short-term) 과제나 목표를 수립할 때도 자주 사용됩니다.
- 실제 이와 같은 장표는 '~ 단계', '~의 단계별 추진과정', '~ 로드맵' 등으로 네이밍(Naming)되며, 아래와 같은 사각형 다이어그램이나 간단한 표로 시각화(Visualization)됩니다.

〈 예시: 일반적인 기획서에서 사용되는 단계별 접근법 양식* 〉

	Phase I (2X09 1Q) **민원 통계 산출기준 변경**	**Phase II** (2X09 2Q) **직무 등 관련 규정 제·개정**	**Phase III** (2X09 3Q) **민원 KPI 차기 사업계획에 반영**
주요 방향	• 현재의 민원 통계 산출 기준에서 최고값**과 최저값**을 배제한 후 통계 산출	• 직무규정, 업무분장규정, 상벌규정 정비, 그리고 • 민원관리기준 제정으로 민원 관리 책임 명확화	• 차기 이후 사업계획에 민원 관련 KPI를 반영함으로써 민원 관리의 중요성 강조
추진과제 (Action Item) ⋮	• 데이터관리위원회 사전 검토 및 의결 필요 • 이후 시스템 개발 및 제 리포트 수정 • 관련 UAT 실시 후 실무 적용 • 창구 및 필드 의견 수렴(실무 적용 후 1개월 뒤) • 창구 및 필드 의견 상부 보고 • 이후 개선점 반영 후 지속 모니터링…		

Note) * 동일한 내용을 전달하더라도 위와 같이 단계적으로 추진계획을 보고드리면 좀 더 "체계적"인 인상을 남길 수 있습니다. 이 양식을 슬라이드에 가득 채워 작성하기도 합니다.
** 한글 맞춤법 제30조에 따라, 이를 최곳값과 최젓값으로 써야하나 필자는 그렇게 쓰지 않겠습니다.

라. 문서 작성하기 – 3) 실전 문서 작성 기법들 – 나) Professional Skills – (10) 보고서용 PPT* vs. PT*용 PPT

☐ **보고서용(用) PPT 파일을 그대로 PT用으로 사용하시면 정말 편합니다. 그러나 이를 조금만 조정하시면 Audience들에게 프로의 '이미지'를 조금 더 남겨드릴 수 있을 것입니다.**

- Presentation用 파일은 별도로 작성해야 한다는 것은 누구나 알고 있습니다. 왜냐하면, PT용 PowerPoint 파일은 보고서용 보다 글씨 크기를 더 키워야 하기 때문입니다.
- 그러나, 이게 전부가 아닙니다. 더 중요한 것은, 제한된 시간 내에 보다 효과적으로 메시지를 전달할 수 있도록, 보고서용 PPT의 순서를 상황(제한 시간, 회의의 목적 등)에 맞게 스토리라인을 좀 조정(위치 변경이나 불필요한 장표 삭제 등)해야 한다는 것입니다. 그래서 PowerPoint 문서는 보고서용과 발표용 버전을 별도로 관리하는 것이 좋습니다.

〈 보고서용 PPT → 발표(Presentation)용 PPT 〉

조정하는 이유(Background)

① 사실 실무에서는 PT 여부와 무관하게 보고서 등을 PowerPoint로 문서로 작성하는 경우가 많습니다(물론, 공공기관은 제외). 왜냐하면, PPT는, Word나 HWP보다, 좀 더 시각적으로 메시지를 전달할 수 있기 때문입니다. 그리고 발표를 해야 할 때 바로 활용할 수도 있기 때문입니다.

② 그러나 실무적으로 PPT로 보고서나 기획서를 작성하다 보면 당연히 보고서용 서식을 적용할 수밖에 없습니다. 왜냐하면, 문서를 만들다 보면 어쩔 수 없이 상세한 내용들을 담을 수밖에 없고 또 전통적인 서식의 틀을 무시할 수 없기 때문입니다.

③ 그래서, PT를 해야 할 상황이 발생한 경우, '보고서용 PPT'를 '발표용 PPT'로 조정(또는 변경)해야 할지를 검토해야 합니다.

구분	일반적 조정 (General Adjustment)	스토리라인 조정 (Storyline Adjustment)
조정 검토 대상	글씨 크기, 그래프 등 다이어그램의 크기, 복잡한 내용 단순화	Storyline(PT의 줄거리 즉, 스토리라인을 매끄럽게 만들기 위해, ⓐ굳이 설명할 필요가 없는 본문***의 자료를 '붙임'으로 옮겨주거나, ⓑ본문과 함께 설명이 필요한 '붙임'을 본문으로 옮겨주기, ⓒ이해를 도울 수 있는 그림 등을 삽입, ⓓ불필요한 장표 삭제)
필요 여부	반드시 필요한 것은 아님 (요즘은 빔 프로젝터의 성능이 매우 우수하기 때문에 상황에 따라 달라질 수 있음)	일반적으로 필요 (조정하면 본인이 설명하기도 편하고, Audience도 더 자연스럽게 이해하게 됨)
고려 항목	장소 크기(스크린과 Audience와의 거리), 참석자 속성(수, 직위, 연령대 등), 발표하는 행사의 종류, 유인물 배포 여부 등	제한 시간, Presentation의 목적, 참석자 속성 등 (쉽게 이해시킬 수 있는 최선을 찾기 위해)

Note) * PPT(PowerPoint, 파워포인트), ** PT(Presentation, 프레젠테이션), *** 편의상 'PPT 문서'를 '본문(붙임 이외의 부분)'과 '붙임(첨부)'으로 구분해 설명 드렸습니다.

3. 보고서 및 기획서 작성하기

라. 문서 작성하기 – 3) 실전 문서 작성 기법들 – 나) Professional Skills – (11) History Management(업무 이력 관리)

□ **보고(기획)업무는 '문서를 작성하는 과정'도 중요하지만, 최종 보고 이후 '마무리된 문서 등'을 '보관해두는 일'도 매우 중요합니다. 왜냐하면, 상황은 언제나 변하기 때문*입니다.**

- 회사에서는 물적 근거(物的 根據 = Evidence)가 매우 중요합니다. 그래서 문서 작성 개시때부터 '하나의 폴더'와 '하나의 email**'로 모든 History(업무 이력 ≒ 경과)를 남겨두셔야 합니다.
- 구체적으로, 우선 보고업무 개시와 동시에 '해당 업무에 관한 폴더를 생성(①)'하고 이와 관련된 자료들을 모두 여기에 저장합니다. 이후 보고가 완료되면 서브 폴더(아래에서는 이의 이름을 '관련자료'로 가정)를 생성(②-Ⓐ)해 최종 보고서 '이외'의 모든 파일들과 이메일 등의 근거 자료들을 모두 넣어주고, 이 폴더 밖에는 '최종 보고 파일(Ⓑ)'과 '이를 Pdf로 전환한 파일(Ⓒ)'만 남겨 놓습니다.

〈 작업 중 vs. 작업 후 폴더·파일정리법 〉

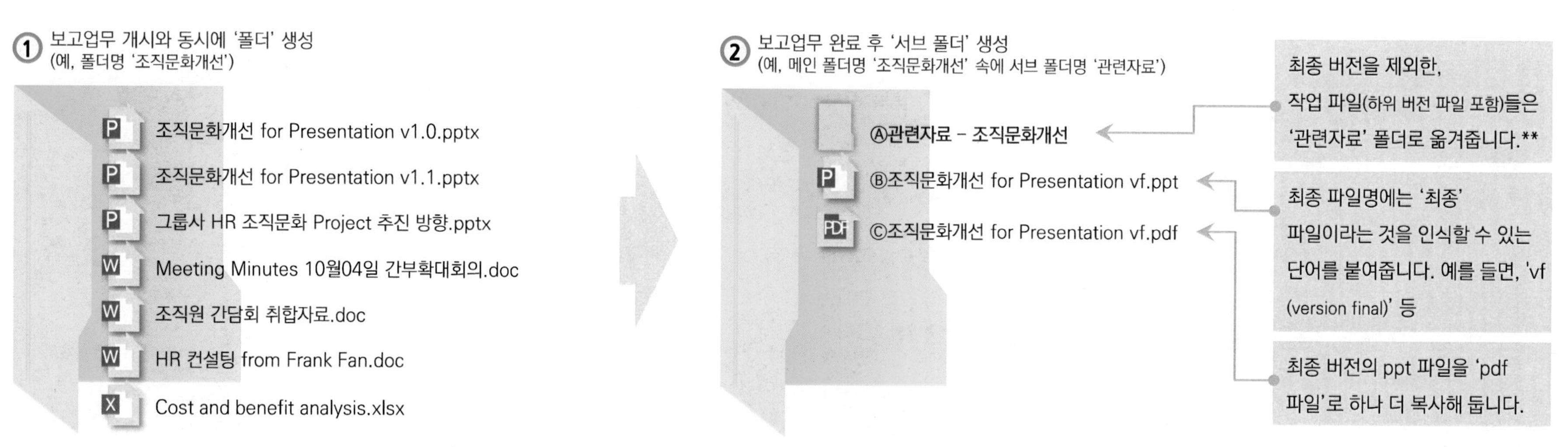

① 보고업무 개시와 동시에 '폴더' 생성
(예, 폴더명 '조직문화개선')
조직문화개선 for Presentation v1.0.pptx
조직문화개선 for Presentation v1.1.pptx
그룹사 HR 조직문화 Project 추진 방향.pptx
Meeting Minutes 10월04일 간부확대회의.doc
조직원 간담회 취합자료.doc
HR 컨설팅 from Frank Fan.doc
Cost and benefit analysis.xlsx
② 보고업무 완료 후 '서브 폴더' 생성
(예, 메인 폴더명 '조직문화개선' 속에 서브 폴더명 '관련자료')
Ⓐ관련자료 – 조직문화개선
Ⓑ조직문화개선 for Presentation vf.ppt
Ⓒ조직문화개선 for Presentation vf.pdf
최종 버전을 제외한, 작업 파일(하위 버전 파일 포함)들은 '관련자료' 폴더로 옮겨줍니다.**
최종 파일명에는 '최종' 파일이라는 것을 인식할 수 있는 단어를 붙여줍니다. 예를 들면, 'vf (version final)' 등
최종 버전의 ppt 파일을 'pdf 파일'로 하나 더 복사해 둡니다.

Note) * 예를 들면, 문서 보관기간 동안, 실무자의 상황이 변경(업무변경, 조직이동, 휴직, 퇴사 등)되거나 아니면 책임을 전가하기 위한 누군가의 악의적 공격도 발생할 수 있기 때문입니다.
** 일반적으로 대상(수신인, 참조인)이 동일하다면 하나의 이메일로 계속 커뮤니케이션을 해야 합니다. *** 관련 근거 이메일들도 모두 이 폴더에 복사해 둬야 합니다.

실전 문서 작성 기법들 - General Skills(일반적인 스킬들)

라. 문서 작성하기 – 3) 실전 문서 작성 기법들 – 다) General Skills – (1) 문장과 표현을 단순화하기

□ **일반적으로 조직에서 작성하는 문서들은 학창시절(學窓時節)*의 리포트(레포트는 비표준어)나 논술 시험(論述試驗)과 다릅니다. 그래서 이왕이면, 조사나 중복을 최소화하고 간결하게 작성해야 합니다.**

- 우선, 문서를 작성할 때에는 '조사'를 최소화해야 합니다. 특히, 문서의 'Ⓐ제목'에는 일반적으로 조사를 거의 사용하지 않습니다.
- 물론, '제목'뿐만 아니라 '헤드라인(Headline)'이나 본문의 '세부내용(細部內容)'을 작성할 때에도 조사는 반드시 필요한 경우에만 사용해야 합니다.

〈 일반적인 단순화(문장과 표현에 관한) 기법 〉

① 조사(助詞, Postpositional Word)의 최소화 | ② 간결체(簡潔體)의 생활화 | ③ 중복(重複)의 최소화

조사의 종류 및 특징

종류	특징 및 예(例)
격조사	체언이나 용언의 명사형 뒤에 붙어 앞말이 일정한 자격을 갖도록 하는 조사 (e.g., 내가, 그녀에게, 꽃을)
접속조사	두 단어나 구를 같은 자격으로 이어주는 조사 (e.g., 너와 나는, ~고, ~며, ~겸, ~랑 등)
보조사	앞말에 특별한 뜻을 더해주는 조사 (e.g., 당신도, ~부터, ~까지, ~마저, ~조차 등)

	〈 Example: 초안 〉	〈 Example: 개선안** 〉
Ⓐ 제목	제휴사업과 관련된 특이사항	제휴사업 관련 특이사항(or 이슈*****)
	당사 업무 프로세스를 개선하기 위한 전략 방안	업무 프로세스 개선 방안
헤드라인 세부내용 등	소비자들의 긍정적인 평가는 매출 증가는 물론 브랜드 가치까지 더 좋게 만듦	소비자들의 긍정적 평가는 매출 및 브랜드 가치 상승과 직결
	경쟁사와 비교해 당사의 월말 매출의 집중도가 매우 높음. 그러나, 이를 효과적으로 관리할 방안은 아직까지 없음	경쟁사 대비, 월말 매출 집중도 高*** 그러나 이의 효과적 관리 방안은 不在****

Note) * 학교를 다니며 공부를 하는 시기나 때(우리말샘). ** 물론, 이것이 유일한 정답은 아닙니다. 그러나 참고는 되실 듯합니다. *** 높을 고. **** 부재 ≒ 존재하지 않음.
***** 이슈는 부정적 내용을 다룰 때 주로 사용.

3. 보고서 및 기획서 작성하기

라. 문서 작성하기 – 3) 실전 문서 작성 기법들 – 다) General Skills – (1) 문장과 표현을 단순화하기

□ **그리고 모든 문장은 시종일관(始終一貫) 만연체(蔓衍體)*가 아닌 간결체(簡潔體)**로 작성해야 합니다. 그래야 좀 더 공식적이고 프로페셔널(Official and Professional)해 보입니다.**

- '헤드라인(Headline)'부터 '각주'까지 최대한 간결하게 작성하시기 바랍니다. 왜냐하면, 회사에는 만연체를 좋아하는 윗분들은 거의 없기 때문입니다.
- 즉, 장황한 문장은 Audience를 답답하게 만들 뿐입니다. 그래서 문맥에 불필요한 '단어'나 '구(句)'도 과감하게 삭제해야 합니다.
- 참고로, 이것을 잘할 수 있는 방법은 선배님들이 작성했던 문서들을 최대한 많이 그리고 자주 보는 것입니다.

〈 문장과 표현에 관한 일반적인 단순화 기법 〉

① 조사(助詞, Postpositional Word)의 최소화	**② 간결체(簡潔體)**의 생활화**	③ 중복(重複)의 최소화

	〈 Example: 초안 〉		〈 Example: 개선안*** 〉
Ⓐ	당사 마케팅팀의 소비자 조사에 따르면, 자동차는 고관여 상품임에도 불구하고, 자동차 교체 시 아직까지도 많은 소비자들이 지인들의 추천과 인터넷에 게재된 광고성 블로그 게시물을 참고해 차종을 결정한다고 함	→	마케팅팀의 시장 조사에 따르면, 자동차는 고관여 상품임에도, 아직 많은 소비자들이 '타인 의견(주로 지인 및 블로그 포스트)에 따라 차량 모델을 선택'한다고 함
Ⓑ	이와 같은 어려운 경제 상황은 우리나라와 같이 다양한 국·내외 변수가 많고 여러 복잡한 시장 환경에 처한 우리나라의 기업들에게, 다른 나라 기업들보다, 시사하는 바가 더 클 것으로 사료됨	→	現 경제 상황은, 외국 기업들과 달리, 국·내외의 복잡한 시장 환경에 처한 우리 기업들에게 시사하는 바가 더 클 것으로 사료됨
Ⓒ	위에서 검토한 여러 팩트들을 고려해, 우리도 경쟁사들과 같이 동 이슈를 해결할 대응 전략을 빠른 시간 내에 수립하고 이를 적극적으로 실행해야 할 것임	→	검토컨대, 당사도 이에 대한 대안을 조속히 마련해야 할 것으로 사료됨

Note) * 많은 어구를 이용하여 반복·부연·수식·설명함으로써 문장을 장황하게 표현하는 문제(우리말샘).
** 짧고 간결한 문장으로 내용을 명쾌하게 표현하는 문제(우리말샘). *** 물론, 이것이 유일한 정답은 아닙니다. 그러나 참고는 되실 듯합니다.

라. 문서 작성하기 – 3) 실전 문서 작성 기법들 – 다) General Skills – (1) 문장과 표현을 단순화하기

□ **마지막으로 문서상에 중복(重複, Redundancy)되는 내용도 최소화해야 합니다. 다행스럽게도, 이것은 누구나 어느 정도 연습을 하면 일정한 궤도(軌道, Level)에 오르게 됩니다.**

- 일반적으로, 문장을 작성할 때에는 퇴고(推敲)만 적당히 하신다면 이런 실수는 최소화할 수 있을 것입니다. 그러나, 경험상, 아래와 같은 표(表, Table)의 경우에는 예상보다 실수가 많았습니다.*
- 아래의 표로 예를 든다면, 왼쪽 표에서 '중복되는 문구(파란색)'들을 삭제하고 맨 아래에 '합계'를 추가하면, 오른쪽과 같이 '보다 깔끔'하게 '필요한 정보'를 제공하는 표로 변경됩니다.

〈 표에 관한 일반적인 단순화 기법 〉

① 조사(助詞, Postpositional Word)의 최소화　② 간결체(簡潔體)**의 생활화　**③ 중복(重複)의 최소화**

〈 Example: 초안 〉

〈 OOO채널 별 매출 및 점유율 〉

채널	2X08년 평균		2X09년 평균		2X10년 평균	
		占		占		占
마트채널	5,418	65.1%	4,890	49.0%	4,002	36.1%
백화점채널	1,789	21.5%	1,548	15.5%	836	7.5%
온라인채널	513	6.2%	1,912	19.2%	3,799	34.3%
해외채널	604	7.3%	1,633	16.4%	2,451	22.1%

〈 Example: 개선안** 〉

〈 OOO채널 별 평균 매출 및 점유율 추세(단위: 백만) 〉

채널	2X08	占%	2X09	占%	2X10	占%
마트	5,418	65.1	4,890	49.0	4,002	36.1
백화점	1,789	21.5	1,548	15.5	836	7.5
온라인	513	6.2	1,912	19.2	3,799	34.3
해외	604	7.3	1,633	16.4	2,451	22.1
합계	8,324	100.0	9,983	100.0	11,088	100.0

Note) * 통상 표는 한번 삽입한 이후 문장만큼 신경을 쓰지 않기 때문.　** 물론, 이것이 유일한 정답은 아닙니다. 그러나 참고는 되실 듯합니다.

3. 보고서 및 기획서 작성하기

라. 문서 작성하기 – 3) 실전 문서 작성 기법들 – 다) General Skills – (2) 번호매기기

□ **'번호매기기(≒ Numbering, 넘버링)'는 지극히 형식적인 요소이나 여기에도 룰이 있다는 것을 모르시는 분들이 많습니다. 물론, 이를 반드시 따를 필요는 없으나, 룰이 있다는 것은 알고 계셔야 합니다.***

- "제가 정부 규정까지 알아야 하나요?"라고 질문하시는 분들이 좀 계시지만, '알고 사용하지 않는 것'과 '모르고 사용하지 않는 것'은 좀 다릅니다.
- 물론, 회사의 룰(문서관련 규정 또는 관행)이 존재한다면 그것을 따르면 됩니다. 그러나 없다면 정부의 규정을 따르는 것도 나쁘지 않을 듯합니다.
- 참고로, 실무에서는 'Option 1'과 'Option 2'를 혼합한 형식으로 사용합니다(예를 들면, 'Option 1'에서는 '1.'이나 '가.'를, 그리고 그 밑에는 'Option 2'에서는 '□'이나 '○' 등을 사용합니다).

〈 정부 규정上 번호매기기 〉

행정 효율과 협업 촉진에 관한 규정 시행규칙

제2조(공문서 작성의 일반원칙)

① 공문서(이하 "문서"라 한다)의 내용을 둘 이상의 항목으로 구분할 필요가 있으면 그 항목을 순서(항목 구분이 숫자인 경우에는 오름차순, 한글인 경우에는 가나다순을 말한다)대로 표시하되, **상위 항목부터 하위 항목까지** 1., 가., 1), 가), (1), (가), ①, ㉮의 형태로 표시한다. 다만, 필요한 경우에는 □, ○, ㅡ, · 등과 같은 특수한 기호로 표시할 수 있다.

동 규칙 적용례(適用例)

원칙(原則)

1. 문제제기
  가. 사실관계
    1) 원고의 주장
      가) 주장 01
        (1) 근거
          (가) OOO
            ① OOO
              ㉮ OOO

예외(例外) 1

□ 문제제기
  ○ 사실관계
    ㅡ 원고의 주장
      · 주장 01

예외(例外) 2

1. 문제제기
  □ 사실관계
    ㅡ 원고의 주장
      · 주장 01

Note) * 왜냐하면, 회사에는 다양한 배경(Background)을 가지고 계신 분들이 많기 때문입니다. 이런 사소한 것 하나를 가지고 문제를 삼는 분들도 적지 않습니다.

[참고 39] 번호매기기 유형

☐ **번호매기기 유형은, 크게 보면, '정부를 포함한 공공기관'과 '일반 사기업(私企業, Private enterprise, Privately-owned company)'이 서로 대동소이(大同小異 = 유사)합니다.**

- 참고로 이 페이지에서는 번호매기기 외에도 문서의 표현 방식 등의 차이도 확인하시면 더 좋을 듯합니다.

〈 예시 01. 한국은행 보도자료* 〉

3 기업자금

□ 12월중 **은행 기업대출**(원화)은 감소(20.11월 +6.7조원 → 12월 -5.6조원)

o 대기업대출(-0.3조원 → -5.0조원)과 중소기업대출(+7.0조원 → -0.6조원) 모두 연말 기업의 재무비율 관리를 위한 일시상환, 은행의 부실채권 매·상각 등으로 감소

— 다만, 개인사업자대출은 소상공인 등 자금수요가 이어지며 증가 지속

□ **회사채**는 연말 기관의 투자수요 감소 등에도 불구하고 회사채·CP 매입기구(SPV)의 매입 등으로 소폭 순발행(20.11월 +0.5조원 → 12월 +0.3조원)

o 주식은 일부 대기업의 유상증자 등으로 발행규모 확대(+0.8조원 → +3.0조원)

기업 자금조달

〈 표 생략 〉

〈 예시 02. 금융위원회 보도자료** 〉

3. 금융소비자보호법의 조기 안착 지원

◈ **금융소비자보호법이 원활히 시행**(3.25일)되어 현장에 뿌리내릴 수 있도록 **신속하고 효율적인 지원체계**를 구축하겠습니다.

□ **"금소법 시행준비 상황반"**('21.1월~)을 **법 시행 전·후 3개월**간 집중 운영하여 **현장의 애로사항**에 **신속히 대응**하겠습니다.

* 금융위, 금감원, 소비자단체, 금융권 협회, 핀테크협회로 구성

○ **분야별 전담반***을 구성하여 금융권의 **준비상황을 면밀히 점검**하고 주요이슈 등을 **효율적으로 검토·신속히 공유**하겠습니다.

* [주요 분야] ① 업자 등록 ② 내부통제 ③ 광고심의 ④ 영업행위 지침

□ 금소법 제도 관련 **현장의 FAQ 설명회 일정** 등을 알리는 **전담게시판**(금감원 홈페이지內)을 마련하고

○ 새로운 소비자보호 제도 변화에 대하여 **금융업계와 소비자를 대상으로 교육과 홍보를 강화**하겠습니다.

* (예) 설명회 개최, 금융권 임직원 교육, 영업현장 브로셔 배포, 금융교육 등

이하 생략

〈 예시 03. 모 대기업 보고서*** 〉

Ⅰ. 基本方向

□ 現行 영업조직의 신입 지원제도의 근간은 유지하되 **生産性 向上을 도모할 수 있는 제도적 장치는 마련**

— **분기단위 등급평가로 실적유인력 提高**

· [現行] 1年間 同一 등급 보장 → **[改定] 분기단위 등급 평가**

· 등급別 보장금액 현행과 同一: A+급 5百万 ~ F급 50万

(→) 生産性에 따라 수수료 차등 및 …

— 성과우수자에 대한 수수료우대로 **성장동인 극대화**

· **高능률** Incentive 引上(최대…

· 早期목표달성 및 휴가제도 도입(대상은 입사 2차년~

□ **分期 업적우수자** 보호 강화 및 **지원**금액 대폭 **引上**

— 사고 등 一時的인 이유로 고객 이탈時 대안 마련…

→ 특히,

— 분기목표 100% 달성時 **분기성과의 60%** 추가 지급

→ 특히, 분기 **月평균 업적 1,500万이상자는 분기 성과의 15~40%**를 분기 Incentive로 제공

이하 생략

Note) * '2020년 12월중 금융시장 동향' 중 발췌(2021.1.14), ** '2021 금융소비자국 중점 추진과제' 중 발췌(2021.2.15),
*** 실제 글자 크기(Point size)가 예시 01과 02보다 큼, 그리고 붉은색 점선은 몇몇 기업에서 중요하게 생각하는 '문단 시작 정렬'입니다.

라. 문서 작성하기 – 3) 실전 문서 작성 기법들 – 다) General Skills – (3) 맞춤법

□ **맞춤법*을 완벽하게 알고 있는 분은 많지 않을 것입니다. 비교적 자주 바뀌기 때문입니다.** 그러나 그럼에도 불구하고, 맞춤법 실수는 최소화해야 합니다.**

- 물론, 사람이라 실수할 수도 있습니다. 그러나 실수가 반복되면 윗분들은 이를 실력이라고 간주(看做)합니다. 왜냐하면, 이를 주의 깊게 검토하지 않았다고 생각하기 때문입니다.
- 아래의 예시는 실무자분들이 정말 자주 틀리는 것들입니다. 문서작성 전에 꼭 참고하시기 바랍니다.
- 그리고 참고로, 주어와 술어를 연결시키는 것도 늘 신경쓰시기 바랍니다.

〈 예시: 직장인들이 자주 틀리는 맞춤법 실수들 〉

잘못된 맞춤법	올바른 맞춤법
워크샵(Workshop)	워크숍
매니져(Manager)	매니저
런칭(Launching)	론칭
팀웍(Teamwork)	팀워크
스케쥴(Schedule)	스케줄
타겟(Target)	타깃
출산률	출산율('ㄴ'과 '모음'으로 끝나면 '율')
정착율	정착률
결제(상사의 승인의 의미로 사용 시)	결재(결제는 '비용 결제' 등으로 사용)
해당 '년도' / 사업년도	해당 '연도' / 사업 연도
첨부 파일 '참조'***	첨부 파일 '참고'

잘못된 맞춤법	올바른 맞춤법
지향(~하지 아니함의 의미로 사용 시)	지양(止揚)
도착시, 비상 시, 유사 시, 필요 시	도착 시, 비상시, 유사시, 필요시****
항목 별로	항목별로
회의중/작업중/명일(明日)중	회의 중/작업 중/명일 중
부재 중/부지불식 중	부재중/부지불식중
무의식 중/그 중	무의식중/그중
현행법 상/마리 당/시간 당	현행법상/마리당/시간당
5% - 3% = 2%	5% - 3% = 2%p
2023. 10. 23	2023. 10. 23.
101은 100(미만/<u>이상</u>/이하/초과)	101은 100(미만/이상/이하/<u>**초과**</u>)
김대리 / 정상무	김 대리 / 정 상무

Note) * 어떤 문자로써 한 언어를 표기하는 규칙(우리말샘). ** 그래서 현재 위의 예시 내용도 언제 변할지 모르지만 현재 기준으로 작성해봤습니다.
*** 참고로 비교하고 대조하여 봄(우리말샘). **** 의존 명사 '시'는 '사용 시'와 같이 앞 말과 띄어 적지만 비상시(非常時), 유사시(有事時), 평상시(平常時), 필요시(必要時)와 같은 합성어는 붙여 씀.

라. 문서 작성하기 - 3) 실전 문서 작성 기법들 - 다) General Skills - (4) 각주, 출처, 범례, 단위

☐ **바쁜 실무로 인해, 많은 실무자분들이 보고서나 기획서를 작성할 때 '각주/출처/범례/단위'를 제대로 표시하지 않습니다. 단순한 회의용 자료는 물론, 보고서나 기획서도 마찬가지였습니다.**

- 그러나 만약 이것들을, 약간의 정성을 들여, 제대로 표시한다면 문서의 품질은 물론 여러분의 수준도 다르게 평가될 것입니다. 왜냐하면, 다른 분들이 만드는 자료에는 이게 거의 존재하지 않기 때문입니다.
- 그러나 모든 문서에 이런 정성을 들일 필요는 없습니다. 우선, 중요한 문서(e.g., 고위 임원들에게 보고되는 문서)들부터 적용해보시기 바랍니다. 그러면 그 효과를 느끼실 수 있을 것입니다.
- 참고로, 아래는 '국가별 인구수와 면적'을 도시한 그래프입니다. 이런 그래프도 '①각주/출처'와 '②범례/단위'를 추가하면 좀 더 전문적인 느낌을 주게 됩니다.*

〈 예시: Population(인구) and Land Area(면적) by Country 〉

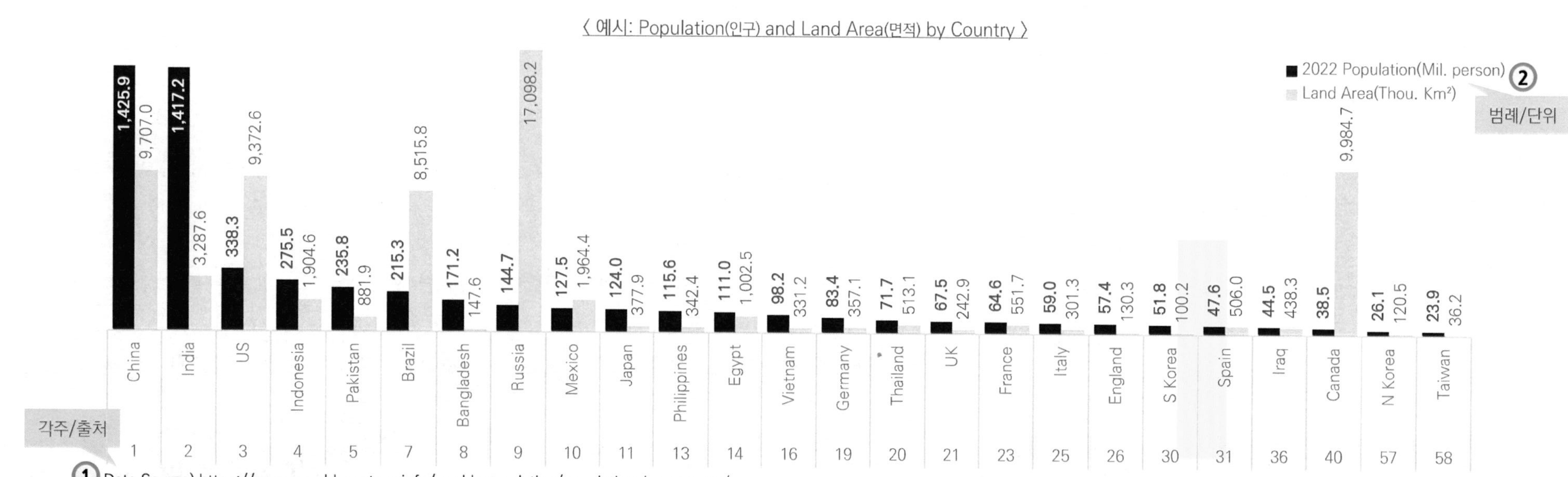

① Date Source) https://www.worldometers.info/world-population/population-by-country/

Note) * 국가별 순위는 인구수를 기준으로 정렬했습니다.

3. 보고서 및 기획서 작성하기

라. 문서 작성하기 - 3) 실전 문서 작성 기법들 - 다) General Skills - (5) 연결되는 단어가 끊기지 않게

□ **모든 회사가 다 그런 것은 아니지만, 일부 국내 기업에서는 '연결되는 단어나 어절'이 끊기지 않게 쓰기도 합니다. 왜냐하면 이렇게 하면 가독성이 크게 증가하기 때문입니다.**

- 물론, 이렇게 쓰지 않는다고 그 의미를 이해하지 못하는 것은 아니겠지만, 연결된 단어가 자주 끊기게 되면 퇴고를 하지 않았다는 느낌을 줄 수도 있기 때문입니다.
- 설정 방법: ① PPT와 Word는 상단 메뉴 '홈'의 '단락'에서 오른쪽 아래 끝의 '확장(화살표↘)'을 누른 후, '한글 입력 체계' 탭에 있는 '한글 단어 잘림 허용' 항목을 해제, 이후 필요시 '문자 간격'을 조정해 설정, ② HWP는 상단 메뉴 중 '서식'의 '문단모양'에서 '왼쪽정렬'을 설정하시고 '서식'에서 '글자 자간'을 좁거나 넓게 조정하면 됩니다.

〈 연결되는 단어가 끊긴 사례와 이의 조정 〉

[Example 1] 연결되는 단어가 끊긴 문서

……… 〈 생략 〉

□ **개선방안의 주요내용**

o 각 사업본부의 중장기 현금흐름을 지속 모니터링하여 수인하
기 어려운 상황에 처한 본부를 최우선으로 지원

- 지원방안: 사내 유보금, 금융기관 대출(단기, 금리 고려),
유상증자 등의 활용을 종합적으로 검토

o 이와 동시에 각 본부별 구조조정 등의 자구노력도 병행추진함
으로써 빠른 시간 내에 조직을 정상화 하고자 함

- 이러한 제반 활동으로 단기 성과는 하락할 것이나 궁극적으
로 당사의 주식가치 상승여력은 크게 상승할 것으로 전망

[Example] 연결되는 단어를 붙여 쓴 문서

……… 〈 생략 〉

□ **개선방안의 주요내용**

o 각 사업본부의 중장기 현금흐름을 지속 모니터링하여 수인하기
어려운 상황에 처한 본부를 최우선으로 지원

- 지원방안: 사내 유보금, 금융기관 대출(단기, 금리 고려)
유상증자 등의 활용을 종합적으로 검토

o 이와 동시에 각 본부별 구조조정 등의 자구노력도 병행추진함으로써
빠른 시간 내에 조직을 정상화 하고자 함

- 이러한 제반 활동으로 단기 성과는 하락할 것이나 궁극적으로
당사의 주식가치 상승여력은 크게 상승할 것으로 전망

Note) 일반적인 도서, 논문, 기사 등은 모두 왼쪽과 같습니다. 그러나 일부 국내 기업에서는 보고서나 기획서를 작성할 때에는 오른쪽과 같이 작성합니다.

라. 문서 작성하기 - 3) 실전 문서 작성 기법들 - 다) General Skills - (6) Graph/Chart 활용

□ **일반적으로 다이어그램**(Diagram, 주로 표, Graph/Chart, 도형)**은 상당히 강력한 전달력**(傳達力, Communication Power)**을 가진 도구이며, 보고서 등을 작성할 때 빼놓을 수 없을 만큼 중요한 도구입니다.**

- 다이어그램 중, 복잡한 Data(데이터 = 통계)를 상당히 쉽게 전달할 수 있는 것이 바로 ①표(表, Table)와 ②그래프(Graph/Chart)이며, 이 중 그래프가 일반적으로 좀 더 전달력이 우수합니다.*
- 물론, 표(Table, 아래 ①번)도 Data를 전달하기 편한 도구이기는 합니다. 그러나 Graph/Chart보다 전달력(메시지 & Implication)이 떨어지는 것은 분명한 사실입니다.

⇒ 즉, 표는 그래프보다 쉽고 빠르게 그릴 수 있다는, 그리고 Graph/Chart(아래 ②번)는 이보다 더 쉽게 이해시킬 수 있다는 장점을 가지고 있습니다.

〈 예시: 표(Table)와 Graph/Chart의 시각적 효과 〉

①

〈 영업채널별 매출 추세(단위: 백만) 〉

	Year 1	Year 2	Year 3	Year 4	Year 5
Mart: Local	1,400	1,050	750	600	550
Online: Local	190	330	550	850	1,150
Online: Amazon	50	140	430	1,200	2,350

자료: Financial Division

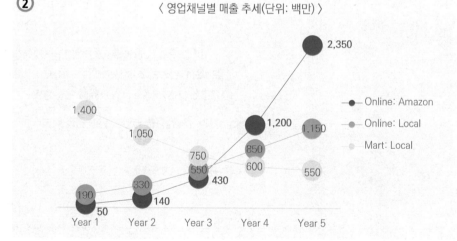

②

〈 영업채널별 매출 추세(단위: 백만) 〉

Note) * 그래서 실무에서는 마이너스 수치는 그래프가 아닌 표로 보고드리기도 합니다.

라. 문서 작성하기 - 3) 실전 문서 작성 기법들 - 다) General Skills - (6) Graph/Chart 활용

□ **문서 작업 초기**(初期, Early stage)**에 삽입하는 Graph**(또는 Chart)**는, PPT/HWP/Excel 등에, 디폴트**(Default, 기본)**로 설정된 것을 그대로 활용하시기 바랍니다**(아래 ① & ②번 그래프).

- 왜냐하면, 보고서이든 기획서이든 문서의 스토리라인(Storyline, 줄거리)가 완성되기 전에는, 아무리 공을 많이 들였어도, 언제든지 삭제될 수 있기 때문입니다.***
- 그래서 일명 '예쁘니 작업(Tone & Manner or Washing)'은 '문서의 스토리라인이 확정된 이후', 필요한 경우에 한해(상사님이 요청하시는 등) 하시기 바랍니다.
- 그리고, 요즘은 MS Office나 한글(HWP)에 디폴트로 설정된 그래프들도 최종 보고서에 사용할 수 있을 만큼 퀄리티(Quality)가 좋아졌습니다.

〈 Example 1: PowerPoint에 디폴트로 설정된 Graph/Chart* 〉

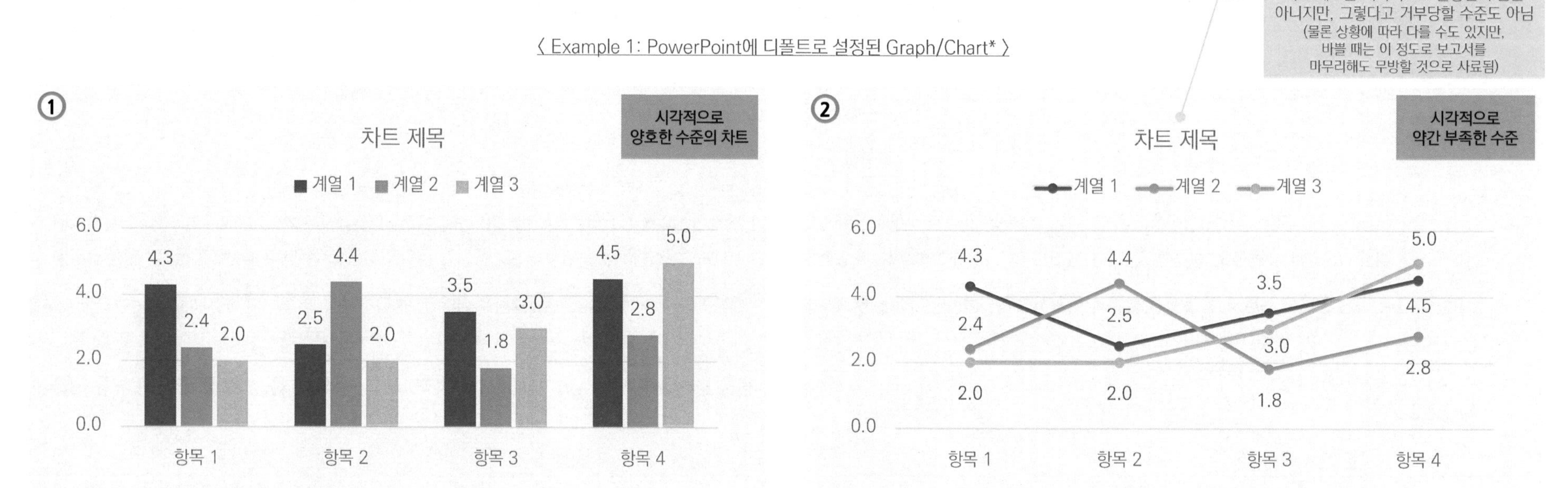

Note) * 위 그래프들은 PPT에서 그래프를 삽입하고, '데이터 레이블'만 추가한 것입니다. 두 차트 모두 '단위(Unit)' 정도는 입력해줘야 합니다.
** 물론, 동시에 진행해야 하는 업무들이 많기 때문이기도 합니다.

라. 문서 작성하기 - 3) 실전 문서 작성 기법들 - 다) General Skills - (6) Graph/Chart 활용

□ **그러나 디폴트**(Default, 초기)**로 설정된 그래프**(or 차트)**를 문서 작업 초기에 사용하더라도 그래프**(or 차트)**를 이해**(or 해석)**할 수 없을 정도로 복잡하게 그려서는 안 됩니다.**

- 그래서 만약, 아래와 같이 그래프를 그려 보고를 드린다면, 이것들이 비록 '최초 보고(最初報告)'라 할지라도, 상사님을 충분히 답답하게 만들 수 있을 것입니다.
- 참고로, 아래와 같이 '계열'이 많은 경우에는 그래프의 크기를 더 키우거나 두 개로 나눠서 그리는 것도 고려해보시기 바랍니다.

〈 Example 2: PowerPoint에 디폴트로 설정된 Graph/Chart* 〉

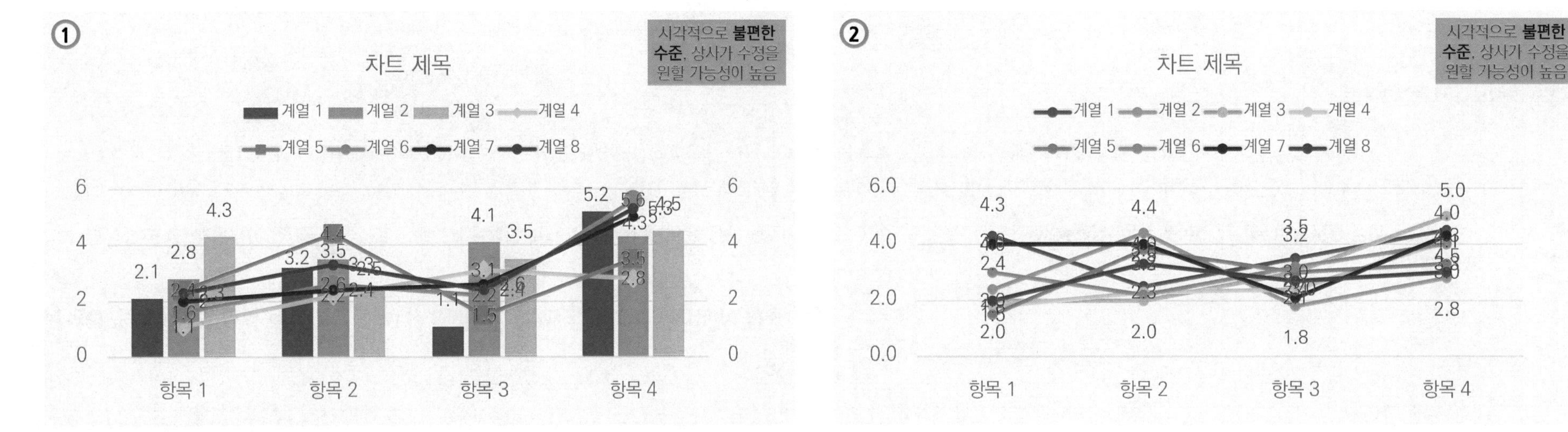

Note) * 위 그래프들은 PPT에서 그래프를 삽입하고, '데이터 레이블'만 추가한 것입니다. 두 차트 모두 '단위' 정도는 입력해줘야 합니다.

3. 보고서 및 기획서 작성하기

라. 문서 작성하기 - 3) 실전 문서 작성 기법들 - 다) General Skills - (6) Graph/Chart 활용

☐ **그래서 일반적으로, Graph/Chart는 단순하고 이해하기 쉽게 그리는 것이 가장 좋습니다. 왜냐하면, 어렵게 소통**(疏通, Communication)**하려는 사람을 좋아할 사람은 많지 않을 것이기 때문입니다.**

- 그래서 여러 기업의 전략(or 기획) 관련 팀에서 주로 아래와 같이 단순한 스타일의 그래프를 활용하는 것입니다. 왜냐하면, 이런 그래프는 누구나(고위 임원, 신입 등도) 쉽게 이해할 수 있기 때문입니다.
- 그래서 보고서나 기획서에 필요 이상의 복잡하고 이해하기 어려운 그래프를 삽입할 경우, 자칫하면 문서 작성 및 커뮤니케이션 역량이 부족하다는 평가를 받게 될 수도 있습니다.

〈 예시: 이해하기 쉬운 단순하고 쉬운 그래프 스타일** 〉

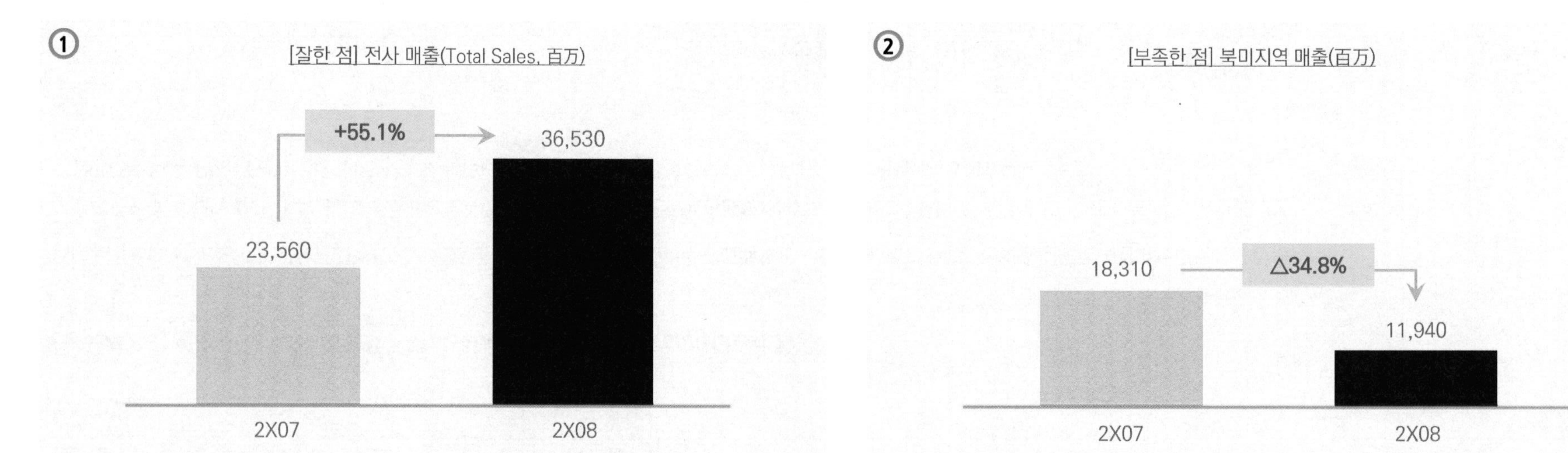

Note) * 가치를 깎아내림(표준국어대사전). ** 이는 실제 대기업과 글로벌기업의 기획팀에서 매우 빈번하게 사용되는 그래프 유형입니다. 참고로 위 그래프는 도형으로 직접 그린 것입니다.

[참고 40] 단순한 Graph/Chart의 전달력을 보강하는 팁들

□ **앞페이지에서 설명해드린 그래프가 너무 단순하다면, 아래와 같은 방법들로 그래프를 보강하면 Audience들이 그래프를 좀 더 쉽게 이해할 수 있게 됩니다. 단 언제나 시간이 문제입니다.**

- 아래의 방법들은 모두 실무적으로 그 효과를 검증 받은 것들입니다. 문제는 이것들을 추가하기 위해서는 문서 작성 시간이 더 많이 소요된다는 것입니다.
- 따라서, 사안의 무게에 맞게 아래의 방법들을 적절하게 선택·추가하시면 될 듯합니다. 참고로, 너무 많은 보강은 오히려 그래프를 복잡하게 만들 수도 있습니다.

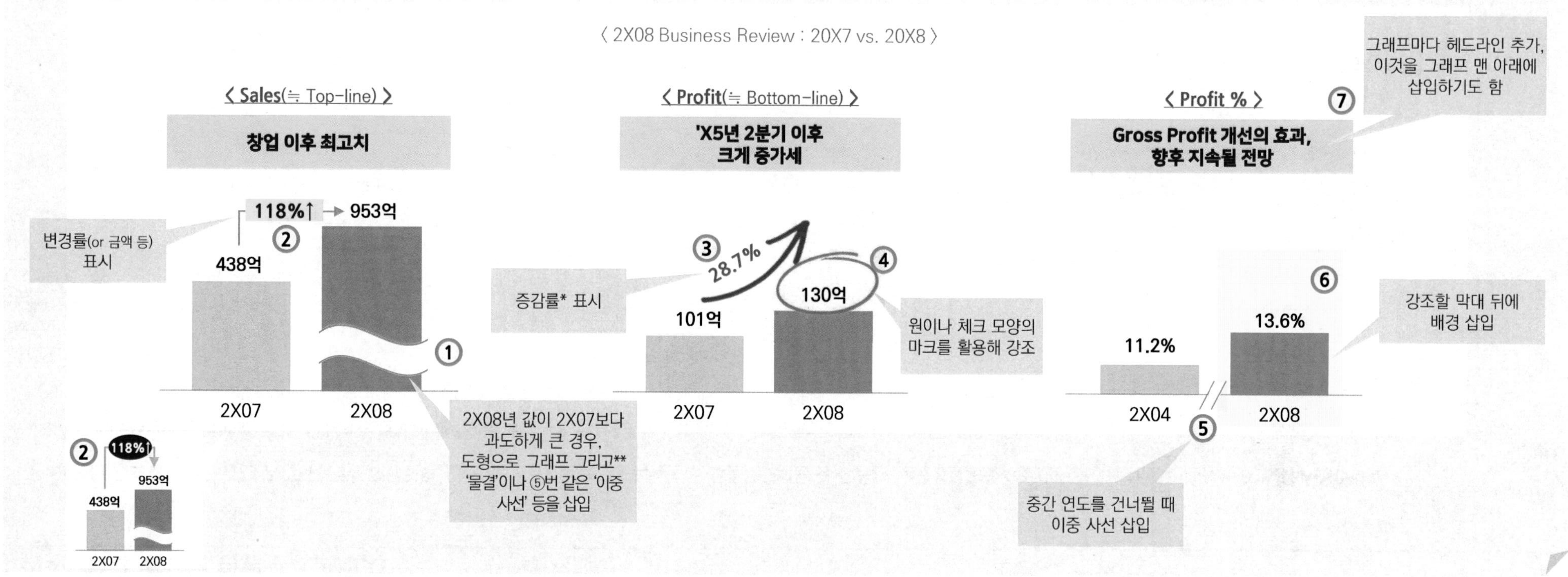

Note) * 증감률 계산 기간이 2개 연도를 초과할 경우 연평균성장률(CAGR)을 사용(뒤 페이지 참고). ** 그래프는 '차트 기능'을 활용해 그리기도 하지만, 위와 같이 단순한 그래프들은 '도형툴(그리기툴)'을 이용해 그리는 것이 더 빠름.

[참고 41] 연평균성장률(CAGR)

☐ **성장률은 보통 아래와 같은 두 가지 형태를 사용하며, 연속되는 3개 이상의 연도의 수치(or 값)를 비교하는 경우에는 연평균성장률(CAGR, Compound Annual Growth Rate)을 사용합니다.**

- 연평균성장률은 '최초 연도의 값'과 '최종 연도의 값'만 비교해서 산출하며, 복리(複利, Compound Interest)의 콘셉트를 반영한 것입니다.
- 참고로 실무에서는 CAGR을 통해 향후의 성장률(시장이나 매출 등의)을 러프(Rough)하게 예측해보기도 합니다.

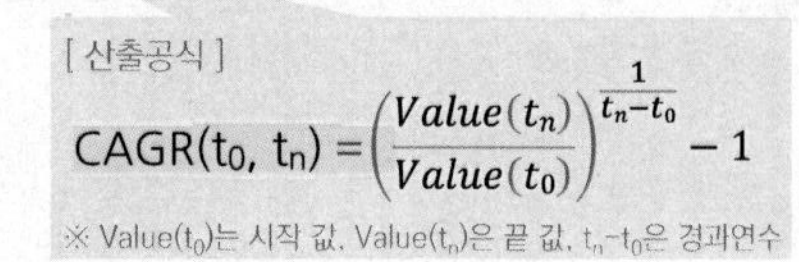

[산출공식]
$CAGR(t_0, t_n) = \left(\frac{Value(t_n)}{Value(t_0)}\right)^{\frac{1}{t_n - t_0}} - 1$
※ Value(t_0)는 시작 값, Value(t_n)은 끝 값, t_n-t_0은 경과연수

〈 매출액(Sales, Revenue, Top-line)의 성장률을 보여주는 방법 〉

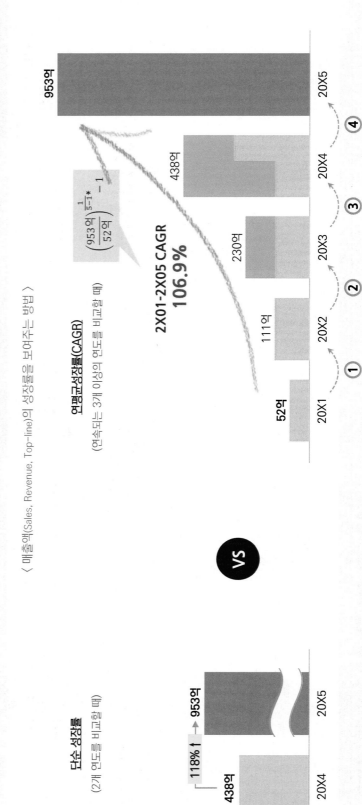

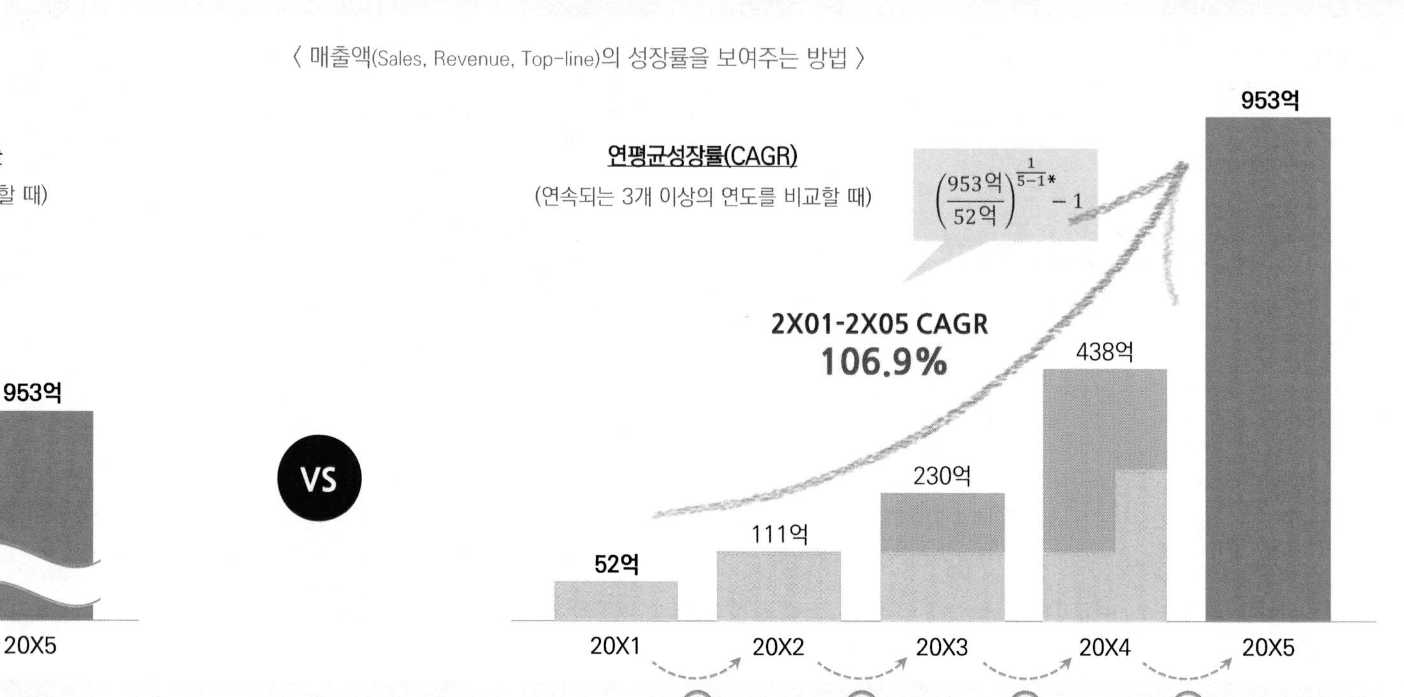

Note) * '20X5 – 20X1 = 4'와 같이 계산 됨, 또는 오른쪽 그래프의 맨 아래 원숫자와 같이 차년(4년)을 계산해도 됨

[참고 42] YoY, QoQ, MoM, YTD, MTD, TTM

□ **일반적으로 회사에서 보고서**(물론, 기획서, 전략 포함)**를 작성할 때 빈번하게 사용되는 용어들입니다. 물론 이런 표현들을 한글로 표기하는 회사들도 있지만, 영어로 사용해야 할 때 참고하시기 바랍니다.**

- 참고로, 한글로 표기할 때에는 주로 '전년 대비(≒ 전년比)', '전월 대비(≒ 전월比)'와 같이 한자 比(견줄 비)를 붙여 표기하기도 합니다.

〈 YoY vs. QoQ vs. MoM vs. YTD vs. MTD vs. TTM 〉

구분	YoY	QoQ*	MoM	YTD	MTD	TTM
Full name	Year over Year (= Year on Year)	Quarter over Quarter (= Quarter on Quarter)	Month over Month (= Month on Month)	Year to Date	Month to Date	Trailing Twelve Months
읽기(발음) 의미	'와이오와이' 전년 (동기) 대비 증감률	'큐오큐' 직전 분기 대비 증감률	'엠오엠' 전월 대비 증감률	'와이티디' 연초부터 현재까지 누적치	'엠티디' 월초부터 현재까지 누적치	'티티엠' 직전 12개월 합산치

Example #01. YoY 증감률

〈 Financial Highlights(Bil. KRW) 〉

	① Year 1	② Year 2	YoY Change* (②/①)
Revenue	13,400	15,600	16.4%
EBITDA	4,135	5,850	41.5%
Net Income	1,150	1,300	13.0%

Note) * 그냥 'YoY'라고 표시해도 무방

Example #02. QoQ 증감액 & 증감률

〈 Financial Highlights(Bil. KRW) 〉

	① Q2 Y2	② Q3 Y2	Growth (②-①)	QoQ (②/①)
매출액	3,200	3,600	400	12.5%
EBITDA	1,030	1,170	140	13.6%
당기순이익	290	380	90	31.0%

Note) Growth는 증감액, Growth %은 증감률

Example #03. MoM 증감률

〈 Financial Highlights(Bil. KRW) 〉

	① Aug Y2	② Sep Y2	MOM (②/①)
Revenue	1,109	1,040	△6.2%
EBITDA	309	302	△2.3%
Net Income	118	110	△6.8%

Note) 세모(△) = 마이너스

Example #04. YTD, YoY 증감률

〈 Financial Highlights(Bil. KRW) 〉

	Sep Y2*	YTD Y2**	YoY***
Revenue	1,040	11,900	16.0%
EBITDA	302	3,950	39.6%
Net Income	110	922	12.7%

Note) *9월실적, **1월-9월까지누적치, ***전년 동기(1-9월) 대비증감률

Note) * MRQ(Most Recent Quarter)와 유사

3. 보고서 및 기획서 작성하기

라. 문서 작성하기 - 3) 실전 문서 작성 기법들 - 다) General Skills - (7) 기타 다이어그램들(그래프나 표를 제외한)

□ **일반적으로, '①장황(張皇)**하거나 복잡하거나 어려운 설명이 필요한 내용'은 '②다이어그램**(Diagram, 표, Graph/Chart, 도형 중 특히 도형)**'을 사용해 보고 드리는 게 훨씬 더 효과적입니다.**

- 물론, 다이어그램을 활용하면 보고서의 양(페이지 수)이 늘어날 수도 있습니다. 그러나 한 가지 확실한 것은 '전달하고자 했던 메시지를 좀 더 수월하게 전달할 수 있다'는 것입니다.
- 아래의 사례를 보시면, 기획서를 ①번과 같이 글만 장황하게 보여주는 것보다는, ②번과 같이 다이어그램으로 정리한 후 설명을 추가해주면 훨씬 더 이해하기 쉬운 문서가 됩니다.

⇒ 그리고 PT를 할 경우, 여기에 애니메이션 효과를 적절하게 추가해주면 커뮤니케이션(Communication) 효과를 더 극대화할 수 있을 것입니다.

〈 사례: 복합기 렌탈 비교견적 비즈니스 Concept 〉

①

〈 업(業, Business Concept)의 정의 〉

a. 현재, 소규모사업자를 대상으로 하는 복합기 렌탈시장의 시장 참여자는 소규모사업자**와 '복합기 렌탈사업자'입니다.
b. 일반적으로, 복합기 렌탈사업자들은 규모가 영세해 활동범위가 넓지 않습니다(예를 들면, 서울의 구(區)를 넘지 못함). 그러나 그럼에도 불구하고 이들은 적지 않은 마케팅 및 영업비용을 사용하고 있습니다.
c. 소규모사업자들은 주변 지인(주변 소규모사업자들 포함)의 소개로 가까운 지역에 있는 복합기 렌탈업체를 이용합니다. 왜냐하면 인터넷을 통해서는 충분한 정보를 얻을 수 없기 때문입니다. 그리고 원하는 정보를 얻으려면 렌탈업체에 미리 예약을 하고 영업담당자의 방문상담을 받아야 합니다.
d. 그리고 각 렌탈업체마다 견적 방식도 상이합니다. 그리고 이해하기도 어렵습니다. 그래서 비교견적을 해보려고 시도했던 소규모사업주들은 대부분 포기합니다. 번거롭고 시간만 소요되기 때문입니다. 그리고 궁극적으로 이런 수고를 해도 절약할 수 있는 금액은 월 5만원 이내이기 때문입니다.
e. 이런 상황을 기회로 이용하기 위해, 우리는 '복합기 렌탈사업자'와 '사규모사업자' 사이를 연결하는 '복합기 렌탈 비교견적 서비스'업에 도전하고자 합니다.

②

〈 업(業, Business Concept)의 정의 〉

우리는 '복합기 렌탈사업자'와 '사규모사업자' 사이를 연결하는 '복합기 렌탈 비교견적 서비스'업에 도전하고자 합니다.

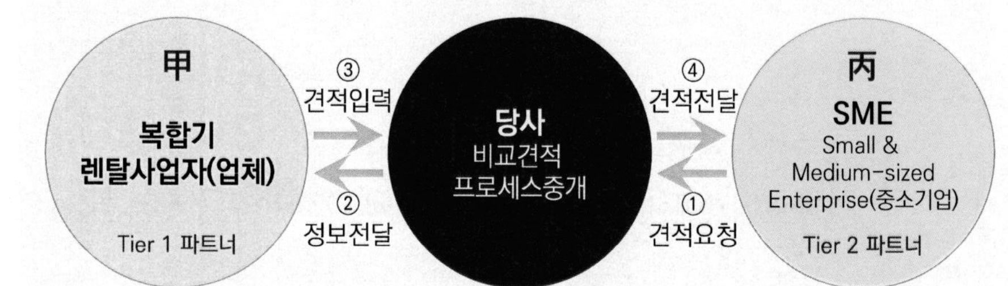

Note) * 말이나 글이 길다(우리말샘). ** Small & Medium-sized Enterprise, 개인사업자 포함.

[참고 43] 도형을 사용한 다이어그램 예시

☐ **그래서 문서를 작성할 때 다이어그램**(Diagram, 특히 도형)**을 적절하게 활용하는 것이 중요합니다. 왜냐하면, 앞에서도 말씀드렸듯이, 이들이 글보다는 훨씬 더 강한 전달력을 가지고 있기 때문입니다.**

- 문서를 잘 작성한다는 피드백을 받기 위해서는 다이어그램을 잘 활용할 수 있어야 합니다. 그래서 평소 Diagram이 들어간 문서들을 유심히 봐 두시기 바랍니다. 그래야 실력이 올라갑니다.
- 대단한 자료는 아니지만, 혹시 참고가 될 수도 있을 것 같아, 다이어그램이 들어간 일반 슬라이드 몇 장을 아래에 추가해드립니다.

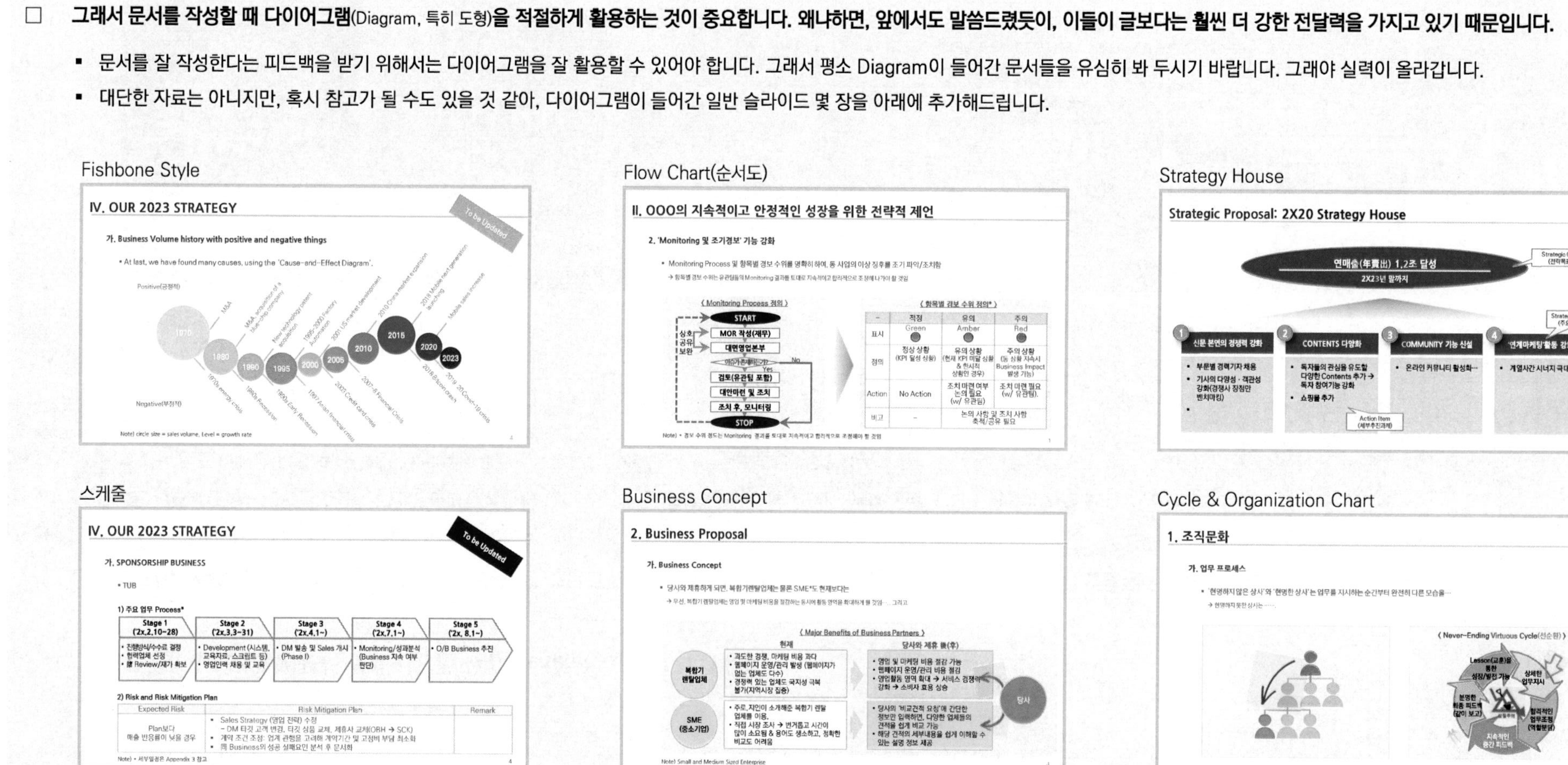

Note) 위 예시 중 일부는 네이버 블로그 goodactions에서 PowerPoint 파일로 다운로드 받으실 수 있습니다.

라. 문서 작성하기 - 3) 실전 문서 작성 기법들 - 다) General Skills - (8) 간략소개

□ **보고서나 기획서를 작성할 때, 메인 주제로 들어가기 전, 해당 조직**(or 기업, 단체, 기업, 부문, 팀 등)**을 간략하게 소개해야 할 필요가 있을 때에는 최대한 핵심만 간단하게 전달하는 것이 좋습니다.**

- 왜냐하면, 그 조직에 대한 소개가 보고의 핵심(核心)이 아니기 때문입니다.
- 실무에서 여러 방법을 사용해봤지만, 아래와 같이 두 페이지 정도로 시각화(視覺化, Visualization)해서 보여 드리는 방법이 가장 효과적이었습니다.*

⇒ 물론 아래 슬라이드에 구체적인 숫자나 통계들을 적절하게 넣어주면 더 전문적으로 보일 것입니다.

〈 예시: 보고 주제와 관련된 특정 조직을 간략하게 소개할 때 사용할 수 있는 템플릿 〉

Page #1. Company Overview(회사 개요)

320,000
GOODACTIONS
EMPLOYEES
across the KOREA
and in more than
73 COUNTRIES

GLOBAL PRODUCTION
& SALES NETWORK
130 COUNTRIES

JOINT EXPANSION
COMPANIES
1,100 COMPANIES

GLOBAL SALES
for 5 Consecutive Years
7
7TH

GLOBAL #23
BRAND VALUE
GOOD
ACTIONS
$11 BILLION

Page #2. Line of Business(영위 중인 사업종목)

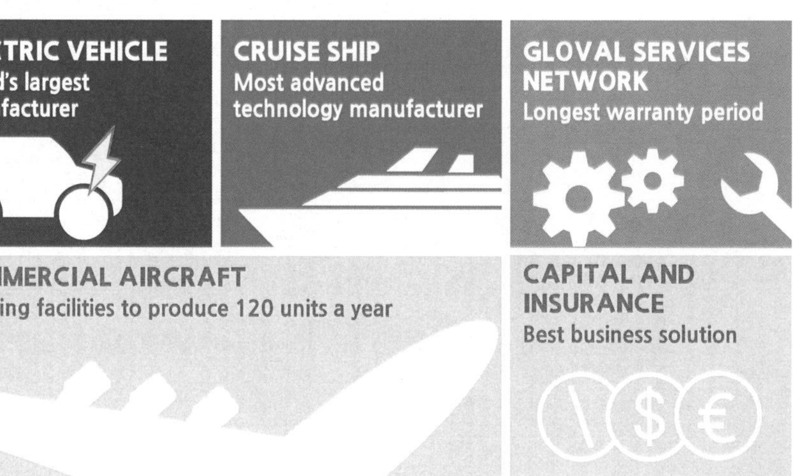

Note) * 보고 대상은 '고위 임원님들을 포함한 팀장 이상급'이었습니다.

3. 보고서 및 기획서 작성하기

라. 문서 작성하기 - 3) 실전 문서 작성 기법들 - 다) General Skills - (10) 기타 사항들

□ **그리고 조직에서 보고서나 기획서를 작성하실 때 몇 가지 소소한 팁을 추가로 나열해드립니다. 부디 조금이라도 도움이 되셨으면 합니다.**

- 이 슬라이드에서는 앞에서 설명해드리지 않은 내용들을 위주로 간단하게 정리해드립니다.

① 보고서나 기획서는, 윗분들의 용어로 작성한, 보고자의 대본(臺本, Script, 스크립트)입니다.
⇒ 보고서는 윗분들에게 익숙한 용어들로 작성해야 합니다. 그렇지 않으면 기본기가 약하다는 지적을 받을 수도 있습니다.
⇒ 보고서는 보고자의 대본입니다. 그래서 보고자 자신이 매끄럽고 쉽게 설명할 수 있게 작성하는 것이 좋습니다.
⇒ 예를 들면, 긴장한 상황에서도 이를 또박또박 읽기만 하면 전체적인 보고의 흐름(≒ 스토리라인 = Storyline ≒ 줄거리)이 이어질 수 있게 쓰시는 것이 좋습니다.

② 보고서나 기획서는 빽빽하거나 복잡하나는 느낌을 줘서는 안 됩니다.
⇒ 너무 복잡하게 문서를 작성하면 문서 작성 및 소통 능력이 부족하다는 평가를 받을 수도 있습니다.
⇒ 그리고 여백 없이 모든 공간에 내용을 가득 채우게 되면, 답답한 느낌을 주기도 합니다. 윗분들에게는 적절한 여백이 꼭 필요합니다.

③ 파워포인트 등의 문서로, Presentation(프레젠테이션)을 해야 할 경우 적절한 애니메이션 효과를 넣어주는 것이 좋습니다.
⇒ PT 時(시), 적절한 애니메이션 효과는 집중력을 높여줍니다. 특히 스토리라인에 맞게 '밝기 변화' 정도의 애니메이션 효과는 스토리를 전개하는 데 큰 도움이 됩니다.

④ 보고서나 기획서에서 '이미지(사진 등)'는 적합한 것으로 반드시 필요한 경우에만 사용하는 것이 좋습니다.
⇒ 물론, 장황한 설명이나 글 보다는 한 장의 이미지가 더 나을 수 있습니다. 그러나 부적합한 이미지의 사용은 부정적인 인상을 남길 수도 있습니다.

⑤ 엑셀 문서는 보고 전 반드시 인쇄영역(인쇄 미리보기)을 체크해야 합니다.
⇒ 특히, 이메일로 엑셀 파일을 첨부해 보고할 때에는 반드시 체크하는 것이 좋습니다.

Note) * 제가 다른 주제에서도 말씀 드린 바와 같이, 가장 신뢰할 수 있는 통계는 적절한 절차를 통해 산출된 회사의 자체 통계입니다.

마. 사전 협의 및 합의

□ **위와 같이 작성해야 하는 문서 중 결재 프로세스**(품의 등)**를 진행해야 하는 기획서**(또는 기안, 즉 단순 보고용 보고서는 제외)**는 관련 조직**(또는 관련자)**들과 미리 필요한 수준의 협의**(協議)**를 진행해야 합니다.**

- 물론 이런 협의는, 해당 문서를 완성한 이후에 하는 것보다, 반드시 문서를 작성하는 과정에서부터 진행하는 것이 좋습니다. 그래야 관련 조직들의 뷰(View)와 마지노선을 알게 되기 때문입니다.
- 그리고 이런 협의의 내용은 반드시 그들의 리더들(팀장, 임원 등)에게 보고 되고 있는지도 확인해야 합니다. 왜냐하면, 결국 결재 프로세스에서 그 리더들의 합의가 필요하기 때문입니다.
- ⓐ는 주로 기안과 관련된 조직(들)과의 사전 협의이며 이는 합의 과정 중 협조(ⓑ)에 해당됩니다. 그리고 ⓒ는 상위 조직 등의 사전 리뷰이며 이는 합의 과정 중 검토에 해당합니다.*

〈 결재 프로세스上** 사전 협의와 합의의 의미 〉

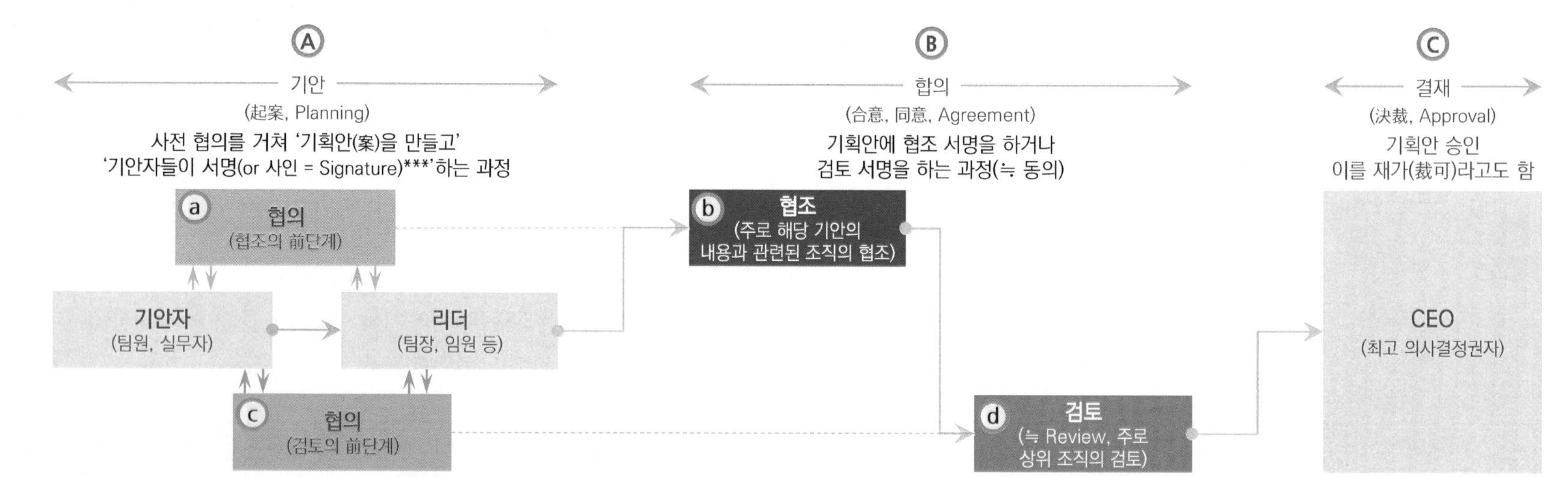

Note) * 보다 상세한 설명은 'Chapter 4'의 '라. 보고 OR 발표 後(후)' 참고. ** 결재 프로세스를 크게 '기안', '합의', 그리고 '결재'로 구분함. *** 실무상 최종 승인자 이전의 서명들도 '결재'라고 표현하기도 함.

This page intentionally left blank.

This page intentionally left blank.

Chapter 4
보고 및 PRESENTATION

This page intentionally left blank.

4. 보고 및 PRESENTATION

가. 보고(기획)업무 Flow Overview

☐ **사실, 실무에서는 '문서를 작성하는 것**(Documentation)**'보다 조금 더 중요한 것이 '보고**(Presentation, Reporting 포함)**'입니다.***

- 왜냐하면, 문서의 품질(品質, Quality level)이 어떻든(물론, 기본이 갖춰진 일정 수준 이상의 문서이어야 함), 보고를 잘하면 수월하게 재가(裁可, Approval)**를 얻을 수 있기 때문입니다.
- 그래서 이 Chapter에서는 어떻게 하면 보고를 좀 더 잘하실 수 있는지(이하 '보고 기법'으로도 표현)에 대해 집중적으로 설명해드리겠습니다.

〈 보고(기획)업무 Flow, and Communication 대상 〉

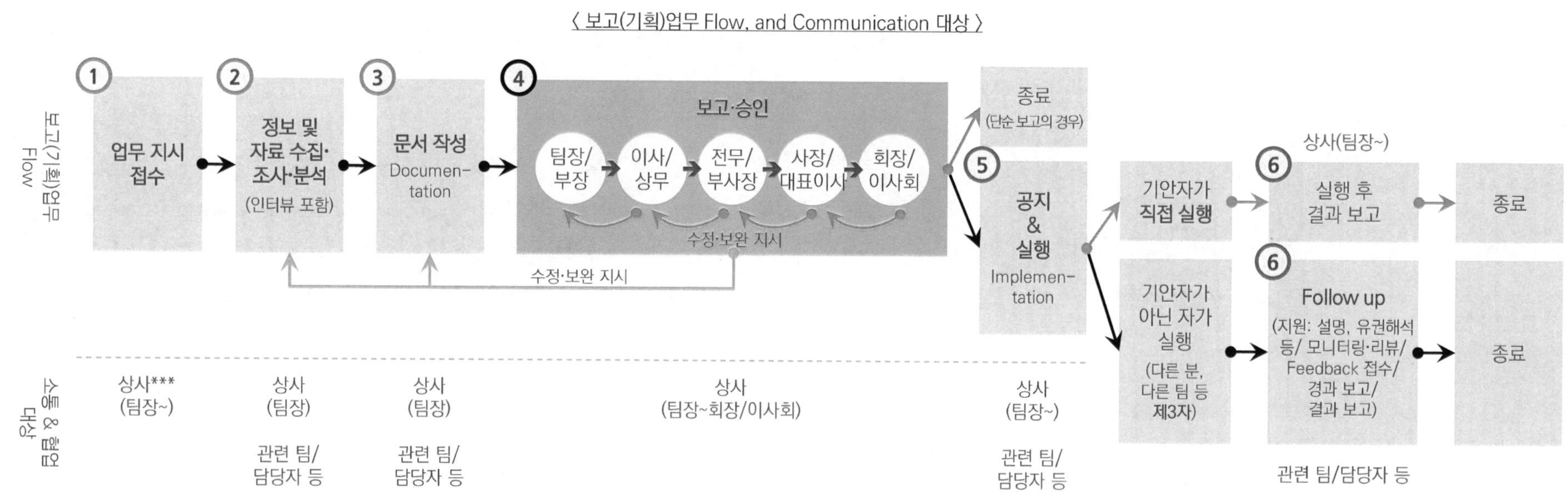

Note) * 쉽게 말씀드리자면, 문서는 대본(Script)이고 이것을 어떻게 살리는지(보고)가 더 중요하다는 의미.
** 안건을 결재하여 허가함(우리말샘). *** 위 다이어그램 하단의 붉은색 글씨는 주요 커뮤니케이션 대상임.

4. 보고 및 PRESENTATION

나. 보고 OR 발표 前(전) 준비

□ **사실, 보고나 발표 전에 관련 준비를 꼼꼼하게 해야 하는 이유는, 윗분**(or 상사, Audience)**들을 위해서가 아닌, 바로 여러분 스스로의 몸값**(= 가치, Value)**을 올리기 위해서 입니다.**

- 아래의 내용들은 보고나 발표 전에 반드시 준비해야 할 것들이나, 정말 다행스럽게도, 요즘은 모든 실무자분들이 이렇게 준비하지 않습니다.
- 그래서 만약 여러분이 아래의 내용들을 꼼꼼하게 준비하신다면, 그 순간부터 여러분은 동료들과 확실하게 차별화될 것입니다.

〈 보고나 발표 전에 준비하면 도움이 될 만한 사항들 〉

To Do List	세부 내용	비고
1) 최종 검사	① 맞춤법과 스토리라인 검사는 반드시 출력물로 해야 합니다. 모니터로 하는 검사는 100% 실패합니다. ② 최종 검사는 반드시 Audience에게 드리는 '최종 보고형식'대로 해야 합니다(e.g., 2up* 출력본으로 보고하시면 2up 버전으로 검사).	
2) 보고 자료 출력 및 준비	① 출력물은 참석자들의 레벨(Level, 직위나 직책)에 따라 준비하되, 참석 인원수 대비 약간의 여유분을 준비하시기 바랍니다. ② 보통, 임원님들께 드릴 자료는 1up으로, 팀장 이하는 2up으로 출력하고, 한두 장 정도의 얇은 보고서의 경우 결재판을 이용하기도 합니다. ③ 중요한 내용은 형광펜으로 강조(Highlight) 해놓고, 중요한 페이지(반드시 보고해야 할 페이지)에는 레이블을 붙여 놓은 것도 좋습니다.	추가 설명은 뒤 페이지 참고
3) Script 준비 & 연습	① Presentation의 경우, 스크립트를 준비한 후 미리, 충분히 연습하는 것이 좋습니다. 그래야 불필요한 말이 오가지 않기 때문입니다. ② 좌식 구두보고**의 경우에는 '본인의 출력물'에 '본인이 해야 할 말'을 연필로 깨알같이 적어 놓은 것도 좋습니다. ③ PT와 좌식 구두보고 모두 실전처럼 반복 연습해야 합니다. 이는 실제 보고하게 될 장소에서 큰 소리로 연습하는 것이 가장 좋습니다.	
4) 기타 챙겨야 할 것들	① 보고에 필요한 보조 자료(e.g., 데이터, 참고자료)나 휴대용 계산기*** 등을 준비하는 것이 더 좋습니다. ② 보고와 관련된 분들****께 보고 일시(日時)를 미리 알려드리는 것이 좋습니다. 그래야 그분들도 미리 준비할 것이기 때문입니다. ③ 사안에 따라, 예상 질문에 대한 답변 시나리오를 준비하는 것도 좋습니다(이것은 평소 Audience의 성향을 잘 관찰해 메모해두시면 도움이 됩니다).	

Note) * A4지 한 장에 두 페이지가 인쇄된 자료. ** 일반적으로 탁자에 앉아 하는 대면(Face to Face)보고 형식. *** 최근에는 모바일 폰을 휴대할 수 없는 회의들도 증가 중.
**** 회의에 참석하지 않는 이해당사자(예를 들면, 보고서에 언급된 팀의 팀장이나 실무자), 상세한 내용은 Chapter 5의 '점수 따기' ①번과 ②번 참고.

[참고 44] '2) 보고자료 출력 및 준비' 추가 설명

☐ **윗분들은 하루에도 수많은 보고를 받게 됩니다. 그래서, 보고를 받는 과정에서, 자연스럽게 실무자들의 보고업무 수준을 비교·평가하게 됩니다. 그것이 비록 소소한 것이라고 해도…**

- 사실 여러분도 상사가 되면 아시겠지만, 보고업무는 사실 '보고서만 잘 작성한다(문서 작성)'고 좋은 평가를 받을 수 있는 일이 절대 아닙니다. 즉, 문서 작성 이외에도 중요한 일이 많다는 것입니다.
- 그 중요한 일들 중 세 가지만 예를 들자면, 시력이 좋지 못한 임원님에게 2up 대신 1up으로 출력된 보고서를 건네 드리거나('2)-②'), 보고 자료의 중요한 내용을 형광펜으로 강조(Highlight)해드리거나('2)-③ 전단'), 보고 자료의 중요 페이지에 레이블을 붙여 드리는 것('2)-③ 후단')입니다. 만약 여러분이 보고를 받는 상사였다면 각각의 경우를 어떻게 생각하실까요?

〈 2)-②: 1up vs. 2up 〉

일반적으로 임원 보고용은 1Up으로 출력
(참고로, 보통 흑백으로 출력하지만 반드시 필요한 페이지는 컬러로 출력해 삽입하기도 함)

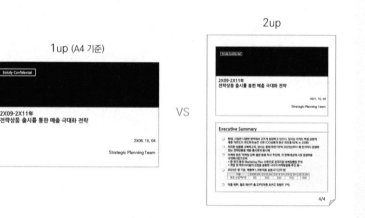

1up (A4 기준)

Strictly Confidential

2X09-2X11年
전략상품 출시를 통한 매출 극대화 전략

2X08. 10. 04

Strategic Planning Team

VS

2up

Strictly Confidential

2X09-2X11年
전략상품 출시를 통한 매출 극대화 전략

Strategic Planning Team

Executive Summary

4/4

〈 2)-③ 전단: 중요 내용 형광펜 Highlight 〉

칼라 출력보다는 형광펜이 더 효과적,
1~2 페이지의 보고서는 결재판을 활용하는 것이 좋음*

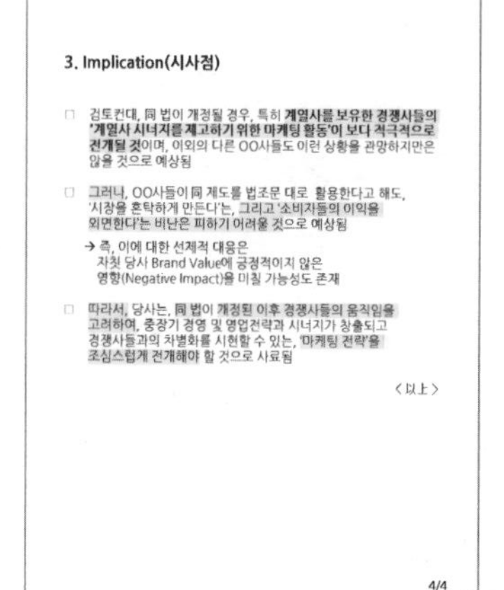
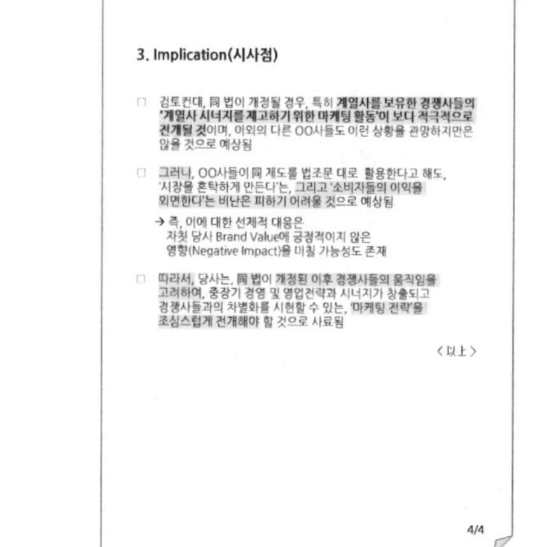

3. Implication(시사점)

☐ 검토컨대, 同 법이 개정될 경우, 특히 계열사를 보유한 경쟁사들의 '계열사 시너지를 제고하기 위한 마케팅 활동'이 보다 적극적으로 전개될 것이며, 이외의 다른 OO사들도 이런 상황을 관망하지만은 않을 것으로 예상됨

☐ 그러나, OO사들이 同 제도를 법조문 대로 활용한다고 해도, '시장을 혼탁하게 만든다'는, 그리고 '소비자들의 이익을 외면한다'는 비난은 피하기 어려울 것으로 예상됨

→ 즉, 이에 대한 선제적 대응은 자칫 당사 Brand Value에 긍정적이지 않은 영향(Negative Impact)을 미칠 가능성도 존재

☐ 따라서, 당사는, 同 법이 개정된 이후 경쟁사들의 움직임을 고려하여, 중장기 경영 및 영업전략과 시너지가 창출되고 경쟁사들과의 차별화를 시현할 수 있는, '마케팅 전략'을 조심스럽게 전개해야 할 것으로 사료됨

〈以上〉

4/4

〈 2)-③ 후단: 중요 페이지 레이블 부착 〉

레이블을 인별(e.g., 최상위자 vs. 단순 참석자)로
조금씩 다르게 준비해도 좋음**

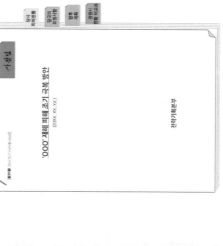

[대외비 Strictly Confidential]

사장님

'OOO' 재해 피해 조기 극복 방안

(20XX. XX. XX.)

전략기획본부

당사 피해현황

당국의 요청사항

향후 계획

경쟁사 현황 비교표

Note) * 구체적으로, 한두 페이지로 된 보고서를 그대로 윗분에게 건네드리는 것보다, 보고서 뒤에 결재판(결재판 뒷면에 보고서를 올리고 집게로 고정)을 받쳐 보고 드리는 것입니다.
** 예를 들면, 최상위자인 사장님 자료에만 레이블을 붙이는 것입니다. 그러나 참석자분들이 모두 임원급이라면 차별을 하지 않는 것이 더 좋을 듯합니다.

This page intentionally left blank.

4. 보고 및 PRESENTATION

다. 보고 OR 발표 時(시)

□ **아무리 공(功)을 들여 문서를 작성했어도, 보고나 발표를 잘 못해버리면 그 가치가 반감될 수밖에 없습니다. 그래서 최대한 아래의 룰들을 미리 익혀보시기 바랍니다.**

- 보고를 잘하시기 위해서는 최선을 다해 준비해야 합니다. 물론 그래도 실수가 나올 수 밖에 없습니다. 그러나 그렇다고 이 과정을 대충해서는 안 됩니다.
- 왜냐하면, 이 과정에서의 실수가 차고 넘치면 성장을 할 수밖에 없기 때문입니다. 여러분의 선배들도 예외없이 그 과정을 통해 성장했습니다.
- 아래는 보고(기획)업무 실무자들께서 반드시 알고 있어야 할 기본기들입니다. 이해하시기 쉬운 것들이기 때문에 꼭 숙지하셨으면 합니다.

〈 보고 or 발표 시 기억하셔야 할 룰(Rule)들 〉

To Do List	세부 내용	비고
1) 쫄지 마세요	① 우선, 보고/발표를 너무 두려워하지 마세요. 누구도 당신을 해치지 않습니다. 실패하면 실패를 겸허하게 받아들이고 이를 통해 성장하면 됩니다.	마인드 컨트롤이 중요*
2) 위치 선정	① 보고 위치의 선정은 효과적인 보고와 Presentation을 위해 매우 중요합니다.	추가 설명은 뒤 페이지 참고
3) 보고/발표 시 화법	① 보고는 시작이 제일 중요합니다. 시작부터 버벅거리면 준비가 안 된 것으로 보입니다. 자신감 있는 목소리는 필수입니다. ② 보고는 전체적으로 꼭 필요한 말만 군더더기 없이 드라이하게 해야 합니다. 그리고 핑계나 변명은 반드시 나중에 하셔야 합니다. ③ 보고는 정직해야 합니다. 모르시면 모른다고 말씀드려야 합니다. 자료를 왜곡·조작하거나 아는 척을 해서는 안 됩니다. ④ 늘 예의를 갖춰 공손하게 말씀하셔야 합니다. 윗분들은 여러분을 아랫것으로 생각하고 있기 때문입니다. ⑤ "네 알겠습니다.", "확인해보겠습니다.", "감사합니다.", "죄송합니다."는 보고 시에 습관처럼 숨쉬듯이 활용하셔야 합니다.	
4) 보고/발표 시 태도	① 우선, 공손(恭遜, Polite)한 모드로 셋팅하고, 바른 자세로(앉거나 서서) 보고하셔야 합니다. ② 발표 시, 적절하게 손**을 사용하면 좀 더 프로답게 보입니다(e.g., 손으로 짚어가며 설명드리는 등). ③ 보고 시, 적절한 시선 처리, 리액션(Reaction, 아~ 네~ 등의)과 적자생존(적는 자만이 살아남는다는 의미)은 정말 중요한 무기가 됩니다.	추가 설명은 뒤 페이지 참고

Note) * 자신의 행동, 감정 등을 절제하고 조절하는 것. ** 보통 포인터의 레이저보다는 손이 더 효과적입니다.

[참고 45] 위치 선정 - 좌식 대면 보고 시 위치 선정

☐ **상황에 따라 다를 수도 있겠지만, 일반적으로 '좌식**(坐式, Sitting) **대면 보고'나 '발표**(Presentation, PT)**식 보고'는 보고자의 위치 선정에 어느 정도 관행**(慣行, Practice)**이 존재합니다.**

- 우선, 좌식 대면 보고를 하실 때(아래 Case ①, ②)에는 이왕이면 상사님의 왼쪽에 앉는 것을 추천 드립니다. 물론, 예외도 있겠지만, 일반적으로 인간은 본능적으로 오른쪽보다 왼쪽을 더 많이 쳐다본다고 합니다.*
- 그리고 좀 구식이긴 합니다만, 고위 임원님들의 고정석(통상 해당 의자가 다른 의자들보다 고급)이 있는 경우도 있습니다. 이럴 때에는 그 고정석(특히, CEO의 자리인 경우)에는 앉지 않는 것이 좋습니다.
- 아래의 Case ③은 '보고를 받는 상사'가 '팀장'인 경우, 'CEO 고정석'을 옆으로 밀어두고 '다른 의자에 앉아' 보고를 받는 모습을 도시한 것입니다.

〈 좌식 대면보고 시 위치 선정 〉

Case ① 원탁에서 보고할 때

주로 1 : 1(일대일) 보고

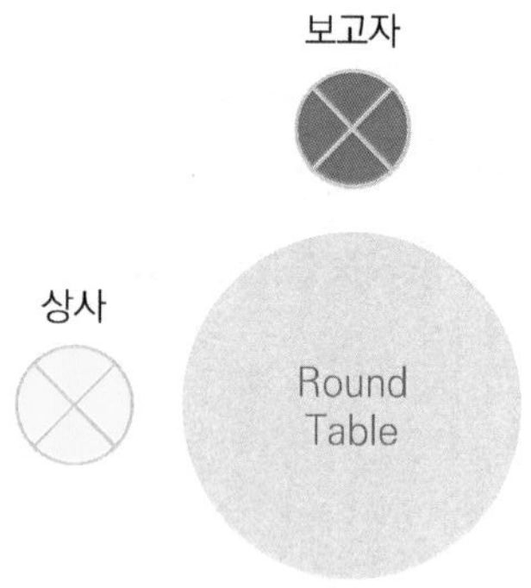

Case ② 회의용 테이블에서 보고할 때

참석자가 많지 않고 고정석이 없는 보고

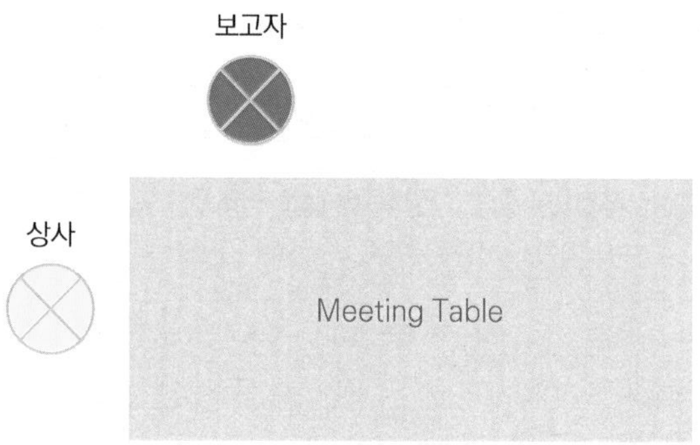

Case ③ 회의용 테이블에서 보고할 때

참석자가 많고 고정석*이 있는 경우
(* 주로 고위임원분들의 고정석)

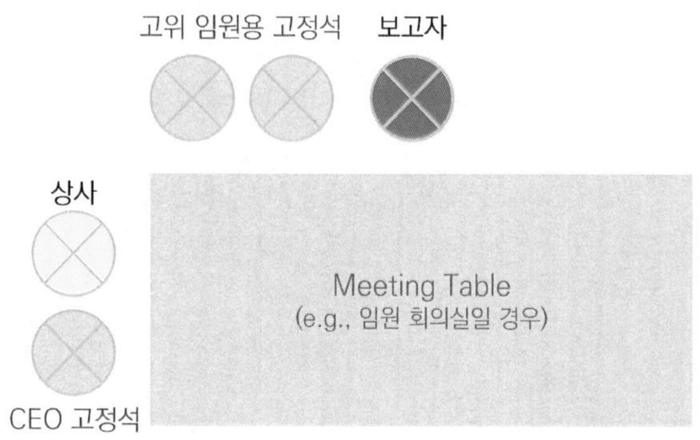

Note) * 생리심리학에서는 이의 원인을 인간의 뇌(구체적으로는 좌뇌와 우뇌의 역할 및 기능)에서 찾는다고 합니다.
참고로, 일상 생활 및 정상 외교 등에서 오른쪽보다 왼쪽을 더 중요하게 생각하는 경우(상석, 上席, Higher Seat)가 더 많습니다.

[참고 46] 위치 선정 - Presentation식 보고 시 위치 선정

□ **'발표(Presentation, PT)식 보고'도 좌식 대면 보고와 같은 논리로 상사(Audience)님이 스크린을 왼쪽에서 볼 수 있게 해주시면 됩니다.**

- 그래서, Case ①과 같이, 최상위자께서 스크린의 왼쪽 앞에 앉아 계신 경우 보고하시는 분은 스크린의 오른쪽에 서서 보고하시는 것이 좋습니다(원칙).
- 그리고, Case ②와 같이, 최상위자께서 스크린의 오른쪽 앞에 앉아 계신 경우 최상위자의 바로 앞에서 발표하는 것보다 대각선 맞은편에서 발표하시는 것이 더 좋습니다(예외).
- 마지막으로, Case ③과 같이, 포디엄(Podium)에 고정된 마이크를 반드시 사용해야 하는 경우에는 그곳에서 PT를 하시는 것이 좋습니다. 그러나 무선이나 핀 마이크가 있는 경우에는 보고하시는 분이 편한 곳에서 보고하시면 될 듯합니다(예외).

〈 Presentation식 보고 시 위치 선정 〉

Case ① 최상위자가 왼쪽에 앉으신 경우

주로 20인 이하 규모의 공간

스크린(Screen)
보고자
CEO
Meeting Table
차상위자

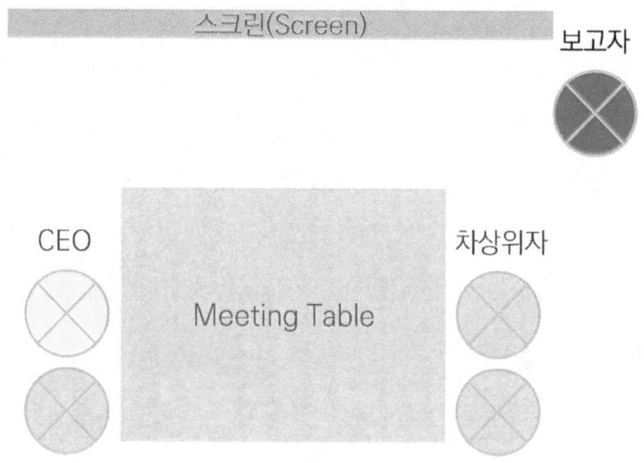

Case ② 최상위자가 오른쪽에 앉으신 경우

주로 20인 이하 규모의 공간

보고자
스크린(Screen)
차상위자
Meeting Table
CEO

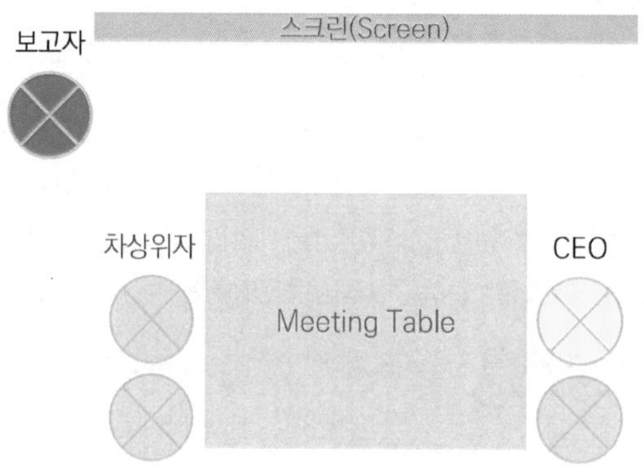

Case ③ 포디엄의 고정 마이크를 반드시 사용해야 하는 경우

참석자가 많아 포디엄의 고정 마이크를 사용해야 하는 공간

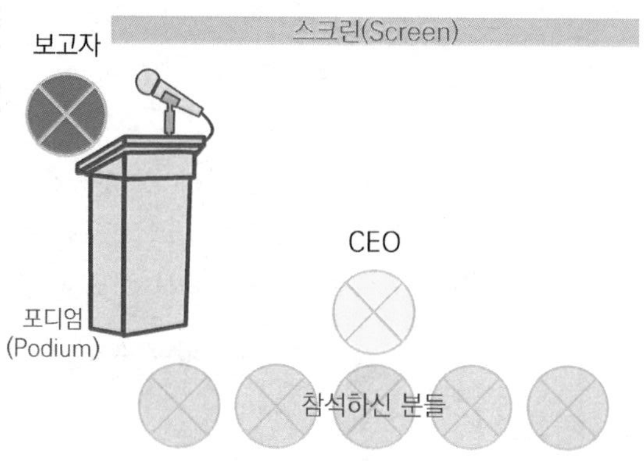

보고자
스크린(Screen)
CEO
포디엄
(Podium)
참석하신 분들

[참고 47] 회사에서 직속(or 직계) 상사에게만 사용할 수 있는 용어?

□ **반드시 '보고'라는 표현은 반드시 '직속(or 직계) 상사'에게만 사용해야 합니다. 그러나 이런 매너(Manner)는 일반적으로 여러분의 상사님들은 직접 말씀해주시지는 않습니다.**

- 아래는 보고 대상에 따라 사용해야 하는 표현들을 정리한 표입니다. 물론, 이것이 모든 상황에 적용되는 불변의 법칙은 아닙니다. 그러나 이 표에서 반드시 기억하셔야 할 것이 두 가지가 있습니다.
- 우선, '직속(계) 상사님'에게는 매사(每事) '④보고드립니다.'라는 표현을 우선 적용해봐야 하며, '①통보(해) 드립니다.'나 '②알려/안내해드립니다.'라는 표현은 '부적절'하다는 것입니다.
- 그리고 다른 하나는 '다른 팀의 팀장님이나 임원님'에게, 비록 그분들이 여러분의 팀장님보다 한참 선배라고 하더라도, 절대 "보고드립니다."라는 표현을 사용해서는 안 된다는 것입니다.
  참고로, 다른 팀의 팀장님 등에게는 '③의 말씀드립니다' 정도가 가장 적절한 표현입니다.

〈 보고 대상에 따라 달리 사용해야 하는 표현들 〉

표현 (아래 표현 + 드립니다.)	타깃(Target, 보고 및 Communication 대상)			
	다중	다른 팀 리더 (예, 다른 팀의 팀장, 임원 등)	직속(계) 상사* (예, 팀장, 담당임원, CEO)	직속(계) 상사가 참조인 (수신인 기준으로 작성)
전해/전달(해)/보내~	적절	적절	▲**	무관
① **통보**(해)~	적절	▲	**부적절**	무관
② **알려/안내**(해)~	적절	▲	**부적절**	무관
공유(해)~	적절	적절	▲	무관
③ **말씀**~	적절	**적절**	▲	무관
④ **보고**~	부적절	부적절	**적절**	부적절

Note) * 일반적으로 여러분을 평가할 수 있는 권한을 가지고 계신 분. ** ▲는 경우에 따라 가능할 수도 있음.

[참고 48] 보고/발표 시 태도

☐ **일반적으로 회사는 일상생활보다 훨씬 더 보수적입니다. 그리고 이런 특성은 보고나 발표 시에 더 강하게 적용됩니다.**

- 아래의 내용은 저의 경험(국내 기업과 외국계 기업에서의 근무 경험)을 토대로 작성한 것입니다. 조직마다 문화나 상황이 다를 수도 있습니다만, 아래의 내용을 한번은 읽어 보시기 바랍니다.

〈 보고나 발표 시 Audience를 불편하게 만드는 태도들 〉

보고 Type	보고 직전	보고 중(개별 사항)	보고 중(공통 사항)
좌식 대면 (보통 회의식)	① 불쾌한 냄새가 나거나(입, 땀 등) ② 옷을 단정하게 입지 않거나(슬리퍼 포함) ③ 보고 자료를 사전에 공유하지 않거나 ④ 유인물 등이 제대로 준비하지 않았거나 ⑤ 보고 장소가 더럽거나 좌석 배치가 정돈되지 않았거나 ⑥ 물이나 음료 등을 준비하지 않거나(특히, 고위 임원의 경우)	① 목소리가 너무 작거나 ② 고개를 숙여 자료만 쳐다보거나(즉, 시선 처리를 보고서와 상사, 참석자들을 번갈아 보지 않거나) ③ 의자에 등을 완전히 기대고 허리를 꼿꼿하게 펴지 않거나 ④ 다리를 벌리고 떨거나 ⑤ 다리를 꼬고 상사의 정강이를 차거나	① 보고 내용이나 자료를 숙지하지 못하고 발표하거나 ② 제스처(Gesture)*가 과도하거나 ③ 상사의 질문이나 피드백에 호응하지 않거나(보고 중에 상사가 말씀을 하시면 눈을 응시하며 "아~", "네~", "음~", "아이고", '끄덕끄덕', '네 알겠습니다", "감사합니다." 등의 반응을 자연스럽게 연결해줘야 함) ④ 상사가 질문이나 피드백을 할 때 받아 적지 않거나(상사가 말씀을 하시면 무조건 받아 적어야 함, 아니면 적는 척이라도 해야 함. 이는 Presentation을 할 때에도 마찬가지임. 이때 메모는 해당 보고 자료의 빈 공간이나 노트에 하시고, 스마트폰을 이용한 메모는 지양해야 함) ⑤ 전반적으로 이미지나 보고 분위기가 가볍거나(특히, 공사를 구분하지 못하는 등) ⑥ 상사의 지시 사항을 정리해 이메일 등으로 후속 보고를 하지 않거나(최종 보고가 아닐 때에도)
발표식 (Presentation)	① 옷을 단정하게 입지 않거나 ② 보고 자료를 사전에 공유하지 않거나 ③ 유인물 등이 제대로 준비하지 않았거나 ④ 보고 장소가 더럽거나 좌석이 정돈되지 않았거나 ⑤ 스크린이 잘 보이지 않거나(특히, 조명, 커튼 등에 무관심) ⑥ 물이나 음료 등을 준비하지 않거나(특히, 고위 임원의 경우) ⑦ 냉·온방 및 환기에 신경을 쓰지 않거나(필요한 경우)	① 목소리가 작거나 발음이 부정확하거나(특히, 마이크를 사용해야 함에도 이를 고려하지 않거나) ② Audience를 등지거나(참석자들의 반응을 살피지 않고 스크린만 보고 이야기하거나) ③ 레이저 포인터를 흔들어 대거나(주로, 손이나 가벼운 서류를 접거나 말아서 화면을 짚어가며 설명하는 것을 더 선호함) ④ 짝다리, 팔짱, 또는 포디엄에 기대거나 ⑤ 주머니에 손을 넣거나 ⑥ 화면을 몸으로 가리거나	

Note) * 말의 효과를 더하기 위한 몸짓이나 손짓

[실전연습 16] 보고/발표 중에 예상하지 못한 상황에 처했을 때(1/2)

☐ **만약, 보고**(Presentation 포함)**를 하실 때 아래와 같은 상황에 처한다면 여러분은 어떻게 하시겠습니까?**

- 각 질문마다 적절한 대응 방법을 고민해보시기 바랍니다. 왜냐하면, 앞으로 여러분이 겪게 될 상황들이기 때문입니다.

Q1) 보고 중인 당신에게, 갑자기 상사께서 '당신이 준비하지 못한(또는 잘 모르는) 정보'를 물어보십니다. 사실, 급해서 챙기지 못한 것입니다.

Q2) 사장님 스케줄 때문에, 당신은 20분 내에 보고를 마쳐야 합니다. 그런데 사장님께서 당신의 보고 중에 15분 넘게 주제와 관련 없는 말씀을 하십니다.

Q3) 당신은 민감한 주제로, 고위 임원회의에서 보고를 드리고 있습니다. 그런데 윗분들께서 편을 나눠 격하게 논쟁을 하시다가 '갑자기' 당신에게 "자네 생각은 어떤가?"라고 물어보십니다.

[실전연습 16] 보고/발표 중에 예상하지 못한 상황에 처했을 때(2/2)

□ **만약, 보고**(Presentation 포함)**를 하실 때 아래와 같은 상황에 처한다면 여러분은 어떻게 하시겠습니까?**

- 각 질문마다 적절한 대응 방법을 고민해보시기 바랍니다. 왜냐하면, 앞으로 여러분이 겪게 될 상황들이기 때문입니다.

Q4) 보고 중인 당신에게 갑자기 상사께서 질문하셨습니다. 그런데 당신은 그 질문을 도저히 이해할 수 없었습니다.

Q5) 전략팀의 팀원인 당신은 지금, 전 사(全社) 팀장회의에서 '팀장수당 삭감(안)'을 Presentation하고 있습니다. 그런데 갑자기 맨 뒤에 앉아 계셨던 한 팀장님께서 당신을 가리키며 욕설을 퍼부었습니다.

[참고 49] 이메일(email) 보고(1/3)

□ **이메일 보고도 대면 보고와 마찬가지로 최대한 Audience**(상사를 포함한 수신인 등)**에게 초점을 맞춰야 합니다. 구체적으로 말씀드리자면, Audience의 시간을 아껴 드려야 합니다.**

- 그래서, Audience(상사 포함)가 '제목'만 봐도 해당 메일이 어떤 내용인지, 최대한 빨리, 예측할 수 있게 해 주셔야 합니다. 구체적으로, 보고 문서일 경우, 우선 제목 앞에 '[보고]' 문구를 붙여 주시고, 제목은 앞에서 말씀드린 바와 같이, 조사를 최소화하고 해당 보고의 내용을 명확하게 예측할 수 있는 키워드(Keyword)로 간단하게 작성하는 것이 좋습니다.
- 그리고 해당 업무 관련이 있는 분들을 참조인(또는 수신인)으로 설정하시고, 필요한 경우 그분들에게 해당 메일과 관련이 있는 분들에게 추가 포워딩(전달, Forwarding)을 부탁 드리셔도 됩니다.

〈 이메일 보고의 제목 및 수신인 설정 〉

제목 및 수신인 지정 | 본문 구성 | 보고

① **우선, 제목의 맨 앞에 '[꺾쇠]'**를 활용해 해당 이메일이 '목적'을 명확하게 밝혀줘야 합니다.
- 예) [보고], [중요], [요청], [긴급], [공지], [안내] 등… 영어로는

② **제목은 키워드로 구성하되 명확하고 간단하게**
- 물론 원본 문서가 있다면, 그 문서의 제목을 사용하는 것이 좋습니다.
- 그러나 종종 공손한 문구를 원하는 조직도 있습니다.
  예) (통상) '2X08. 3분기 매출(영업) 실적 보고'
  → (예외) '2X08. 3분기 매출(영업) 실적 보고드립니다.'

③ **CC**(Carbon Copy, 참조)**와 BCC**(Behind/Blind/Back CC, 숨은 참조)**를 잘 활용해야** 합니다.
- 수신인 지정에 관한 내용은 챕터 5의 '이메일로 근거 남기기' 참고

④ 수신인과 참조인이 많은 메일에 답할 때에는 **'전체 회신'이 필요한 것인지 늘 고민해야 합니다.**
- 어디에나 불만이 많은 사람들이 있기 때문입니다.

〈 예시: 영어 이메일에서 제목 앞, 뒤에 붙여서 쓸 수 있는 표현들 〉

구분	세부 내용
조치 필요	① **For Review(보고서 등을, 검토 부탁드립니다.)** ② Action Required(조치 요망), Request(요청) ③ Response Needed(응답 요망) ④ PRB(Please respond by, 응답바랍니다) - EOM*(월말까지), EOD*(오늘까지), 제목 뒤에 표시
통상 즉시 조치 불요	① Urgent(긴급) ② Important(중요), Must Read(필독) ③ Important Notice(중요 공지) ④ FYI(For Your Information, 참고하세요) ⑤ NRN(No Response Needed, 응답불요)

Note) * by End Of Month(월말까지), by End of Day(오늘까지). ** 특히 보고 시간을 정해주신 때(e.g., 이번주 수요일 2시까지 보고해줘 등).

[참고 49] 이메일(email) 보고(2/3)

☐ **이메일의 본문은, 회사마다 약간씩 다를 수도 있겠지만, 일반적으로 아래와 같이 '인사 + 핵심요약**(核心要約, Executive Summary) **+ 향후계획**(向後計劃, Next Step) **+ 인사 + 붙임'으로 구성됩니다.**

- 즉 '이메일 본문'도 보고서나 기획서처럼 어느 정도 정형화된 틀이 있습니다. 우선, '핵심요약'은 Bullet Point 2~3개 정도로 간단하게 작성하는 것이 좋습니다(상세한 내용은 파일로 첨부). 하루에도 수십 건의 이메일을 읽어야 하는 윗분들은, 이 부분이 장황하면 자세하게 안 보실 가능성이 높습니다. 그리고 여러분을 '요약(= Summary) 및 커뮤니케이션 능력'이 약한 사람이라고 인식할 가능성도 높습니다.
- 윗분들께 이메일을 보내드렸다고 업무가 마무리되는 것은 아닙니다. 중요한 사안은 이메일을 보내신 후 반드시 어떤 내용으로 이메일을 보냈는지 구두나 출력물로 확인해드리는 것이 좋습니다.

〈 이메일 보고의 본문 구성 〉

제목 및 수신인 지정 | **본문 구성** | 보고

안녕하세요 사장님, → 인사, 수신인 특정

지난주에 지시하신 지난 달 "경쟁사 영업실적"에 대해 아래와 같이 간략하게 보고 드립니다.

- 우선, 지난달('X8년 7월) 주요 경쟁사들의 영업 실적은, 당사와 달리, 전월 대비 두 자릿수 이상 성장했습니다.
  - 당사(전월 대비 -16%), 경쟁사 A(+18%), 경쟁사 B(+14%)…
- 이의 주된 이유는… … 세부 내용은 엑셀 파일로 첨부해드립니다.

→ 핵심 요약

그리고 다음 주부터 경쟁사들의 업적 진도를 매주 금요일 5 p.m.까지 보고 드리겠습니다. → 향후* 계획

궁금하신 점이 있으시면 언제든지 말씀해주세요.

감사합니다.

Marcus Jeong 드림/올림***

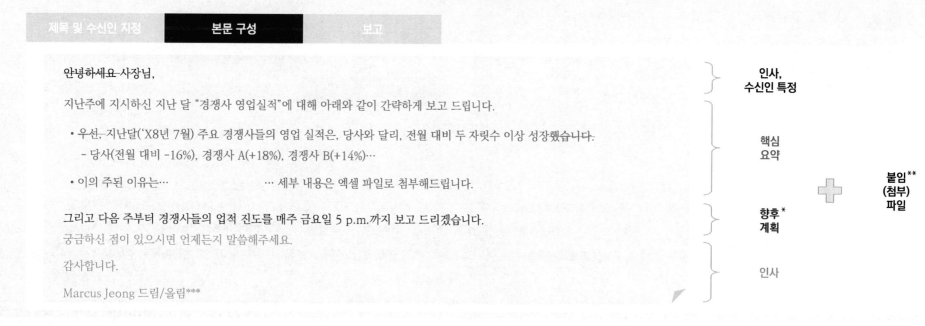

→ 인사

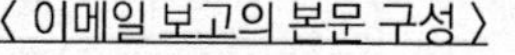

붙임** (첨부) 파일

Note) * '향후계획(Next Step)'은 없으면 생략해도 됩니다. ** 엑셀 파일을 첨부할 경우, 미리 상단 메뉴 '보기'에 있는 '페이지 나누기 미리보기'로 인쇄영역을 확인하시기 바랍니다.
*** '드림'과 '올림'을 구분해서 사용하는 회사들도 있습니다. 예를 들면, '드림'은 팀장님께, '올림'은 임원님께 사용하는 것입니다.

[참고 49] 이메일(email) 보고(3/3)

□ **이메일**(email or e-mail)**은 그 자체로도 요긴**(要緊, Essential)**한 보고 수단이지만, 대면 보고**(對面報告, Face-to-face reporting)**를 보조하는 역할로도 활용됩니다.**

- 상사에게 업무 지시를 받았다면 해당 내용을 내용을 정리해 이메일로 보고를 드리고 것이 좋습니다(이에 대한 상세한 설명은 챕터 5의 '이메일로 근거 남기기' 참고). 상사께서 회신을 하지 않더라도 근거는 남기 때문입니다.
- 보고 기한(일시, 일자 및 시간)가 정해진 업무 지시를 받았을 경우에는 반드시 그 기한을 지켜 보고해야 합니다. 그러나 상사의 부재로 이를 지키기 어려울 때에는 반드시 이메일로 근거를 남겨두셔야 합니다(아래 ①).
- 윗분들께 이메일을 보내드렸다고 업무가 마무리되는 것은 아닙니다. 중요한 사안은 이메일을 보내신 후 반드시 어떤 내용으로 이메일을 보냈는지 구두나 출력물로 확인해드리는 것이 좋습니다.

〈 이메일 보고의 제목 및 수신인 설정 〉

제목 및 수신인 지정	본문 구성	보고

① **기한**이 정해진 보고는 반드시 기한 내에 보고해야 하며, 반드시 '이메일'로 근거를 남겨야 합니다.**

- 특히, 예정된 보고 시간(예를 들면, 수요일 오후 2시까지 보고해달라는 지시를 받은 경우)에 상사님이 자리에 없다고, 무작정 상사께서 오실 때까지 기다려서는 안 됩니다.
  이런 경우에는 **반드시 '보고 기한'인 오후 2시 전에 이메일로** 해당 내용을 보고 드리고,
  동시에 문자나 카톡 등으로 해당 사안에 대해 이메일로 **보고** 드렸음을 재차 알려드려야 합니다.
  이렇게 하지 않으면 나중에 지시불이행으로 곤란한 상황에 처할 수도 있기 때문입니다.
  이 과정에서 중요한 것은, **이메일로 보고를 할 때**에는
  최초 업무 지시를 받았을 때 사용했던 이메일이 있다면, 그 이메일을 **회신**해서 보고 드려야 한다는 것입니다.

② **중요한 사안의 경우에는, 이메일 보고 후, 반드시 구두 보고를 해야 합니다.**

- 경미하고 루틴한 사안들의 경우에는 이메일 보고만으로 보고가 마무리 될 수 있습니다.
- 그러나 그렇지 않은 경우에는 반드시 구두로 보고(필요시 자료 출력) 드리는 것이 좋습니다.

③ **법이나 사규에 어긋나는 지시를 받을 때에는 적당한 방법으로 근거를 남기시는 것이 좋습니다.**

〈 Example: 보고 근거를 남길 때 사용하는 문구 〉

구분	문구 예시
이메일	팀장님, 지난주 지시하신 건에 대해 아래와 같이 보고 드립니다. 자리에 돌아오시면 출력해서 보고 드리겠습니다. 감사합니다. Marcus 드림
문자/톡	팀장님, 오후 2시에 보고 드릴 사안을 우선 이메일로 보내 드렸습니다. 팀장님께서 오시면 출력해서 보고 드리겠습니다. Marcus 드림

Note) * 이에 대해서는 제 수업을 통해 상세하게 알려드립니다.

[실전연습 17] 불법/위법/부당한 업무를 지시를 받았을 때

□ **회사에서는 甲(갑)과 乙(을)의 관계가 명확합니다. 그리고 직위가 높다고 도덕성이나 인성이 더 훌륭한 것도 아닙니다. 그렇다 보니, 여러가지 불편한 업무 지시도 받게 됩니다.**

- 그런데, 이럴 때 어떻게 대처해야 하는지 방법을 모르시는 분들이 생각보다 상당히 많았습니다. 안타깝게도… 사회생활을 20년 넘게 하신 분들도 그러셨습니다.

Q1) 만약 상사님께서 노조 신설을 방해하기 위해, 노조 가입신청서(일명 가입원서)를 제출한 직원들을 알아내 인사팀에 통보하라는 지시를 구두로 하셨을 때, 어떻게 하실 건지요?

Q2) 팀장님께서 특정 영업본부(상사가 직전에 근무했던)에게 유리한 내용으로 기획서를 수정하라고 '구두'로 지시한 경우 어떻게 하실 건지요?

라. 보고 OR 발표 後(후)

☐ **보고가 이상 없이 마무리됐다면, 기획서와 같이 의사결정권자의 재가**(裁可, 안건을 결재하여 허가함)**가 필요한 기안 문서*에 대해서는 사규에 맞게 결재**(決裁, Approval)**** 프로세스를 진행해야 합니다.**

- 물론 알고 계시겠지만, 결재 프로세스에서 가장 중요한 것은 바로 '합의(Ⓑ)' 과정입니다. 왜냐하면, 사전에 충분한 합의를 거친 사안은 결재 프로세스가 매끄러울 수밖에 없기 때문입니다.
- 특히, 합의 과정에 고위 임원이 포함돼 있는 경우, 그분의 산하의 조직과 사전에 충분히 논의를 하는 것이 좋습니다. 그렇지 않으면 나중에 곤란한 상황에 처하게 될 수도 있기 때문입니다.
- 참고로 결재 프로세스는 주로 품의서(稟議書) 양식으로 진행*****하며, 전자문서가 아닌 기안의 경우 별도의 문서등록 및 관리 기준을 확인해 조치를 취해야 할 수도 있습니다.

〈 일반적인 결재 or 승인(Approval) 프로세스 및 관련 용어들 〉

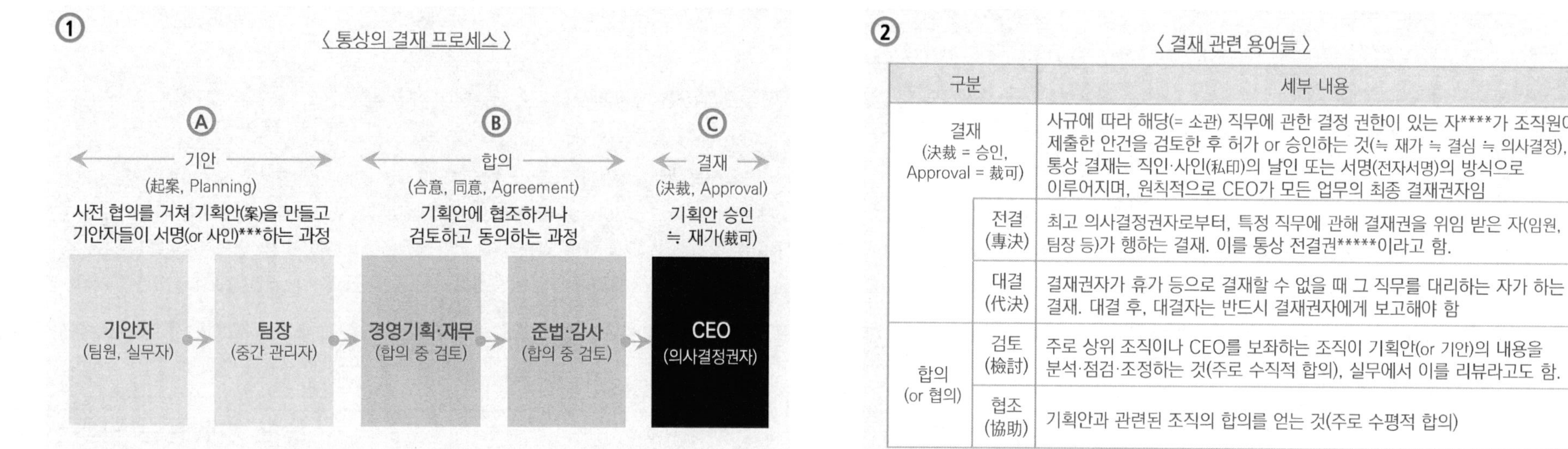

〈 결재 관련 용어들 〉

구분		세부 내용
결재 (決裁 = 승인, Approval = 裁可)		사규에 따라 해당(= 소관) 직무에 관한 결정 권한이 있는 자****가 조직원이 제출한 안건을 검토한 후 허가 or 승인하는 것(≒ 재가 ≒ 결심 ≒ 의사결정), 통상 결재는 직인·사인(私印)의 날인 또는 서명(전자서명)의 방식으로 이루어지며, 원칙적으로 CEO가 모든 업무의 최종 결재권자임
	전결 (專決)	최고 의사결정권자로부터, 특정 직무에 관해 결재권을 위임 받은 자(임원, 팀장 등)가 행하는 결재. 이를 통상 전결권*****이라고 함.
	대결 (代決)	결재권자가 휴가 등으로 결재할 수 없을 때 그 직무를 대리하는 자가 하는 결재. 대결 후, 대결자는 반드시 결재권자에게 보고해야 함
합의 (or 협의)	검토 (檢討)	주로 상위 조직이나 CEO를 보좌하는 조직이 기획안(or 기안)의 내용을 분석·점검·조정하는 것(주로 수직적 합의), 실무에서 이를 리뷰라고도 함.
	협조 (協助)	기획안과 관련된 조직의 합의를 얻는 것(주로 수평적 합의)

Note) * 따라서 보고 자체가 목적인 보고서는 제외. ** 결제(決濟, Payment, Settlement)와 결재는 다름. *** Signature, 실무상 이를 '결재'라고도 함. **** 상사 ≒ 상관 ≒ 조직長. ***** 이를 통해 참조자도 지정.
****** 전결권(專決權), 마음대로 결정하고 처리할 수 있는 권한(우리말샘), 예를 들면, 3억 이내의 비용 집행은, CEO 승인 없이, 담당 임원 결재(= 전결)로 처리.

[참고 50] 결재 프로세스 예시

□ **아래는 특정 기획서('신상품 판매 활성화 방안')의 결재 프로세스 간단하게 도시한 것입니다. 물론 참고용으로 작성한 '예시'이며, 이를 통해 결재 프로세스를 이해하시는데 조금이라도 도움이 됐으면 합니다.**

- 우선, 기획안을 만든 담당자들의 결재 과정에는 통상 담당 임원(③)까지 포함되나, 담당 임원을 예우하는 차원에서 ⓐ과정(해당 기안의 내용과 관련된 조직들이며 통상 합의 순서는 건제순) 뒤에 사인을 받기도 합니다.
- 통상 ⓑ과정에서 경영기획팀은 기안의 합리적 타당성을 주로 검증(목적에 적합한 방법인가, 전체 조직의 전략과 같은 방향을 바라보는가, 비용은 합리적인가 등)하며, 재무팀에서는 예산과 재무적 측면을 검토합니다.
- 그리고 ⓒ과정에서는 해당 기안에 관한 리스크 관리적 측면의 검토가 이루어지며, 이 과정이 마무리되면 C-Level Officer들의 합의가 개시(ⓓ, ⓔ)됩니다.***
- 이렇게 모든 관련자들이 사인을 완료하면, CEO(최종 의사결정권자, 결재권자)가 해당 기안을 최종 승인(결재)합니다.****

〈 Example: '신상품 판매 활성화 방안' 관련 결재 프로세스 〉

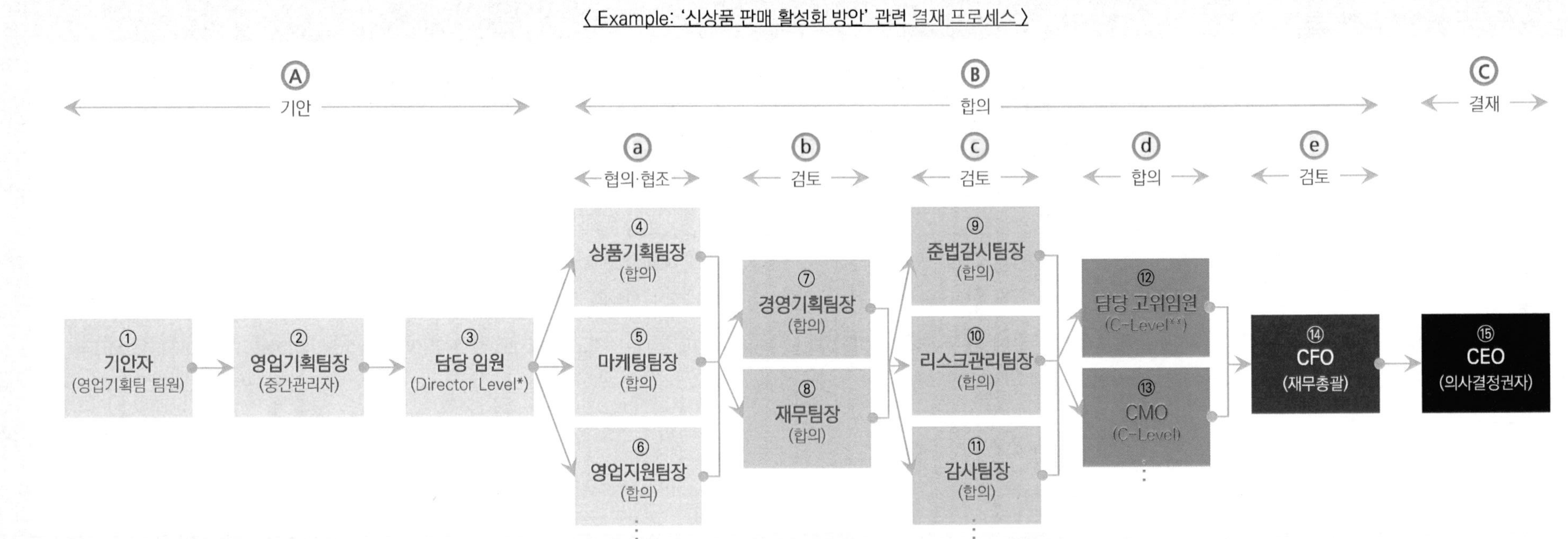

Note) * 조직에 따라 다를 수 있겠지만, 이사, 상무급. ** Chief Officer Level Executives, 이를 C-suite Chief, 고위 임원, 경영진, Management Team 등으로 부르기도 함.
*** 이때 통상 CFO는 C-Level Officers 중에 가장 늦게 합의함. **** 이렇게 결재 프로세스가 종료되면 해당 기획서를 관련자들에게 공유해야 함.

[참고 51] 보고 OR 발표에 실패했을 때

□ **보고가 실패했다면, 너무 두려워하지 말고 Audience의 지시에 따라 수정해서 재보고(再報告)하시면 됩니다. 이때 Audience를 만족시키지는 못하더라도 노력하는 모습은 보여주셔야 합니다.**

- 실무자로서 보고(발표 포함)는 언제나 긴장되고 또 스스로 만족스럽지 못할 가능성이 높습니다. 그게 정상입니다. 다만, 그 만족스럽지 못한 경험을 통해 성장하시려면 반드시 이유를 기록해두셔야 합니다.
- 그리고 그 기록은 이왕이면 한 장의 종이에 누적적으로 기록하셔야 합니다. 예를 들면, 저는 아래와 같은 피쉬본 다이어그램을 한 장으로 출력해 10년 넘게 보고를 실패한 이유들을 깨알같이 적어봤습니다. 물론 상당히 지저분해지긴 했지만, 실패의 원인을 명확하게 파악할 수 있었고 동시에 저의 성장 과정을 한눈에 파악할 수도 있었습니다.
- 더불어 보고나 발표를 실패하셨을 때, 철저하게 메모는 해두시되, 실패의 잔상(殘像)은 최대한 빨리 지워버리시길 바랍니다. 그 지움의 속도가 짧을수록 프로에 가까워진 거라고 생각하시면 됩니다. .

〈Fishbone(or Cause and Effect) Diagram〉

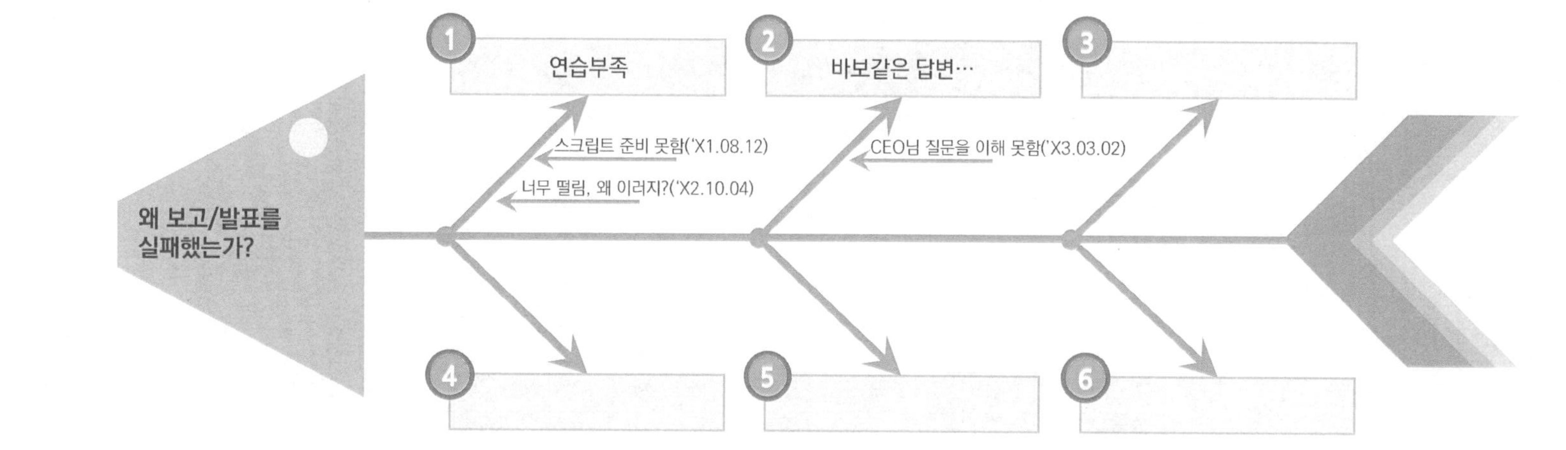

Note) 위 Fishbone 템플릿은 제 블로그 goodactions에서 다운로드 받으실 수 있습니다.

This page intentionally left blank.

Chapter 5
FOLLOW UP

This page intentionally left blank.

5. FOLLOW UP

가. 보고(기획)업무 Flow Overview

☐ **보고나 승인절차가 마무리됐다고 보고(기획)업무가 끝난 것은 아닙니다. 왜냐하면, 보고·승인된 문서가 '스스로' 기도(企圖, Plan)한 대로의 성과를 만들어 내는 것은 절대 아니기 때문입니다.**

- 그래서 이 Chapter에서는, 어떻게 보면 보고·승인보다 더 중요한, 보고·승인 이후의 프로세스('⑤'번과 '⑥'번)에 대해 집중적으로 설명해드리겠습니다.

〈 보고(기획)업무 Flow, and Communication 대상 〉

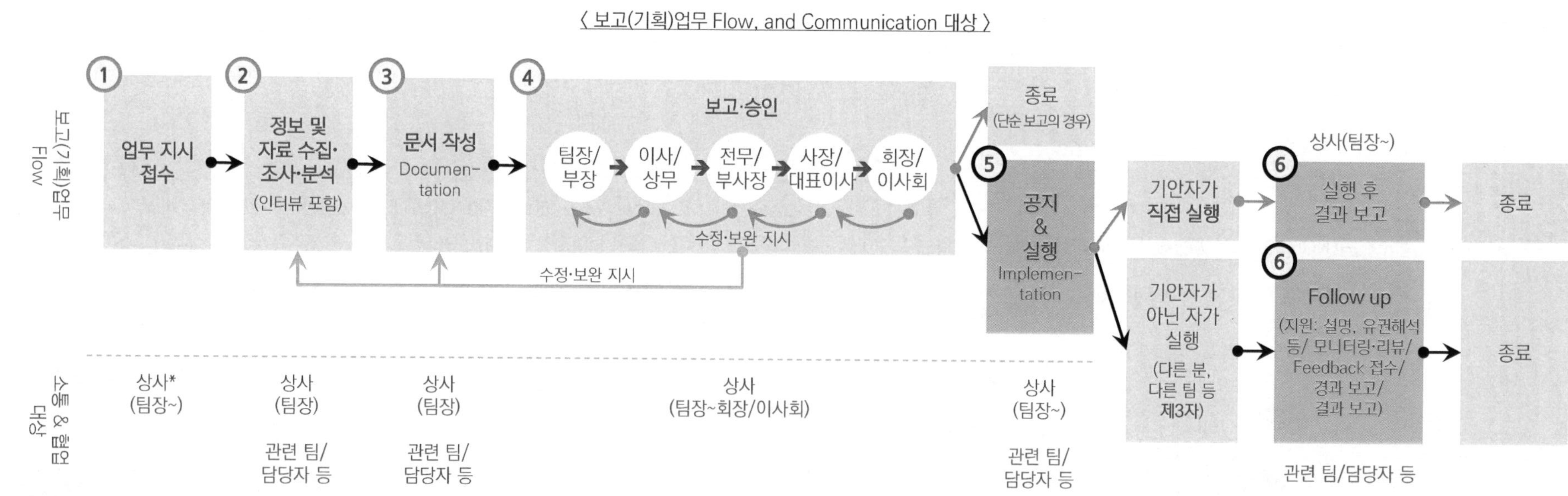

Note) * 위 다이어그램 하단의 붉은색 글씨는 주요 커뮤니케이션 대상

5. FOLLOW UP

나. 보고 OR 발표 後(후) Process

☐ **'보고나 승인이 마무리된 이후'는 '실행**(實行, Implementation)**'의 단계이며, 이의 핵심**(核心, Key) **내용은 '커뮤니케이션**(疏通, Communication)**과 협력**(協力, Cooperation)**'입니다.**

- 물론, 보고(기획)업무에서 '문서 작성'도 '보고(행위)'도 중요합니다. 그러나 실행 과정을 소홀(疏忽)히 하면 수고스러웠던 이전 단계의 과정들이 전부 수포(水泡, 물거품, Bubble)로 돌아갈 수도 있습니다.
- 즉, 문서(여기에서는 주로 기획서)는 단지 문서일 뿐입니다. 이런 문서에 생명을 불어 넣고 가치를 만들어 내는 것이 바로 실행(Cooperation and Communication)입니다.

〈 보고·승인 이후, 실행 업무의 주요 내용 〉

To Do List	세부 내용	비고
1) 점수 따기	① 이해당사자들이 존재하는 보고서나 기회서를 준비할 때에는, 보고 행위가 개시되기 전에, 반드시 그분들과 커뮤니케이션을 해야 합니다. ② 어차피 극비(極祕, Strictly confidential) 사항이 아니라면 나중에 어떤 방식으로든 해당 내용이 전파될 것이기 때문입니다.	추가 설명은 바로 뒤 페이지 참고
2) 실행, Monitoring & Feedback	① 기획서(= 기안)가 제대로 힘을 발휘하기 위해서는 무엇보다도 실행(實行, Implementation)이 중요합니다. 왜냐하면, 상황은 언제나 유동적이라 완벽하게 만들어진 기획서라는 것은 애초에 존재할 수 없기 때문입니다. 즉, 기획서는 오직 실행을 통해 비로소 그 가치를 인정받게 됩니다. 그래서, 만약 기안자와 실행자 간의 관계가 좋지 못하다면 최상의 성과는 기대하기 어려울 것입니다. ② 기안자는 기안 시 설정했던 KPI들을 상시 Monitoring해야 합니다. 그리고 실행자와도 그 결과에 대해 수시로 소통해야 합니다. ③ 기안자는 실행자는 물론 제3자들에게도 해당 기안의 추진(= 실행)과 관련된 모든 상황에 대해 상세하게 피드백을 받아야 합니다. 그래야 기획력이 향상되고, 회사의 자원도 더 효율적으로 사용할 수 있게 되기 때문입니다. ④ 실행 완료 후, 결과보고서를 작성하는 것이 회사와 기안자 모두에게 이롭습니다. 왜냐하면, 학습효과가 축적 및 확산될 수 있기 때문입니다.	추가 설명은 뒤 페이지 참고
3) 근거 남기기	① 모든 보고(기획)업무는, 가능하면, 반드시 History(≒ 근거 ≒ 이력, 업무 지시를 받은 순간부터 최종 보고 시까지)를 꼼꼼하게 남겨야 합니다. 여러분이 늘 그 자리에 앉아 계신 것도 아니고, 인간의 기억력이 무한한 것도 아니기 때문입니다. ② 관련 근거를 가장 확실하게 남길 수 있는 방법은 단연(斷然) 이메일(email)입니다.	추가 설명은 뒤 페이지 참고

Note) * 물론 대외비(對外祕, Confidential)가 아니라면

[참고 52] 점수 따기

□ **앞에서도 말씀드린 바와 같이, 대부분의 보고(기획)업무는 혼자 할 수 없습니다. 그래서 '평소' '이해당사자'들과의 '관계 관리(關係管理, Relationship Management)'가 매우 중요합니다.**

- 아래의 방법들(특히 ②번과 ③번)은, 제가 여러 회사에서 근무하며 다른 팀의 팀장님이나 임원님들에게 아주 많은 점수를 땄던 커뮤니케이션 기법입니다.
- 사실 그리 대단하거나 어려운 일이 아님에도 불구하고, 실무에서 ②번이나 ③번 같은 커뮤니케이션을 하시는 분들은 많지 않습니다.

〈 '이해당사자'들과의 업무 단계별 Communication 〉

① 보고서·기획서 준비 中(중)

- 보고서나 기획서 작성을 위해 다른 팀으로부터 정보를 제공받아야 하는 경우, 해당 정보가 '왜 필요한지'에 대해 설명드려야 함(물론, 사안의 경중에 따라, 공유할 정보의 수위를 정해야 함).
- 만약 해당 사안이 대외비가 아니라면, '작성 배경', '목적', 그리고 '주요 스토리라인(줄거리나 논리 등)'을 설명해드리는 것이 좋음.
- 그런데, 아직 관련 내용이 정해지지 않았다면 우선 '작성 배경' 정도만 공유해드리고 나중에, 작업 진도에 맞춰 추가 내용들을 설명해드리면 됨.
- 그러나 만약 대외비라면, '작성 배경' 정도만 공유해도 됨.
  - 만약 대외비의 영역이 분명하지 않다면, 이해당사자와의 커뮤니케이션을 상사에게 부탁드려도 됨.

② 보고서·기획서 완료 後(후), 보고 前(전)

- 특히, 최상위자에게 해당 문서를 보고하기 전 '**보고 일정**'을 **이해당사자**(관련 조직의 업무담당자나 팀장 등)**들에게 미리 알려드리는 것**이 좋음(일종의 '동업자 정신').
- 왜냐하면, 성격 급한 피보고자(e.g., CEO)*들은, 확인하고 싶은 것이 있으면, 언제든지 관련자들(주로 실무자, 팀장, 임원)에게 직접 전화해서 물어보기 때문.
- 그런데 만약 이해당사자들에게 '보고 일정'을 미리 공유하지 않는다면, Ⓐ그들이 피보고자의 전화를 받지 못하거나, 아니면 Ⓑ전화를 받고도 당황해서 질문에 대한 대답을 제대로 못할 가능성이 높음.
- 이런 경우, Ⓒ보고 일정을 다시 잡아야 할 가능성이 매우 높고 동시에 Ⓓ전화 응대를 제대로 하지 못한 분들의 상황이 난처해질 수도 있음.

③ 보고나 승인 완료 후, Announcement 前(전)

- 최종 보고를 마치고 보고서나 기획서의 내용이 확정된 경우, 이를 전사에 공지(또는 발표나 공유)하기 전에 한 시간이라도 먼저 관련 조직의 장(팀장 or 임원)에게 그 내용을 공유해드려야 함.
- 일반적으로 이는 기안자들에게는 큰 부담이 되지 않지만, 상대방(= 이해당사자)에게는 상당히 감사한 일.

Note) * 보고를 받는 분, 최상위자

[참고 53] 세부 실행 및 Follow up Process

□ **일반적으로, 기안자**(= 기획자)**는 보고나 승인이 마무리되면**(결재를 득하는 등), **기획서**(= 기안) **등을 실행자**(또는 팀)**에게 대충 설명하고 바통을 넘겨버립니다. 그리고 관료들처럼 Monitoring에 초점을 맞춥니다.**

- 그런데 이렇게 일을 하면, 기안자(또는 팀)는 '일을 제대로 할 줄 모른다', '시야가 좁다', '기획 업무를 제대로 이해하지 못한다'는 평판(評判, Reputation, Value)을 얻게 될 가능성이 매우 높습니다.
- 왜냐하면, 기안자는 알바(Part-timer)가 아니기 때문입니다. 그래서 저는 기안자의 역할의 범위를 '기안의 보고나 승인'까지가 아니라 '이를 성공적으로 실행하고 결과를 기록하는 일'까지라고 정의합니다.

〈 실행(實行, Implementation) 과정 상세 〉

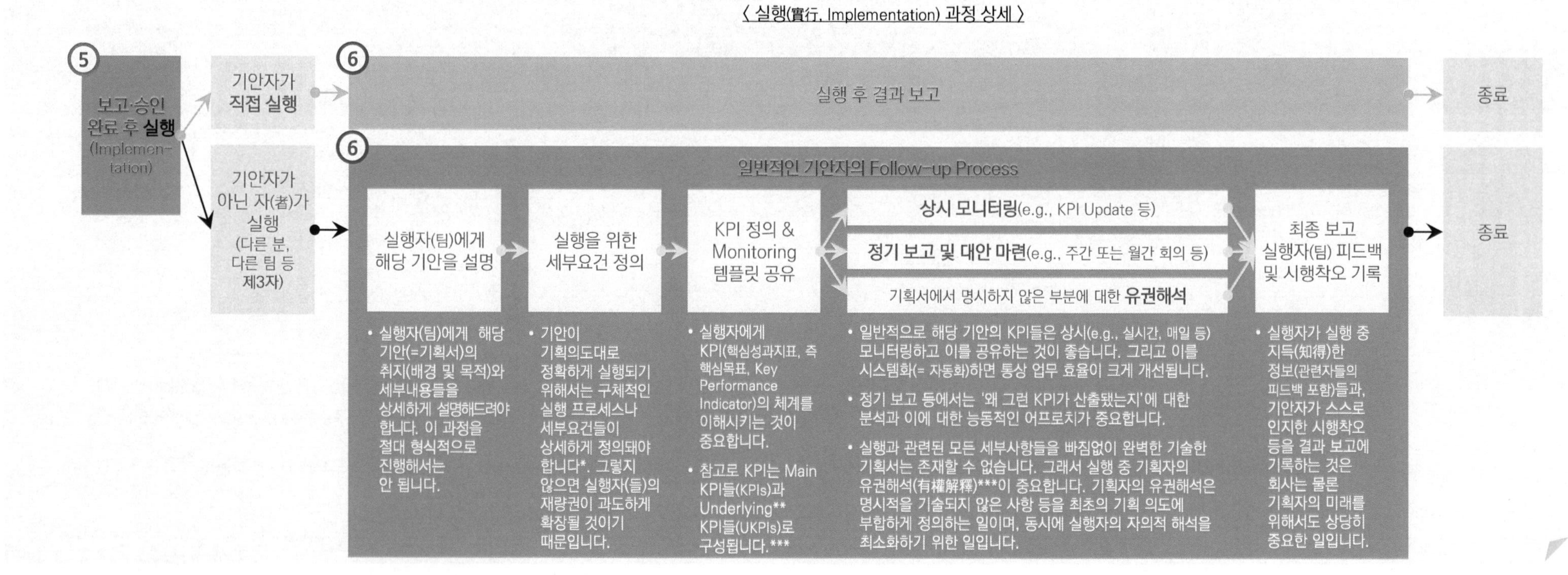

Note) * 상황에 따라 이를 IT 시스템에 반영할 수준으로 상세하게 정의하기도 함. ** Underlying: 기본이 되는, 기초가 되는.
** 즉, KPI = Underlying KPI(ⓐ) X Underlying KPI(ⓑ), 예를 들면, 매출액 = 단위 가격(ⓐ) X 판매량(ⓑ). *** 권한이 있는 조직이 해당 내용을 해석하는 일(법률용어이나 이를 응용해서 활용함).

[참고 54] 이메일(email)로 근거 남기기

☐ **조직에서 보고업무 수행과 관련된 커뮤니케이션은 반드시 이메일로 그 근거를 명확하게 남겨둬야 합니다. 왜냐하면, 제대로 근거를 남기지 않을 경우 억울한 상황에 처하게 될 수도 있기 때문입니다.**

- 이메일로 커뮤니케이션의 근거를 남겨야 할 대상은 크게 업무를 지시하는 '상사'와 보고업무와 관련된 '제3자'들이며, 아래의 ①에서 설명드린 바와 같이 반드시 하나의 이메일로 그 근거를 남겨야 합니다.
- 이메일로 근거를 남기는 것은, 커뮤니케이션의 상대방을 신뢰한다 안 한다의 문제가 아니라, 단지 '우리의 유한한 기억력에 대한 안전장치'일 뿐입니다.

〈 ①email로 커뮤니케이션 근거 남기기: 상사 vs. 제3자 〉

with 상사	with 제3자(= 관련자: 협조자, 검토자, 실행자 등)
Ⓐ 상사에게, 보고업무와 관련해서, 보고를 드릴 때에는 매 보고 시마다, 상사의 지시나 피드백을 이메일로 정리해 보내 드리는 것(= 보고)이 좋습니다. Ⓑ 이때 중요한 것은 해당 사안이 최초로 언급된(예를 들면, 상사의 업무 지시나 최초 인지 보고 등) 이메일을, 해당 보고업무가 종료될 때까지 계속, 사용해서 보고 드려야 한다는 것입니다. 즉, 하나의 이메일로 상사와 계속 주고 받아야 한다는 것입니다. Ⓒ 이메일 보고의 시기 ⓐ 업무 지시를 받은 직후: 업무 시시를 요약해 이메일로 보고, 실무자가 상사의 업무 지시를 제대로 이해했다는 것을 확인 받기 위함 ⓑ 지시 받은 내용을 반영한 후: 상사에게 지시 받은 내용을 반영한 후 이메일로 선(先)보고, 이후 대면 보고**	Ⓐ 보고업무 중 관련자들과의 커뮤니케이션도 반드시 하나의 이메일을 사용해 근거를 남겨두셔야 합니다. Ⓑ 예들 들어, 만약 관련자들과 회의를 했다면 회의 내용을 아래와 같이 공유해드리는 것이 좋습니다. TO(수신자): 회의 참석자 CC(참조): 수신자 및 발신자의 상사(팀장 or 임원), 관련 업무담당자 & 실무자 등 BCC(숨은 참조): 기타 비공개로 공유해야 할 분 (BCC는 조심해서 활용해야 함) 주요 메시지: 회의에서 논의 후 Ⓐ결정(or 합의)된 사항, Ⓑ결정(or 합의)되지 않은 사항 등 Ⓒ 그리고 수신인이나 참조인을 선정하기 어렵다면 상사에게 도움을 요청하는 것이 좋습니다. 이때 본인의 생각을 미리 말씀드리는 것이 좋습니다.

〈 ②email 사용의 장·단점 〉

장점(長點, Pros)

- ○ 회사의 공식적인 보고 방식(일반적으로 문자나 메신저보다 Official)
- ○ 근거가 명확하게 남고(전화는 휘발성 높음) 삭제가 안 됨***
- ○ 바쁜 상사에게, Holding 없이, 바로 보고 가능
- ○ 대면 보고보다는 심적 부담이 적음
- ○ 문자, 톡, 메신저, 전화 등과 연계해서 활용하면 더욱 효과적

단점(短點, Cons)

- ○ 일반적으로 '대면 보고(對面報告)'보다는 전달력이 약함
- ○ 요약이 안 된 이메일을 보낼 경우 보고·소통능력을 의심받게 됨
- ○ 과도한 이메일 중심의 업무 처리(e.g., 중요한 사안임에도 이메일만 달랑 보내고 책임을 전가하거나, 사전 논의 없이 이메일로 업무 처리를 요청하는 등)
- ○ 수신인이 이메일을 읽지 않으면 커뮤니케이션 단절(책임 소재를 따지기 전에 협업 등 업무 진행에 문제가 발생)

Note) * 예를 들면, 타 팀과 협업하기 위한 세부요건 정의 등. ** 물론 경미한 사안은 대면 보고를 하지 않을 수도 있음. *** 물론, 문서 보존기간처럼 일정 기간이 지나면 삭제하기도 함.

[참고 55] 기획안을 누가 실행할 것인가?

□ **물론, 상황에 따라 약간의 융통성은 있어야 하겠지만, '①기안을 한 팀'에서 '실행**(實行, 실무에서는 추진이라고도 함)**까지 하는 것'은 '부적절**(不適切, Inappropriateness)**하다'는 것이 저의 결론이었습니다.**

- 왜냐하면, 기안(= 기획 = Planning)과 실행(= 추진 = Implementation)이 하나의 조직(통상 팀)에서 담당할 경우 업무 효율성은 일부 개선될 수 있겠지만 아래와 같은 부작용들도 발생할 것이기 때문입니다.
- 그래서, 일반적으로, 기획과 실행 기능을 분리하는 것이 조직(e.g., 성과관리, 직무 전문화, 협업을 통한 조직력 강화 등)에 더 좋습니다(물론, 조직이 작거나 사안이 경미한 경우에는 당연히 예외일수도 있지만).
- 그리고 순환근무(循環勤務, Job Rotation)제도 등을 통해 기안자(= 기획자)와 실행자의 역할을 주기적으로 변경하면 회사에 필요한 양질의 기획 인력을 육성하는 데에도 도움이 될 것입니다.

〈 기안(= 기획서)을 누가 실행할 것인가? 〉

	① '기안(= 기획)을 한 팀'에서 실행할 경우	② 제3자(기안을 한 팀이 아닌)가 실행하는 경우
장점 (長點, Pros)	Ⓐ (제3자가 실행하는 것보다) **시간낭비 없이 빠르게 추진 가능**(왜냐하면, 기획 배경과 목적, 방향, 그리고 세부내용들을 제대로 알고 있기 때문) Ⓑ **커뮤니케이션 오류 최소화**(제3장 등에게 설명하지 않아도 되기 때문) Ⓒ **책임감 있는 추진**(推進) **가능** ⇒ 목표 달성 가능성 상승(그러나 다른 업무의 집중력은 하락함, 왜냐하면, 이 기획안을 반드시 성공시키기 위해 과도한 에너지를 투입할 것이기 때문) Ⓒ **기획 의도 대로 추진될 가능성이 높음**	Ⓐ **문서화되는 내용**(e.g., 실행 요건 등)**들이 매우 상세해짐**(누가 봐도 실행할 수 있을 수준으로) Ⓑ 현실적이고 **도전 가능한 목표 설정** 가능(객관적이고 목표관리 가능) Ⓒ 기안자와 실행자 간의 **협업능력 향상**(두 조직 간의 관계가 나쁘지 않은 경우 조직력 향상) Ⓓ **객관적인 성과 보고** 가능(따라서 기획 및 실행팀의 분석 및 기획능력이 향상됨) Ⓔ 기획팀보다 **실행팀이 유능할 경우**, 기안과 무관하게, **기대 이상의 성과를 달성하기도** 함
단점 (短點, Cons)	Ⓐ **기안이 실행하기 쉬운 과제**(Action Plan)**와 달성하기 용이한**(= 쉬운) **목표**(≒ KPI)**만으로 구성될 가능성이 높음**(즉, 실패에 대한 두려움으로 소극적인 기획안이 난무하게 됨) Ⓒ **부실한 실행 및 성과 보고**(기도한 **성과**가 나오지 않는 경우 **조작도 가능**) Ⓒ **실행 과정의 과도한 구두화**(口頭化, Oral) 성향이 강함(자체 실행의 경우, 실행 과정에서 필요한 문서들*을 상세하게 작성할 필요가 없음)로 근거가 남지 않게 됨 Ⓓ **조직의 견제와 균형 기능 훼손**	Ⓐ **기획 의도**(≒ 방향)를 제대로 **이해하지 못할 가능성도 상존**(제대로 이해하지 않은 상태에서 자의적 해석에 의해 일을 처리할 가능성 존재) Ⓑ 일반적으로 실행 전 **준비시간 소요**(기획안을 제대로 이해하고 실행하기 위한) Ⓒ **성의 없는 '실행 & 피드백' 가능성 상존**(예를 들면, 기획팀과 관계가 좋지 않은 경우 등) Ⓓ **실패**할 경우 **책임을 기획팀으로 전가할 수** 있음(이런 경우 기획팀과 실행팀 간의 관계가 틀어지기도 함 → 조직력 약화)

Note) * 예를 들면, 타 팀과 협업하기 위한 세부요건 정의 등.

This page intentionally left blank.

This page intentionally left blank.

Chapter 6
RECOMMENDATION

This page intentionally left blank.

6. RECOMMENDATION

가. Wrap Up - 보고(기획)업무란?

□ **요약하자면, '보고(기획)업무'의 주목적**(主目的, main purpose)**은 커뮤니케이션과 협력**(疏通과 協力, Communication & Cooperation, 이하 이를 C&C로도 표현)**입니다.**

- 여러분이 '①문서 작성(주로 디자인, 장표 구성 등의 형식적 측면)'과 '②보고/발표(e.g., 훌륭한 딕션과 상사들이 좋아할 만한 절제된 매너로)' 능력이 출중해도, ③커뮤니케이션과 협력(C&C) 능력이 부족하다면 상사나 동료들로부터 '일을 잘한다'는 피드백을 받기 어려울 것입니다. 왜냐하면, 일반적으로 C&C가 상사에게 가장 도움이 되는 보고(기획)업무의 진정한 핵심(Core)이기 때문입니다.
- 즉, '문서 작성'과 '보고/발표' 능력도 중요하지만 이것들이 보고(기획)업무의 전부가 아니라는 것은 반드시 기억하셔야 합니다.

〈 보고(기획)업무의 주요 내용 〉

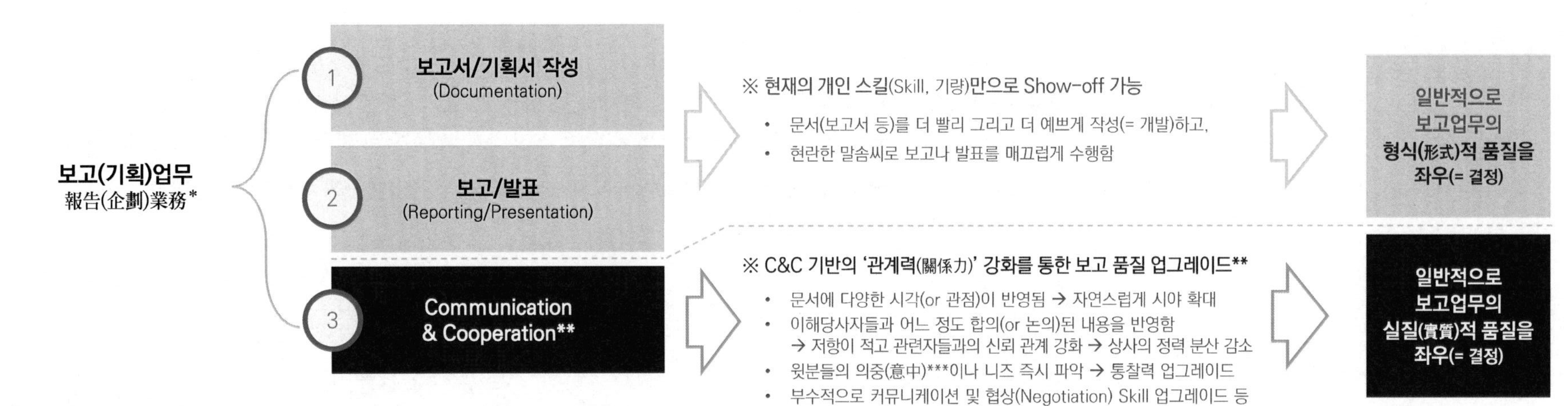

Note) * 알릴 보(報, 갚을 보), 알릴 고(告, 고할 고), ** 궁극적으로 관계력(關係力, Relationship Power) 강화를 통해 보고 품질은 물론, 기안자 개인의 역량(e.g., 업무 지식, 통찰력, 책임감, 대인관계, 시야 등)까지도 업그레이드됨. *** 겉으로 드러나지 않는 속마음.

6. RECOMMENDATION

나. 보고(기획)업무를 잘할 수 있는 방법?

□ **요컨대, '이전까지의 설명해드린 내용들을 실무에서 적극적으로 활용해 이를 모두 체화(體化)*하시고, 동시에 아래의 Mindset(사고방식, 마음가짐)을 장착(裝着, Installation)해보시기 바랍니다.**

- 제가 이전 페이지까지 말씀드린 내용들은 모두 실전에서 '실무적으로 검증이 된 기술'들입니다. 그러니 이것을 여러분의 것으로 만들 수 있도록 차근차근 노력해 보시기 바랍니다.
- 그리고 아래에 요약해 드린 내용들을, 비록 동의할 수 없다고 하더라도, 꼭 기억해두시기 바랍니다. 그러면 최소한, 보고(기획)업무로 인한 스트레스를 상당히 줄일 수 있을 것입니다.

〈 보고(기획)업무를 잘하기 위한 간단한 방법들 〉

구분	세부 내용	비고
1) 현실 인정	① 우선, 상사님과 여러분은 갑을(甲乙) 관계라는 것은 늘 기억해야 합니다. 그래서 윗분들은 '언제나' 자신들의 리더십을 돋보이게 만들어 줄 乙, 지시한 업무를 묵묵히 제시간에 처리하며 말대꾸하지 않는 공손한 乙(= 노비)이 필요할 뿐입니다. ② 보고(기획)업무를 잘하는 사람 = 상사의 총알이 되는 사람 = 일를 잘하는 사람 = 인재(人材) = 리더가 될 사람	
2) 왕도(王道)**는 없습니다.	① 매사 절대 조급하게 생각해서는 안 됩니다. 당신이 쉽게 얻을 수 있는 것은 남들도 쉽게 얻을 수 있는 것일 뿐입니다. ② 보고(기획)업무 시, 혼자만 일하지 말고, 관련자들과 보다 적극적으로 커뮤니케이션(疏通, Communication)하고 협력(協力, Cooperation)하시기 바랍니다. 왜냐하면, 그래야 여러분의 가치(Value)가 상승할 것이기 때문입니다. ③ 보고(기획)업무 시 3다(三多: 많이 보고, 많이 해 보고, 많이 넘어져 보고)를 늘 기억하셔야 합니다. 그리고 이를 충분히 쌓지 않고 리더가 되는 것을 오히려 두려워하셔야 합니다. 왜냐하면, 누구도 경험 없고 배울 게 없는 상사를 원하지 않기 때문입니다.	
3) 역지사지(易地思之)***	① 모든 문제의 해답은 늘 '상대방의 입장'에 서 보면 찾을 수 있습니다. 보고(기획)업무도 마찬가지입니다. 고민거리나 이슈가 있다면, 항상 보고를 받는 분(Audience)의 입장에 서 보면 됩니다. 왜냐하면, 보고(기획)업무의 본질은 'Audience를 만족시키는 것'이기 때문입니다. ② 그리고 이해당사자가 존재하는 보고(기획)업무를 할 때에는 그분들의 입장도 충분히 고려해줘야 합니다. 만약 그렇게 할 수 없을 때에는 누가 봐도 이해할 만한 명분이 존재해야 할 것입니다. 만약 그렇지 않다면 여러분의 입지가 점점 좁아질 것입니다.	

Note) * 생각, 사상, 이론 따위가 몸에 배어서 자기 것이 됨(우리말샘). ** 어떤 어려운 일을 하기 위한 쉬운 방법(우리말샘). *** 다른 사람과 처지를 바꾸어서 생각해 봄.

This page intentionally left blank.

This page intentionally left blank.

[References]

- Edmund P. Learned, C. Roland Christiansen, Kenneth Andrews, and William D. Guth, Business Policy: Text and Cases. Irwin. 1969.
- Kenichi Ohmae. The Mind Of The Strategist: The Art of Japanese Business. McGraw-Hill. 1991.
- Ishikawa Kaoru. Guide to Quality Control. Tokyo: JUSE. Fishbone. 1968.
- 정도전. 실전 비즈니스 전략 수립 기법. 부크크. 2023.

집필을 도와주고 떠난 ‘개두리’에게 이 책을 바칩니다.

– 서울대입구역 앞 사거리에서